THE ANSWER

デーヴィッド・アイク David Icke
渡辺亜矢 訳

答え

［世界の仕組み編］第2巻

究極無限のワンネス愛「心《ハート》」は、カルト操作のマトリックスを見破り、現実にリセットする

ヒカルランド

再三、正しいと証明された男――デーヴィッド・アイク［著］
渡辺亜矢［訳］

答え

第2巻

【世界の仕組み編】

究極無限のワンネス愛《ハート》は、
カルト操作のマトリックス（幻影）を
見破り、現実（リアル）にリセットする

★本書は、人生や世界についてのあなたの知覚を変えるだろう。そして、人間社会を操っている幻想から、あなたを解き放つ。
★私たち共通の自由にとって、人類が本書の内容に気づくより重要なことはない。

カバーデザイン　重原隆
校正　広瀬泉
編集協力　守屋汎
本文仮名書体　蒼穹仮名（キャップス）

訳者まえがき

本書は、英国の著述家デーヴィッド・アイクが２０２０年８月に発表した『THE ANSWER』の邦訳『答え』第２巻である。第１巻は２０２１年７月に刊行され、「新型コロナウイルス」をテーマとした第15、16章と序章、あとがきが収録されている。さまざまな「答え」のうち、世界中の人びとにとって目下の大問題である、コロナ関連の話題を先行してお届けしたかたちだ。

それから１年ほどが過ぎたが、さまざまな「変異株」、「第○波」、「ワクチンパスポート」など、手を替え品を替え、コロナ騒動はホットな話題として扱われつづけている。

２０２０年３月８日、アイクは英ロンドンの独立系ネット放送局「ロンドンリアル」に出演し、コロナ騒動が計画されたものであると指摘して、話題をよんだ。２回目の出演となった４月６日は生配信終了直後、ユーチューブが動画を削除。フェイスブックやヴィメオ（Vimeo）なども続いた。３回目、５月３日の番組は１３０万人以上が視聴。その後６月、８月にも出演した。

２０２２年１月13日、約２年ぶりにアイクは「ロンドンリアル」に登場。本書の内容とも重なる話題を、３時間36分にわたって熱く語った。タイトルは Vindication、「正当性の証明」を意味する語だ。長年の主張が正しかったことを示しているのだろう。アイクの最新情報として、その概要をご紹介しよう。

アイクは30年来、人類は奴隷化されようとしていると訴えつづけてきた。外出や移動の制限、行動の監視、そしてワクチン接種の強制と、コロナにまつわるさまざまな動きは、それが現実化しつつあることをうかがわせる。

アイクは、「新型コロナウイルス」とよばれているものは、分離・同定されたことがなく、存在しないという。PCR検査もコロナウイルスの感染を判定するためには使えないものであり、つまりこの騒動は目的をもって計画されたものであるとしている。これについては第1巻で詳しく述べられているので、ぜひご一読を。

では誰が、なんのためにそのようなことをしているのか?

アイクは、国家を超えて世界全体の統一支配をもくろむ「カルト」（11頁参照）が、「未知のウイルス」へのおそれを煽《あお》り、命を守るという口実で行動制限や監視、ワクチン接種を受けいれさせているのだという。

法的強制力のあるロックダウンを断行する国もあれば、日本のように、なんら法には触れないものの、「空気」で追いつめて実質的に強制する国もある。このように、「権威」（国、会社、学校……）がなにかを求めてきたとき、人びとはどのように反応するだろうか?

アイクは、人びとは要求への反応によって三つのグループに分けられるという。

1. 「エンターキーを押す」ように、疑問をもたずしたがう人びと
2. 疑問があっても、いやいやしたがう人びと
3. 疑問があればしたがわない人びと

現状、1.と2.が大多数を占めているため、「権威」の要求はたいてい通る。人びとは、ピラミッドの頂点にいる少数の人びとにパワーがあると思わされていて、自分のようなちっぽけな存在が異を唱えても、なにも変わらないとあきらめている。だからこそ、疑問を表に出すことなく、しぶしぶであっても要求を受けいれる。

けれども、数でいえば、ピラミッドの下層のほうが圧倒的に多数である。多数をしたがわせることができなければ、要求は通らない。

1990年、英国でサッチャー首相が固定資産税にかわり人頭税《じんとうぜい》を導入した。所得や資産にかかわらず、一律に課税するしくみだ。富裕層にとっては、屋敷にかかる数千ポンドの固定資産税が、1人あたり数百ポンドの課税へと軽減されることになった。いっぽう借家暮らしの庶民は、無税であったところへ人数分の重い負担がのしかかることになる。怒った庶民の数のパワーに、国はなす術《すべ》もなかった。税は廃止、首相は辞任に追いこまれた。私たちには、パワーがあるのだ。

では、なぜ私たちは自分を「ちっぽけ」だと思いこんでいるのだろうか？

それは、五感が知覚したものが自分であるという錯覚をおこしているからだ。国籍、性別、職業……そういった「ラベル」を貼りつけ、それが自分だと信じこんでいる。表面的なさまざまな違いによって、個々が分断されているのだ。

しかしアイクの考えでは、私たちはみな同じ無限の意識のなかの、注意を向けたひとつの点だという。その点が、人間という短い体験をしているのが、あなたであり、私である。

そのように知覚されると、自己認識が大きく変わり、それにともなって行動もまったく違ってくる。自分はちっぽけな存在ではなく、無限の可能性があると腑《ふ》に落ちて、自尊心が高まり、納得のゆかない要求（操作）を受けいれなくなる。人びとの行動が変われば、その集合体である社会も変わる。

長年にわたってアイクが訴えてきたのは、このことに気づき、2．の人びとが3．に流れて十分な数になれば、カルトの思惑は実現できないということだ。

では、コロナ騒動を例として考えてみよう。

まずは、「未知のウイルスが発見された。死にいたることもあるおそろしいウイルスだ」と周知させ、おそれを植えつける。

次に、「感染を防ぐため、外出は控えよ。感染状況を把握するため行動を記録する」と要求。「今は非常事態。命を守るため、制約や監視はやむをえない」と正当化。

さらに、「ワクチンが開発された。接種すれば行動制限を解除し、プレゼントもあげよう。接種しない者にはペナルティをあたえる」と要求。「緊急事態のため、安全性や効果のほどは担保されないが、やむをえない」と、あらかじめ免責を主張。

これらの要求に大多数の人がしたがっており、日本ではワクチンを必要回数接種した人の割合は79・3％にものぼっている（Our World in Date 調べ、2022年2月3日現在）。

アイクに言わせれば、ワクチンとは（コロナワクチンに限らず）毒物であり、生物兵器である。死や病を引きおこして人口を削減したり、接種の有無を見分ける物質を体内に送りこんだりする、管理ツールなのだ。

コロナワクチンの接種後、若いスポーツ選手の突然死や、選手生命を絶たれるような病の発症が相次いでいる。自身もサッカー選手であったアイクは、若くて身体コンディションも良いはずのスポーツ選手が、こんなに倒れるなどありえない、という。

米国疾病予防管理センター（CDC）のデータによると、あらゆるワクチン接種後の心筋炎の報告は、2010～20年までは48～122件の範囲で推移していたが、2021年には1万5531件に跳《は》ねあがっている。さらに、過去30年間のワクチン接種後死亡報告数は、1990～2020年までは80～605件の範囲で推移していたが、2021年には1万9943件と、これも桁違いに急増している。過去30年間の死亡者の合計を、はるかに上回っているのだ（2倍超）。コロナワクチンの接種開始は2020年12月である。過去に例のない急激な変化の原因として、コロナワクチン以外に考えられるものはあるだろうか？

アイクいわく、コロナワクチンはロシアンルーレットのようなもので、危険なロットとそうでないものがあるという。政治家なども率先して接種し、アピールしているが、もちろん彼らには心筋炎をおこすようなロットは打たれないのだろう。

心筋炎や、接種後の急死のような、はっきりとした「副反応」だけではない。慢性的、長期的にあらわれる症状や変化もある。接種者本人の死以外にも、不妊にするというかたちでの人口削減も図られている。

ヘブライ大学（イスラエル）とマウント・サイナイ医科大学（米国）の研究者らが発表した調査結果によると、米欧豪およびニュージーランドの男性の精子数は、この40年で半分以下に減った。減少ペースは上がっており、最悪あと40年でゼロになるという。いっぽう、人工子宮の開発は進んでおり、将来的に生殖は自然なかたちではなく、人工的におこなわれるようになる可能性がある。

コロナワクチンは遺伝子にも影響をおよぼすともいわれており、アイクは「ヒューマン２・０」、つまり支配しやすいように「進化」した人間をつくる目的があるとしている。

職場や学校で、ワクチンを（事実上）強要されるという話もよくある。感染対策という名のもとに、命令にしたがわない者を排除するツールにもなっているのだ。

全世界を巻きこんだこのコロナ騒動と、それを口実に進められている管理や監視を終わらせる解決策はあるのだろうか？

アイクは、解決策を求めるのではなく、原因を取り除く必要があるという。大衆がコロナに大騒ぎし、自由を奪われるがままになっている原因は、大衆自身にある。ピラミッドの頂点に依存し、したがっていることがその原因だ。頂点がなにか押しつけたくても、下層がしたがわなければ成立しない。

教育、科学、宗教、メディア……、あらゆる「権威」が「ちっぽけなあなたはこれを信じよ。そうすれば大いなる私たちが庇護《ひご》をあたえる」と知覚に働きかける。人びとは自尊心を失い、「お上にはさからえない」という気持ちになる。自尊心がなくなってしまえば、あとに残るのは服従だけだ。

なにかがおかしい、と気づく人もいるが、自分にそれを変えられるとは思えず、なんとかしてくれる誰かを待ち望む。こうしてもち上げられたのが、トランプである。変えてゆこうという動きとしては一歩前進だが、パワーをもっているのはトランプではないし、別の誰かでもない。あなた自身だ。誰かにすべてを委《ゆだ》ねるならば、それは依存する相手が変わっただけだ。

支配者は、みずからに依存させることで支配をおこなうことができる。外出を控えた結果、さまざまな中小の飲食店や小売店が大きな打撃を受け、廃業した。すると大企業へと集約が進み、人びとは自分たちのローカルビジネスではなく、グローバル資本に依存せざるをえなくなる。自立の手段を奪い、ベーシックインカムをあたえれば、人びとは政府に依存するようになる。

アイクは、コロナ騒動によってさまざまな「陰」が明るみに出たという。これをきっかけに、支配のしくみに気づいた人も多いだろう。その意味で、コロナは素晴らしい機会といえる。この機会をつかみ、連帯してゆこう、とアイクは楽観的だ。

アイクは、私を信じろ、とは言わない。あなた自身が気づき、調べ、考えることが大切だという。誰かについてゆくのではなく、あなたが心《ハート》から正しいと思うことをする。ひとりひとりがそうすれば、そしてそれが十分な数に達すれば、支配は成立しない。

本文中で何度も言及された映画『マトリックス』シリーズの最新作が公開され、私も映画館へ足を運んだ。第一作の公開から20年ほどが過ぎ、現実世界に存在する「マトリックス」に気づく人も増えてきているように思う。しかしそのようなことを考えたこともない、あるいは進んでそこに耽《たん》溺《でき》していたい人が依然として多数を占めている。

アイクは、ひとりでも多くの人が気づき、行動することを願って活動を続けている。その活動の一端を担えることに、私は大きな感謝とよろこびを感じている。

機会をくださり、支えてくださったみなさまに心から感謝いたします。明治大学の石川幹人教授にも、ご指導いただきましたことを改めてお礼申しあげます。

2022年2月吉日　　　　渡辺亜矢

はじめに――本書に頻出するキーターム「カルト」とは？

アイクの著作をはじめて読む人には、圧倒的な力をもつ隠れた階級構造の背景を説明しておく必要がある。その階級構造が**非人間の権力**を**代理**し、**人間社会の方向を誘導**している。この構造と機能を知らなければ、世界のできごとの流れは理解できない。

アイクは長いあいだ、クモとクモの巣の概念を使ってきた。**クモは非人間の権力**で、**五感が知覚する非常に狭い周波数帯を超えて人間を操っている**。旧約聖書その他で「**神**」とよばれるものと同じ存在である。**ルシファー**《堕天使》も、非人間的な力をあらわす聖書の言葉だ。**サタン**や**悪魔**ともよばれ、聖書では「**巨大な竜**」「**いにしえの蛇**」〔訳注：ヨハネの黙示録12章9節、日本聖書協会『共同訳』〕などといった爬虫類をさす語であらわされている。

レプティリアン《爬虫類人》は、人間の生活を見えない領域から操作するものとして、アイクの著書に登場する。**レプティリアンは、人間と爬虫類人のハイブリッドである彼らの血族（ネフィリム）を使って支配をおこなう**。ネフィリムは、人間とレプティリアンに姿を変えることができる。

「**クモの巣**」は、隠れたクモが目に見えるできごとを指示できるようにする、相互につながった**秘**

密結社の構造である（図6［注：図の番号は原書のママ＝以下同］）。**人間社会の内側でクモの巣を制御している核心部**を、アイクは**「カルト」**とよぶ。

クモに近いクモの巣のなかの糸は、**もっとも排他的な秘密結社**で、入会者は詳細なクモの**アジェンダ**《実現目標》を知っている。

クモの巣の中心に入りこむか、数十年間の所業を見通せば、「未来」として看取するもの（科学技術の関与を含む）を予言できる。この意味での**「未来」は、紡がれたクモのアジェンダ**にすぎないからだ。

クモの巣の外側には、活動は知らなくても名前は聞いたことがある秘密結社がある。テンプル騎士団やマルタ騎士団、イエズス修道会、フリーメーソンなどだ。それらの指揮系統は、深い部分で互いに連結している。メンバーの大半は自分たちが連動している本質や、統制する中心部が追求しているアジェンダに気づいていないだろう。それぞれの「階層」は区画化されていて、下層部ではアジェンダについて知らされることはない。

クモの巣には、**隠されたものと見えるものとが交わる場所**がある。そこには、アイクが「先端」組織とよぶものがある。**ビルダーバーグ会議**（1954年、米国・欧州・世界）、**三極委員会**（1972年、米国・欧州・日本）などだ。これらの組織は、19世紀末、**ロスチャイルド家とその番頭、セシル・ローズ**によってロンドンに創設された秘密結社、**円卓会議**の要求に応える（図8）。

カルト内のひとつの中心的ネットワークは、**サバタイ派フランキスト**［訳注：ユダヤ教党派］と

図６：中央の隠れた「クモ」がその実現目標《アジェンダ》を人間社会に課すことを可能にする秘密結社や、準秘密および公然の組織の区画化されたクモの巣。（ニール・ヘイグ画）

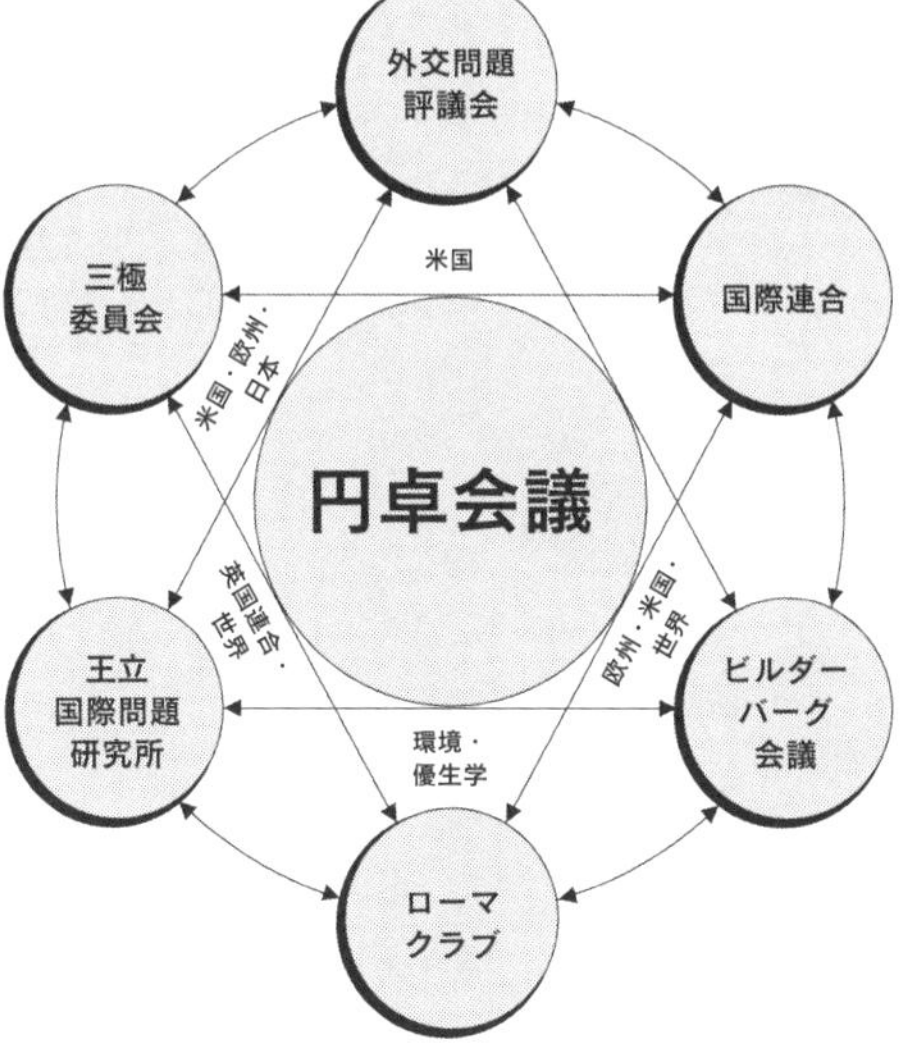

図８：クモの隠された実現目標を引きうけ、人間社会全域で演じきる、主な「先端」組織。

して知られる。サバタイ派フランキストの名は、ふたりの凶悪なカルト信者、**サバタイ・ツヴィ**（1626―1676）と**ヤコブ・フランク**（1726―1791）にちなんだものだ。

ヤコブ・フランクは、ロスチャイルド金融帝国の設立者でサバタイ派フランキストの**マイヤー・アムシェル・ロートシルト**［訳注：ロスチャイルドのドイツ語読み］と組み1776年、クモの巣のもうひとつの重要な糸として、悪名高き**イルミナティ**を創設した。

重要なのは、世界的なできごとを操る際、その中心部分がイスラエルや米国、英国、欧州、世界と関係するサバタイ派フランキストによって演じられることである。

各国も世界もひっくるめ、**区画化によってカルトがコントロールする恒久政府**というものが存在している。政権交代は変化《チェンジ》をもたらすようにみえるが、与党がどんな性質であれ、**つねに権力の座にあるのは恒久政府**だ。恒久政府は「**ディープステート**《影の政府》」と広くよばれているが、それは恒久的な支配の一角にすぎない。

「ディープステート」は、世界に向けたカルトのアジェンダを進めようとする**官僚や内通政治家**と共に、**カルトの指示を受けた諜報部や軍、警察の職員**で構成される。カルトの望むものを確実に手にいれるため、**彼らは選挙で選ばれた政治家やカルトでない職員（圧倒的多数者）に命令したり、操ったり、弱体化させたりする。**

恒久政府の別部門には、**銀行と金融のネットワークや大手テクノロジー企業、巨大バイオ企業、巨大製薬企業、巨大メディア**（一部の「オルタナティブメディア」）、**巨大石油企業、その他大企業**

(核エネルギー・核兵器など軍需)、法律制度と裁判所もある。政治家は絶えず入れ替わるが、影の政府はつねにそこにある。そして、政権政党がどの党であれ、世界は絶えず同じ方向へ進む。

あなたが見ている政府は、見えない恒久政府に服従している。各国の恒久政府は、クモの巣を通じて世界に指図する**地球規模の恒久政府**に融合している。こうした事情にもかかわらず、人びとは政治的に「左」と「右」に大きく分断されている。**人びとは「選択肢」をもつと信じている限り、分断・統治されつづける。**

テクノクラート《技術官僚》の億万長者、**ビル・ゲイツもカルトの一工作員**である。工作員は超リッチになれるが、カルトの作戦を通じて生みだされた途方もないカネは、**慈善事業を装った「財団」**を通じ、カルトのアジェンダを前進させるために使わなければならない。各工作員には、専門分野があたえられる。ゲイツの専門は**巨大製薬企業の「保健」**分野と、**世界中の人にワクチンを打つこと。「慈善活動」のための乗り物が、ビル&メリンダ・ゲイツ財団だ。ロックフェラーが創設した世界保健機関(WHO)**において、ビル&メリンダ・ゲイツ財団は、米国政府に次ぐ第2位の出資者である。財団からWHOへの寄付金のうち、6割がポリオ撲滅(=ワクチン接種)に投じられている。WHOは「新型コロナウイルス」の「世界的大流行《パンデミック》」を宣言した。ゲイツは即座にワクチンの必要性を語り、数億ドルの拠出を誓った。

数千年前にさかのぼるカルトの詳細な背景は、アイクの『The Trigger』(未邦訳)や『今知っておくべき重大なはかりごと』(ヒカルランド)などの著作で知ることができる。

答え　第2巻［世界の仕組み編］目次

第2章　私たちは何者？

第３章　謎とは何か？

第4章　愛とは何か？

第5章　私たちはどこにいるのか？

【編集部注記】本書『答え』第2巻［世界の仕組み編］は、原書『THE ANSWER』の第1章から第5章までです。『答え』第1巻［コロナ詐欺編］（高橋清隆訳　2021年7月刊）は、偽パンデミックの世界的大騒動の真相認識の緊急性を鑑み、原書のコロナ関連情報・考察・分析が凝縮された、序章、第15章、第16章、あとがき、を編集しました。

第1章
現実とは何か？

自分がほんとうは誰なのかわからなければ、何がほんとうに欲しいかわからないだろう

――ロイ・T・ベネット

「意識的」という言葉の辞書における定義は、「周囲の状況を認識し、それに反応する状態」、「なにかを理解し、気づいている状態」である。本書における私の定義とは、まったく違うものだ。

私が「マインド《精神》」とよぶものと、「意識《コンシャスネス》」とよぶものの区別をはっきりさせておく。五感の現実に対する知覚を指すときに「マインド」および「ボディー《肉体》マインド《精神》」という用語を使い、五感の壁（このあと説明するファイアウォール）を超えて拡大した認識を指すときに「意識」という語を使うことにする。この観点からみると、辞書にある「意識的」のふたつの定義は違ってみえてくる。

まずは「周囲の状況を認識し、それに反応する状態」。なるほど、しかし**なんの**状況を認識しているのか？　知覚された「状況」（これから探求するが、まったく誤った言葉）は、それらを経験するようにみえるしくみを考えれば、実際には幻想である。たとえば、世界は「固体」ではない。ほんらいのかたちでは意識ではない**感覚**が、そのように捉えているにすぎない。私たちの五感、すなわち情報解読システムは、周囲の「状況」を、「感知する」。どう拡大解釈しても「意識」や「認識」はしていない。もし、「意識」や「認識」ができるなら、私たちは幻想やマインドのトリックを見抜き、世界をありのまま知覚するだろう。

次の定義、「なにかを理解し、気づいている状態」。「固体の」「物理的な」世界を（実際にはどちらでもないのに）体験しているということに**何**《なん》の疑問も抱かずに、ほんとうに**何**《なに》かを理解できる人などいるだろうか？　世界**の**本質を理解せずに、世界**で**なにかを理解などできるだろうか？　無理な話だ。それなのに、人間社会のすべての機関は、自分たちがそのなかで暮らしていると思っているものとはまったく違う、幻想の現実にもとづいて決断したり、知覚を形成したりしている。

そのような決断や知覚が、ゆがめられ、誤誘導されないものになどなりうるだろうか？ ごくわずかの例外を除いたほぼすべての人が、そのような教育や科学、医療、政治、メディアなどの機関から知覚を得て、決断している。

これらを考え合わせると、「盲人が盲人を導く」、または私の言う、無意識が無意識を導くという言葉の意味するところがみえてくるだろう。五感のマインドは、私の定義では、**意識的**ではなく**感覚的**（物理的感覚に関連する）である。知覚するのではなく、**解読**するのだ。その方法と理由は、おいおい説明してゆく。

この五感の知覚への閉じこめが、非常に多くの人（とくに大学、科学、医学界において）が、見たり、触ったり、味わったり、嗅《か》いだり、聞いたりできるもの、つまり**感じ、解読**できるものしか信じない理由である。彼らは感覚上の自己を超えて**意識**しない。したがって、私の定義では、そのような人びとは無意識であり、五感のマインドの奴隷である。私たちの感覚が意識的でないのは、データを**解読**して私たちに認識できるかたちで画面に表示するコンピューターが意識的でないのと同じである。

私が「意識的」とよんでいるものは、単なる感覚を超えて働く。これはキーボードとマウスを手にコンピューターの前に座っている人間と考えることができる。いっぽう、入力したものに反応するコンピューターは、知覚するマインドである（図16）。

コンピューターウイルスがシステムに侵入し、それを乗っ取る（「占有」する）と、操作者がマウスをタップしても、キーボードをバンバンたたいても反応しない。コンピューターは何者かの支配下にあり、操作者を受けつけない。人類も同じ状況に置かれている。「ウイルス」（死のカルトとその非人間の親方《マスター》）が人間の知覚に侵入して、知覚するマインド（ボディーマインド）を拡大意識から切り離した。今宿っている肉体や、知覚しているマインドが私たちなのではない。純粋な認識（認識している状態）である真の自己にとって、肉体やマインドは体験にすぎない（図17）。


すべて存在するものは意識である。さまざまな認識状態にある、**同じ**意識だ。私たちはすべての**もの**と同様に、無限で永遠の認識のひとつのあらわれである（図18）。

私たちのあらわれ、すなわち注意を向けた点は現在、人間とよばれる短い体験をしており、（コンピューターが象徴する）ボディーマインドは、そのための乗り物である。人類は自身の本質を忘れ、五感の「私」や虚偽のラベル、ばらばらに分断された感覚が自分であると思うよう、カルト［訳注：11頁参照］によって操られてきた（図19）。

私たちはほんとうの「私」への接続を保つようつくられており、私たちのマインドを潜在的に無限そのものに開くことができる。マインドが閉じれば、私たちの**体験している**認識、すなわちボディーマインドに対する影響は失われ、私たちは「シャボン玉」のなかで孤立するようになる。「シャボン玉」のなかでは、私たちの現実感覚は五感の知覚に支配される（図20）。

私たちは、拡大意識からの影響ではなく、カルトが制御するメディアや政治、科学、医学、学界が、脳と五感に絶えまなく浴びせる情報によって、催眠術にかけられるようになる。それにもかかわらず、こうした業界で働く人びとのほとんどは、自分たちがカルト主導のアジェンダ《実現目標》に奉仕しているなどとは思いもよらない。

彼らも他のみなと同じく、みずからのシャボン玉によって知覚的催眠状態にある。孤立した「シャボン玉」の内側の知覚は、現実を**意識**せず**感知**するようプログラムされており、これによってカルトは操作された無知により、みずからの意志を人間に押しつける。こうしてあらゆる種類の戦争や分断、紛争という集団の狂気が生まれた。

このボディーマインドの支配は、AI（人工知能）を人間の脳に集団接続することによって完成するように計画されている。そうなれば、単なる知覚プログラムを超えて、私たちは人工知能とその背後にいる勢力と、全面的に同化することになるだろう。真実の「私」への同化ではなく、真実の「私」から切り離された、五感のボディーマインドのシャボン玉への同化だ。操作者（真実の「私」）を無視し、切断することによってコンピューターネットワーク全体の支配権を握り、別の情報源（カルトと、姿の見えないその親方《マスター》たち）にシステムを接続する、ウイルスのようなものだ。

あらゆるものは、意識的である。というのは、すべてが無限の状態とかたちであらわれている意識だからである。しかし、すべてが**同じように**意識しているわけではないので、この本では、ボデ

図16：人間の憐《あわ》れな姿が、象徴的ではあるが正確に描かれている。コンピューター（ボディーマインド）は人類を管理するため偽の知覚をプログラムされているので、操作者（意識）は、コンピューターと切り離されてしまう。（ニール・ヘイグ画）

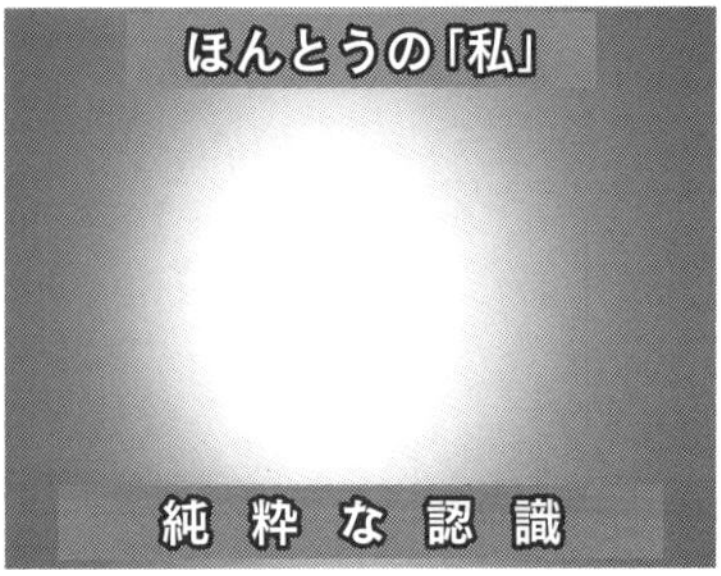

図17：私たちは誰なのか？　私たちは認識、つまり認識している状態である。肉体は、「人間」として認識する短い体験のあいだの、一時的な乗り物にすぎない。

図18：私たちは、自身を「個人」として体験するかもしれない。しかし、私が「フィールド」とよぶレベルにある、同じ無限に流れる認識のさまざまなあらわれでもあるのだ。（ニール・ヘイグ画）

図19：注意を向けた点が人間の周波数帯に入ったら、私たちは拡大意識のレベルから導かれるべきだ。しかしほとんどの人は、見聞きするものをカルトが制御する五感の領域だけで活動するよう操られる。その結果、知覚の奴隷化によって「物理的な」奴隷になる。（ニール・ヘイグ画）

図20：人間支配の基本――知覚のシャボン玉のなかに孤立させよ。第４巻にカラーグラビア（「ニール・ヘイグ」ギャラリー）を掲載。

ィーマインドとよぶものと意識とを区別している。人類を5分も観察すれば、さまざまな認識状態をみることができる。マインドの知覚は、ボディーマインドのシャボン玉を超えた意識と比べれば、現実の知覚がかなり制限された、認識のひとつのかたちである。

「神」とはなにか？

私たちは無限の認識／意識状態のなかの、注意を向けた点である。無限の意識を「神」とよぶ者もいるが、私は「神」という言葉を宗教的ニュアンスで使うことはない。私たちは「神」と**別物**ではなく、**その一部**である。私たちは注意を向けた独自の点であり、この点によって無限の認識、すなわち神は自身を無限に体験できる（図21）。

無限の認識とは、無限の体験のための無限の可能性と無限の潜在能力を意味する。私たちはみな、同じ意識のさまざまなあらわれであり、別々だと思うのは五感の幻想である。カルトはこれを維持しようと懸命になっている。米国の天文学者、カール・セーガン［訳注：SF作家でもあり、テレビ番組『コスモス』の進行もつとめた］はこう語る。

私たちは、宇宙《ユニバース》［アイク注：私にいわせれば無限］が自身を知るための道すじです。私たちはどこかで、宇宙が私たちのふるさとだとわかっています。ふるさとに焦がれています。帰ることはで

きます。なぜなら、宇宙《コスモス》もまた、私たちのなかにあるから。私たちは星のかけらでつくられているのです。

自身をさまざまな方法で体験している認識状態をのぞけば、「人間」とはなんだろうか？「部分」の認識レベルは、全体とのつながりの強さによって決まる。私たちが全体（私は人間を体験している無限の認識）との自己同一性を知覚しなくなり、自己を孤立したばらばらの「ラベル」（私はレジ打ちのエセル、あるいはドライブスルー係のチャーリー）であると知覚するほどに、無限の認識とのつながりと影響はいっそう失われてしまう。私たちは幻想に閉じこめられ、ほんとうは誰であるのか忘れてしまうのだ。

孤立したボディ－マインドのシャボン玉のなかで生きることが、それを象徴している。すべての知覚は、シャボン玉のなかだけで利用可能な情報のみで形成される（図22）。

その壁を越えたところに、自分が誰で、どこから来たかについて、まったく違った理解をもたらす認識と無限の可能性、そして潜在力が存在している。カルトは人類をシャボン玉に閉じこめておくためにたえず働いている。さもなければ、人間は幻想から抜けだしてしまうからだ。

ボディ－マインドを拡大意識状態から切り離し、大衆の奴隷化を受けいれる知覚と自己認識をプログラムする。重要なのは、秘密結社ネットワークの中枢を使って、現実の本質をカルトの各世代に伝えてゆくことだ。いっぽう、ターゲットとなる人びとからはその知識を遠ざけておく。

図21：私たち「個人の」認識は、自身を体験する無限の認識である。私たちは「個」であり、全体である。

図22：人類は知覚のシャボン玉に閉じこめられ、シャボン玉のなかでカルトが支配する主流派情報源によってプログラムされる。孤立させて、プログラムせよ。第４巻にカラーグラビア（「ニール・ヘイグ」ギャラリー）を掲載。

先にかいつまんで述べた無限の現実については、カルトが主流「科学」を喧伝《けんでん》するよりずっと昔から、歴史のなかでさまざまに言及されている。主流「科学」は、私たちは宇宙の偶然から生まれ、意識は脳だけに存在し、死がすべての終わりであるという。

このナンセンスを推進することで、私たちは無限なる全体の永遠のあらわれではなく、偶然に進化した細胞の無意味な集合体である、という考えが埋めこまれてきた。「専門家」は、脳が意識の源であり、生命は脳に依存するという。脳がアクティブでなくなれば、意識はなくなる、と。このシャボン玉幻想を信じこませることが、大衆支配に不可欠な大前提である。

カルトが創造した「教育」と学界は、このでたらめを各世代の若い人びとにダウンロードさせ、ほとんどの人はそれを次の世代に継承する。学界と、目に見えるものがこの世のすべてと考える「科学者」も、同じ台本をダウンロードしている（そうしなければ職を得られない）。資金提供者も権力者も、そう教えるよう求める。無知が無知にうそを吹きこむ。知覚の永久機関のなかでおこなわれているこうした流れが、「教育」とよばれている。

この知覚プログラムを受けいれない人びとには、宗教という罠《わな》が用意されている。「神」（カルト）の要求にしたがえば永遠の生を得られるが、自分自身のマインド、すなわち意識をもてば地獄の業火にかけられる。宗教をひとことであらわせば、こうだ。「神（私たち）の言うことを聞かなければ、ひどい目に遭うぞ」

世界各地の古代文明は意識が永遠であると知っており、その理解にもとづいて社会を築いていた。

数千年後、カルトの「科学」と宗教がやってきて、それはまちがいだと言いだした。カルトのストーリーは、英国や欧州による植民地化を通じて押しつけられていった。

カルトはシュメールやバビロン（今日のイラク）、エジプト、アジアなどから何世紀にもわたって旅してきて、英国に本拠地を置いた（それが大英帝国だ）。イタリアとドイツもカルトの主要な中心地（中国も）であり、植民地化を利用して北米に拡大した。いっぽう、サバタイ派フランキスト［訳注：ユダヤ教党派］を通じてパレスチナの要となる土地に定着し、イスラエルを建国した（拙著『The Trigger』を参照）。

幻想《イリュージョン》を解く

現実をさらに深く探求する前に、私たちが信じるよう言われている幻想にもとづく「あたりまえ」についてまとめておきたい。「あたりまえ」は、体験しているようにみえるものが、**実際に**体験しているものである、と受けいれさせようとする。**五感**が信じるよう操作されているものが、現実とされているものである。

見える？　調べよ。聞こえる？　調べよ。さわれる？　調べよ。においは？　調べよ。味は？　調べよ。よし、存在している。しかし、現実は私たちが考えているかたちで**存在している**のだろうか？　私たちや世界は、ほんとうに「物理的」で「固体」なのか？

そうではない。五感の感知システムは、コンピューターがWi-Fiをさまざまなかたちで画面に解読するのと同じく、情報の解読器である。五感は、(これもコンピューターのように)コード化されたものを反映する特定の方法によって、情報を解読する。テレビ放送が、テレビが解読できる波形で音声や画像を伝達するように、コンピューターは電子回路やWi-Fi電磁放射場からの情報を画面上の画像や色彩、図形、文章に解読する(図23)。

私たちは、インターネットが画面上に表示されるものであると知覚するが、実際インターネットがそのかたちで存在する場所は、画面上だけである。他のどこでも、同じ情報が電子回路やコード、Wi-Fi場としてあらわれている。人間の現実も電磁Wi-Fiのような情報の波動場で構成されていて、コンピューターがWi-Fiと相互作用するように、私たちは情報の波動場と相互作用する。

コンピューターは、Wi-Fi波の情報を解読して画面上に表示されるものを生成するようコード化されている。いっぽう、五感は脳と連携し、波動場が放射する情報を解読して現実(現実感覚)を生成するようコード化されている。それが「物理的世界」として知覚される(図24、25)。

私たちの現実と人間自体の根幹は、「物理的」ではなく、波動場情報(Wi-Fi)である。物理的に体験していると思っている世界は、五感が情報をそのようなかたちに解読したものだ。それぞれの感覚を観察すれば、これが真実だとわかるだろう。感覚は、波動場の情報を電気的情報に解読する。電気的情報は脳に伝達され、物理的世界として経験するものに解読される。脳には、各感覚器からの入力を処理する特定の領域があり、これらの情報源が組みあわされて、人間の現実であると私たちが信じているものを構築する（図26）。
物質性と固体性からすると、すべての感覚はこの解読プロセスの幻想である。物質的に見えるものは、実際にはホログラフィック《立体画像的》な、つまり**幻想の**物体なのである。ホログラム《立体画像》は固体ではないが、そう見える。この幻想は、実際は固体ではなくエネルギーの投影なのに、人間のように見える今日のホログラフィックにも見ることができる。これについては、次の章でさらに詳しく説明する。

この波動場－電気的－デジタル－ホログラフィック解読プロセスを経て、ようやく私たちが知覚するような「外部」世界が存在する（図27）。また、ホログラフィックな「物理的」現実は、感覚がなにを伝えようとも、実際には私たちの外部にはない。一見「外側」にあるように認識される「世界」は、私たちの**頭**、つまり**脳内**にそのようなかたちで存在しているだけである。

同じように、コンピューターの画面上の情報は、コンピューターの**なか**にそのようなかたちで存在するにすぎない。科学者たちは、感覚が外部の現実を解体し、それから脳内に再構築すると主張する。そんなことはありえない。確証のあるエビデンスに目を通すだけでも、すぐにわかるはずだ。「覚醒《めざ》めている」科学者は認めているが、私たちが経験してきた現実は、音声や画像を出力できるコードや回路、画素《ピクセル》を隠しているコンピューター画面のようなものだ。私たちの場合、これらのコードや回路、画素は、解読されると幻想の「物理的」現実を形成する、情報（意識）波動である。

私たち自身を含む現実の根幹は、**意識**のあらわれである波動情報場だ。したがって、すべてはなんらかのかたちで意識的である。波動場に木をコード化した情報は、それを木にするものであり、花やトゲの茂みにするものではない。バーチャルリアリティ《仮想現実》（VR）ゲームにおける木とはなにか？　コンピューターによって、木のかたちに解読されるようコード化された情報である。

すべてのかたちのあらわれ、およびすべての思考と感情は、さまざまな周波数の波動を伝達する。その周波数は、波動があらわしたり含んだりする情報を反映している。Informationという英語のなかにformという語が入っていることからわかるように、形態《form》とは情報《information》、つまり波動情報《wave form information》である。人体の波動場にコード化されているものが、私たちを「物理的」人間に見せている（図28）。

私たちの現実は、人間が感知する周波数帯域内の、すべての波動情報場の総計である。私はこの全体を「フィールド《波動情報場》」、すべてを接続するエネルギーの「海」とよぶことにする。私たちの感覚は、それぞれの「形態」が他のすべての「形態」とのあいだに「空間」をはさんで孤立していると感じている。しかし、「空間」はすべてを接続するフィールドの情報（意識）で満たされている（図29）。

Wi-Fi技術は「**フィールド**」を模倣しているが、その理由はこれからあきらかになるだろう（図30）。ボディーマインドの場は、インターネットから情報を得たり、投稿したりするように、「フィールド」と相互作用している。フィールドは私たちに影響をおよぼし、私たちもフィールドに影響をおよぼす。私たち**は**フィールドであり、フィールドは私たちであり、分かつことはできない。「私たちはひとつ」という言葉は、陳腐で難解なものではなく、私たちの現実にある万物と**すべて**の現実が、究極的にひとつのエネルギー／意識場であることをあらわしている。見かけ上の分裂は、

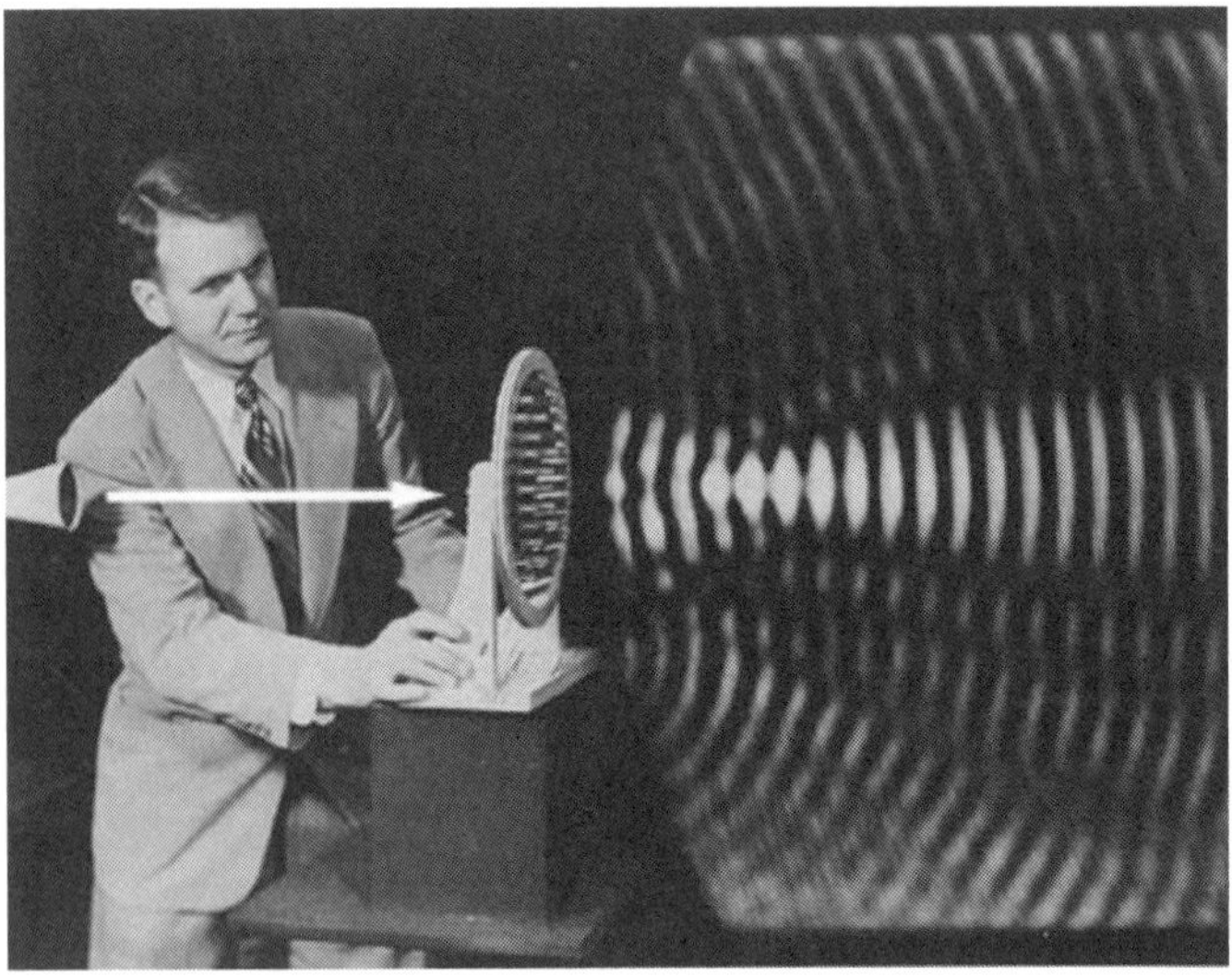

図23：人間の現実の根幹は、波動場にコード化した情報である。幻想である「物理的」世界は、その情報を解読した映像である。

図24：コンピューターは、目に見えないWi-Fi放射場からの情報を、私たちが見ることのできる画面上の画像に解読する。

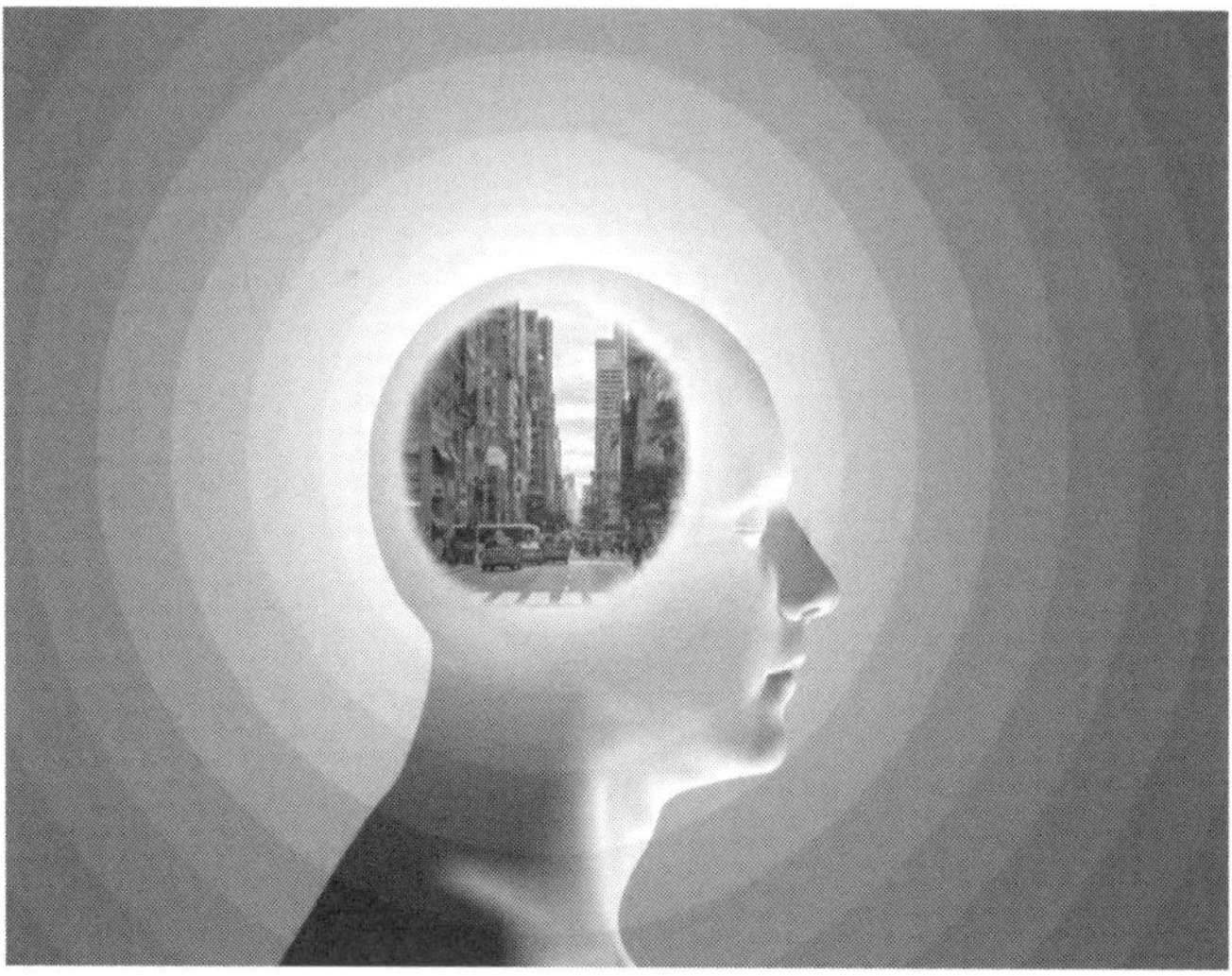

図25：人間の脳と五感の解読システムも同じく、目に見えない波形情報を、「頭」のなかだけに存在するホログラフィックな幻想の「物理的」情報に変換する。（ガレス・アイク画）

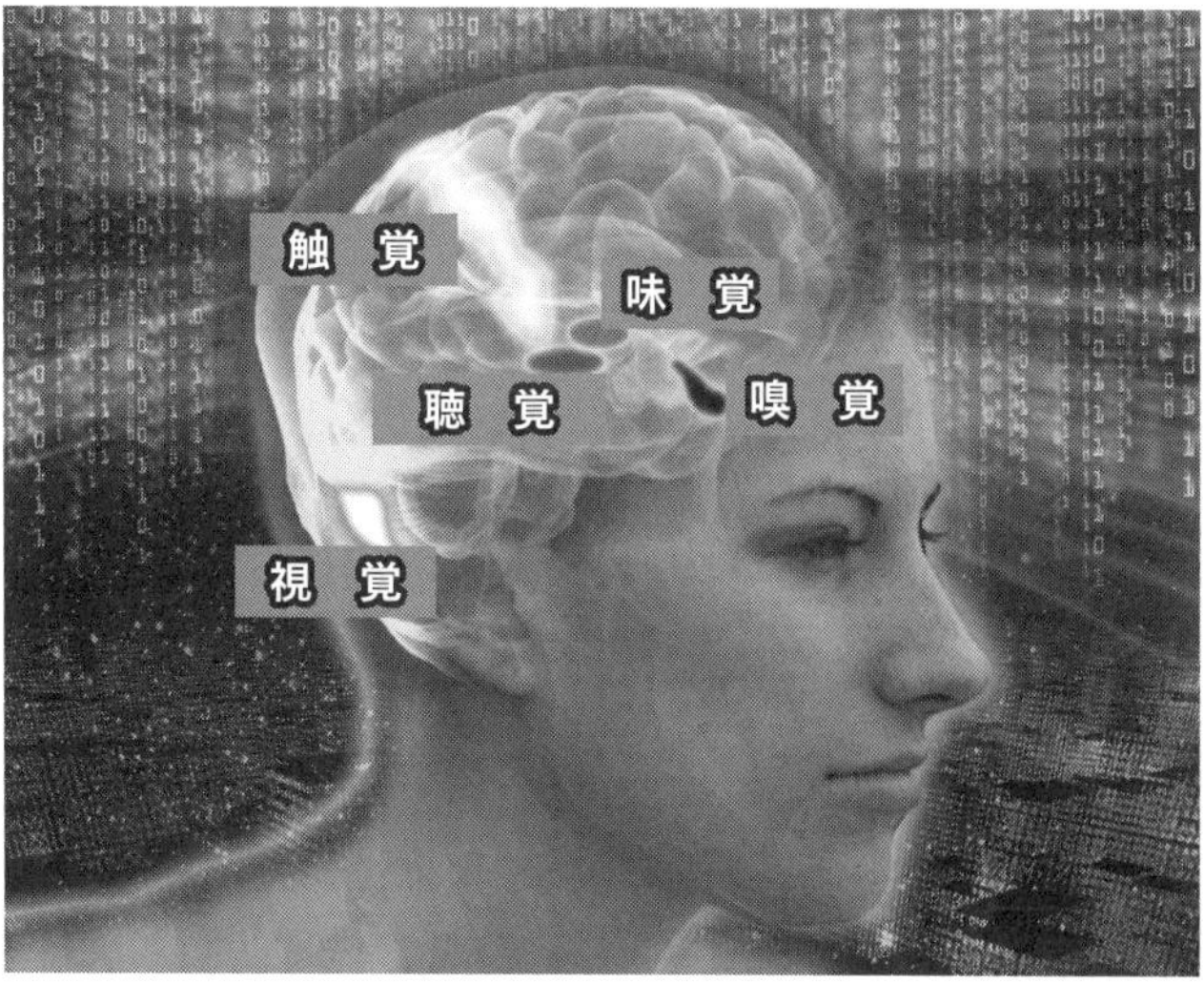

図26：脳の各部分は、それぞれ異なる感覚を解読するのに特化されている。それらを組みあわせて、知覚される現実がつくられる。（ニール・ヘイグ画）

図27：人間の解読システムは波動情報を電気的情報に変換し、それがデジタルでホログラフィックな情報になる。幻想の「物理的」世界だ。(ニール・ヘイグ画)

図28：人体や私たちの現実のすべての根幹は、波動場にコード化された情報である。第４巻にカラーグラビア（「ニール・ヘイグ」ギャラリー）を掲載。

図29：すべてはフィールドと接続しており、フィールドを通じて他のすべてと波動で相互作用する。第４巻にカラーグラビア（「ニール・ヘイグ」ギャラリー）を掲載。

図30：現在、いたるところに存在するWi-Fi場。フィールドも基本的に同じしくみだ。

私たちが現実を体験する方法上の幻想である。

重要なのは、**すべて**は、私たちが「世界」として解読する波動情報場であることに気づくことである。「世界」は、ほんとうは**私たち**（ボディ－マインド）のなかにあるのに、私たちは世界の「なか」に住んでいると思っている。「物理的」現実の根幹となる波動の本質を理解することは、これからあきらかになるように、世界でなにがおきているかを真に把握することである。

聞くための耳？　味わうための舌？

聴覚は、波動を電気信号に解読するもっともわかりやすい例だ。耳は波動場情報を音波として受け取り、電気的な伝達として脳に送る。脳がその情報を解読したときのみ、私たちは音を「聞く」。人びとはお互いが話すのを「聞く」と言うが、言葉は私たちのあいだを行き来しない。音波が行き来するのである。

言葉は一連の流れの最初ではなく、最後にあらわれる。私たちが話すとき、声帯から情報の**波動場**が生成される。音波は耳によって解読され、脳へ電気的に送られる。そして、私たちが耳で聞いていると考える言葉に解読される。私たちは、言葉を脳で聞く。これはすべての感覚に当てはまる。

音は、**音波**のかたちでは感覚的に**無音**であり、情報が脳に入ってはじめて聞こえてくる。

木が倒れるのを例にあげよう。倒れゆく木は、電磁的波動場の「海」またはフィールドに衝撃をあたえるひとつの電磁波的情報場である。この波動の相互作用から「海」に波動の乱れが発生するのであり、もしその乱れを解読する人がそこにいなければ、倒れゆく木は音を立てない。もし観察者がいれば、波動の乱れが電磁（音）波として捉えられ、脳に電気的に送られ、木が倒れゆく音に解読される。したがって、「倒れゆく木は音を立てるか？」との質問の答えは、「あなたがそれを聞きさえすれば」となる（図31）。

五感はすべて、このように機能する。私たちが飲食物だと知覚するものは、じつは感覚器によって私たちが見たり味わったりするかたちに解読される、情報のエネルギー場である。舌は脳に電気信号を送り、「おいしい」あるいは「なんだ、このまずいのは？」となる。人間の現実内で味わうのは**脳**であり、同じことが視覚や触覚、嗅覚《きゅうかく》、聴覚にも当てはまる（図32）。

今日では、痛むところが脳と電気的に交信するのを妨げる痛みの緩和技術もある。脳がその信号を「痛い」と解読しない限り、痛みは存在しない。食品会社は、自分たちの「食品」にうまみ増強剤を加える。脳を騙《だま》して、含まれるもの以上の味を解読させるためだ。最近では、健康のために、車の座席に座っている人が歩いていると脳が錯覚するような工夫もされている。

「物理的」現実は幻想であり、カルトはそれをわかっている。そして**あなた**が、カルトの知覚操作のカモにされていることに気づかないようにしている。映画『マトリックス』第一作の有名な場面は、世界をありのまま描いている。主人公のネオがコンピュータープログラムのなかに入り、物質性の幻想的な本質をみせられるところだ。

図31：倒れゆく木（他のすべても）は文字どおり、私たちが聞いているときだけ音を立てる。

図32：食べものも含め、すべてものの基本状態は波動場情報である。「物理的な」食べものは、解読された波動場エネルギー（情報）だ。第４巻にカラーグラビア（「ニール・ヘイグ」ギャラリー）を掲載。

ネオ：これは現実ではない？

モーフィアス：現実とはなんだ？　明確な区別などできん。五感で知覚できるものが現実だと言うなら、それは脳による電気信号の解釈にすぎん。

それがすべてであり、私たちが現実であると信じるものはすべて、私たちの経験するかたちでの脳、またはボディーマインドに存在するだけである。東洋哲学の西洋的解釈によって米国で有名になった英国人哲学者、アラン・ワッツは次のように述べている。

〔脳がなければ〕世界には、光も熱も重さも硬さも動きも空間も時間も、他の想像できるいかなる特徴も存在しなくなる。こうしたすべての現象は、ニューロン《神経細胞》が一定の配列のまま、振動が相互作用した、または処理されたものである。

脳の外側には、「物理的現実」の基盤であるこうした現象は、どれも脳が処理した形態では存在しない。主流派科学者、ロバート・ランザは著書『Biocentrism』（未邦訳）で、私たちが電磁波や電磁エネルギーを視覚的で「物理的な」体験にどのように解読しているかを説明している。ランザは炎を例にひいた。光子、すなわち電磁エネルギーの小さな固まりを放出し、それぞれが電気的、磁気的に振動しているものだ。

……これらの目に見えない電磁波を人の網膜に当ててみる。もし電磁波の波長が４００～７００ナノメートルのあいだならば（そのときに限り）、エネルギーは網膜にある８００万個の円錐形《えんすいけい》の細胞に刺激を伝えることができる。

すると、その細胞のひとつひとつが隣のニューロンに電気的振動を伝える。振動は毎時約４００キロのスピードでニューロンの列を駆け上がり、脳の後頭葉（頭の後ろのほう）に到達する。そこでは直列配列されたニューロンの複合体が、入ってきた刺激によって次々と発火する。それで私たちは、黄色くて明るいものが「外の世界」と私たちがよぶように条件づけされてきた場所にあらわれたと、主観的に知覚する。

幻想の混乱

身体の動きも、解読された幻想である。**動き**が幻想だって？　**あなた**は少しも動いていないのに、夢のなかでは動き回っている体験をする。すべてはマインドのなかでおきている。**あなた**はぐっすり眠り、ベッドに横たわっている。ホログラフィックな「物理的」現実は脳内にしか存在しないのだから、ホログラフィックな夢以外に、人間の体験に「物理的」な動きがあるわけがない。コンピューターゲームをするためにヘッドセットを着けると、身体は椅子に座ったままどこにも行かないのに、車でスピードを出したり、断崖絶壁から落ちたりといった体験をする。英国のある新聞記者は、そのようなゲームをするうえでもっとも印象的なのは、実際には動いていないのに、動いたように感じる肉体的な感覚であると述べた。「脳が身体に信号を送ると、ほんとうは静止したままなのに、ピンボールのように弾丸を撃ちまくっているという幻覚が引きおこされた」。人間の動きという幻想は、このようにおこる。

色は、脳によって解読されるまで存在しない。それぞれの色や微妙な色合いは特有の周波数で、見るには解読が必要だ。物体（波動場）は色の周波数の一部の波動を吸収し、それ以外を反射する。反射されたものを私たちは解読し、「色」として「見る」。吸収されるものは見えない。私たちが視覚的に知覚するものはすべて、反射された光である。よって、物体（波動場）に反射する光がない真っ暗闇で見ることはできない。

黒はすべての光を吸収するので黒く見え、白はすべての光を反射するので白く見える。他の色は一部を吸収し、その他を反射する。それが、私たちが色として「見る」（解読する）光である。虹《にじ》は「スペクトル」とよばれるが、これは幽霊またはお化けを意味するラテン語に由来する（英語では幽霊やお化けはスペクターという）。色の原理をうまくあらわしている。

同じく、音は波動が脳によって解読されたときにはじめて聞こえる。視覚的現実も、同じ過程によってはじめて見える。これが「観察者効果」という科学的概念の基本で、「物理的」現実は観察または「測定」されているときにのみ、そのような形態で存在するというものだ。観察／測定されていないときには、現実は波動場状態のままである。私たちがなんらかのかたちでそれを**見る**とき、装置による測定でもいいが、そのときにはじめて「物理的」になるのだ。

あるメディアの見出しはこうだ。「人生はすべて幻想　私たちが見るまで世界は存在しないとの理論を裏づける新事実」。この現象を研究してきたオーストラリア国立大学のアンドリュー・トラスコット准教授は、量子（原子より小さい）レベルでは、現実は私たちが見ない限り存在しないと述べた。彼のチームの実験によってあきらかになった内容は、「……原子はA地点からB地点へと移動せず……行程の最後に測定されたときにはじめて、波形のまたは粒子のような動きがあらわれた」。

量子物理学において有名なドイツの先駆者で、理論物理学者のヴェルナー・カール・ハイゼンベルク（１９０１〜１９７６）は、「波の行路は、観察しているときだけ実体としてあらわれる」と述べた。中国・法輪功の関係者が米ニューヨークを拠点に発行する多言語メディア『大紀元時報』は、「精神が物質を支配する」と題する記事で、別の実験での発見を紹介した。

原子としての粒子も、波であることが示された。それらが波としてあらわれるか粒子としてあら

われるかは、誰かが見ているかどうかで決まった。観察が、粒子の物理的な実在に影響をあたえた――科学技術的にいえば、観察が波の機能を崩壊させた。

科学者は、粒子は**同時に**波でもあるという不思議な現象を長いこと思案してきた。不可能なことだろうか？　どちらかでなければならないのだろうか？　粒子と波が**同じ情報**のあらわれであることを理解すれば、不可能ではない。情報がとる形態のために、違って見えるにすぎないのだ（図33）。

波動は情報構造体の基礎であり、粒子はそれらが解読されたホログラフィックなあらわれである。「波の機能を崩壊させること」は、ホログラフィックな現実を解読することである。ホログラフィックな現実は、人間の視覚を超えた量子レベルでは、別のかたちで存在している。量子的現実は可能性と潜在性の波動であり、マインドがそれをホログラフィックな現実に解読する。

科学者は、観察したときにだけ「物理的」現実は存在するというが、**「解読」**が抜けている。物理的現実は、**解読**されたときのみ存在する。観察によって、解読プロセスが動きだす。人間の現実が存在するには、観察者が必要だ。なぜなら、観察者が脳の解読システムによって、そのようなかたちに**つくりだす**からである（図34）。

波動（「非物質的」）と粒子（「物質的」）は同じ情報場の異なる形態である。科学者のアルバート・アインシュタインはこう言った。「［波動場］は粒子［物質］の唯一の作用である」

図33：白い波頭と大海は同じ水。人間と無限も同じ意識体。見た目が違うだけだ。

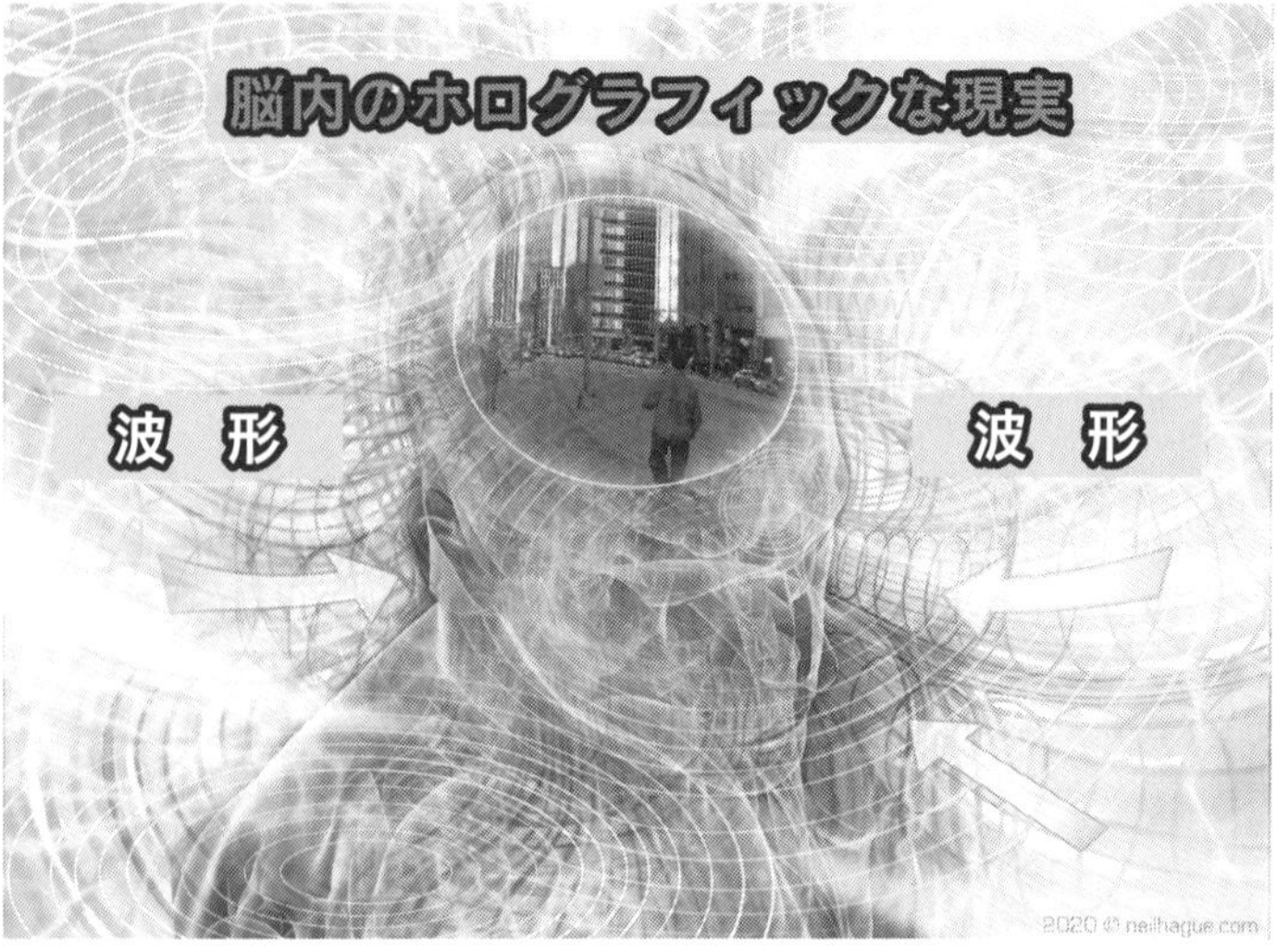

図34：すべてがとても「リアル」に見えるが、それは波動情報から解読されたホログラフィックな現実である。第４巻にカラーグラビア（「ニール・ヘイグ」ギャラリー）を掲載。

志村〜！　後ろ！

これまで説明した理由から、アインシュタインの主張は**確かに**事実だといえる。「観察者」原則は、英国のパントマイムショーの典型的な場面と似ている。演者が観客のほうを向いていると、観客は誰かが「後ろにいる」と叫ぶ。演者が振りかえると、観客が叫んでいるあいだ、背後の人物は動きまわる。演者が何度振りかえっても、探している人物はいつも背後にいて、見ることができない（図35）。

どこを見ても、波動場はホログラムになる。「後ろ」のもの（波動場の現実）が見えないのは、観察によってホログラフィックな解読がおこるからである（図36）。

作家のマイケル・タルボットは、著書『投影された宇宙――ホログラフィック・ユニヴァースへの招待』（春秋社）で、ホームパーティーでのできごとを紹介している。ちょっとしたトリックで来客を楽しませようと、パーティーには催眠術師が招かれていた。トムという男が催眠によってトランス状態にさせられ、目覚めたら娘さんの姿が見えなくなると言われた。催眠術師は娘を父の正面に立たせ、目覚めたトムに娘が見えるかどうか訊《き》いた。「見えない」と彼は言った。彼女は部屋にいないというのだ。実際には、トムは座っていて、立っている娘のお腹が目の前にあった。

次に、催眠術師は手を娘の背中のくぼみに当て、自分が手にもっているものが見えるかと質問し

図35：「彼はあなたの後ろにいる」。観察によって現実を解読しても、ほんとうの現実はいつも「後ろ」にある。

図36：「頭」のなかにしか存在しないものを見てごらん。（ニール・ヘイグ画）

た。「はい」とトムは言った。簡単すぎる質問に戸惑いながら、「時計ですね」と答えた。時計に刻まれている文字が読めるかと訊《き》かれると、自分と時計のあいだには娘が立っているのに、ちゃんと読みあげた。

主流派の科学者は不可能だというが、説明はいたって簡単だ。娘の身体の基礎形態は、人間の目に見える周波数領域の外側の周波数で作動する情報の波動場だ。トムの目／脳の周波数帯の範囲内でホログラフィックな形態に解読されなければ、娘はトムの「物理的」現実にあらわれない。トムのマインドのなかにホログラフィックに存在していなければ、娘が父の視界を遮《さえぎ》ることはないのだ(図37)。

「娘の姿が見えない」という催眠術師の暗示がファイアウォールとなり、トムの脳の解読システムが娘の場を読みとることを阻止した。読みとれなければ、娘は見えない。人体の場に接続されていないため、「物理的現実」として解読できない「幽霊」(意識の波動場)も、この原理で説明できる。幽霊は「固体」ではなく、空気のように見えることがほとんどだが、自己イメージを非常に強力に投影できるものは、短時間ではあるが、「固体」に見える場合もある。『マトリックス』のネオは、脳をコンピュータープログラムに接続されているのに、どうして肉体をもっているように見えるのかと尋ねる。答えは、自分のマインドが「記憶が映し出した残像」をつくりだしているというものだった。

「幽霊」に関していえば、その姿は「幽霊の」波動場にいまだに残る過去の自己イメージである。

脳が構築する幻想の「世界」も、私たちが刻々と受けとる情報の断片からあらわれる。主流派の科学雑誌『ワンダーペディア』には、このように書かれている。

1秒間に1100万個の刺激が、これらの［脳の］経路をパチパチ音を立てながら流れてゆく……脳には驚くほどの量の画像や音、においが押し寄せてくる。それを必死でフィルターにかけ、どうにか対処できそうな40個程度にまで絞りこむ。こうして毎秒40個の刺激が、私たちが現実と知覚するものを構成する。

受け取った**1100万個のうち、**40個の感覚または情報の断片から体験する現実が構築される。足りない分は、脳がそこに存在すると信じるものによって埋めあわせられる。こんなレベルの処理能力で、現実とはなにかと考えるとは笑止千万である。

ますます洗練されてゆくバーチャルリアリティに、現実が発現するプロセスの本質をかいま見ることができる。バーチャルリアリティのゲームやシステムは、私たちが生物学的に現実をつくりだす方法（実を言うと、別のかたちの科学技術）を、技術的に模倣している。プレーヤーがヘッドセットやイヤホン、手袋を装着することによって、ゲームの電気情報とコードが「通常の」現実の解読にアクセスして上書きし、感覚を騙《だま》して偽の現実を解読できるようになる（図38）。

マインドの欺《あざむ》きは非常に効果的であるため、人びとは目や耳、触覚に対して人為的に演じられて

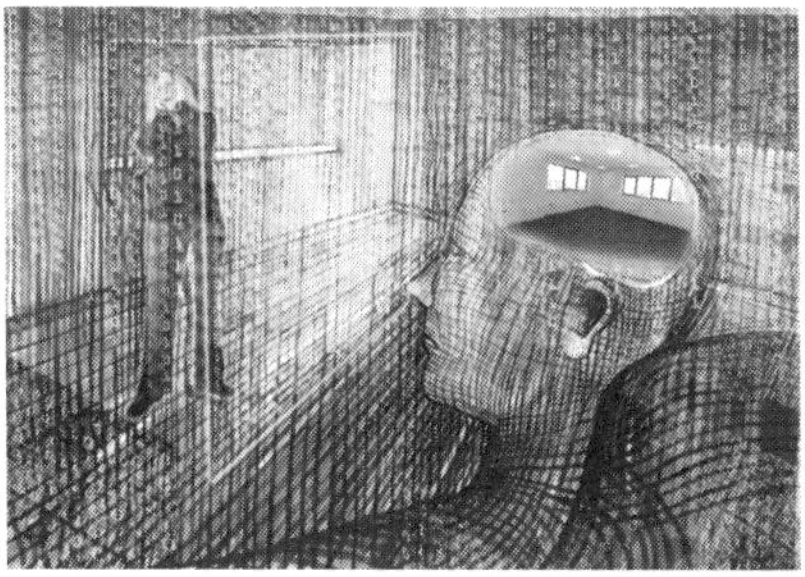

図37：波形から解読されないものは、ホログラフィックな「物理的」現実にあらわれることはできない。（ニール・ヘイグ画）

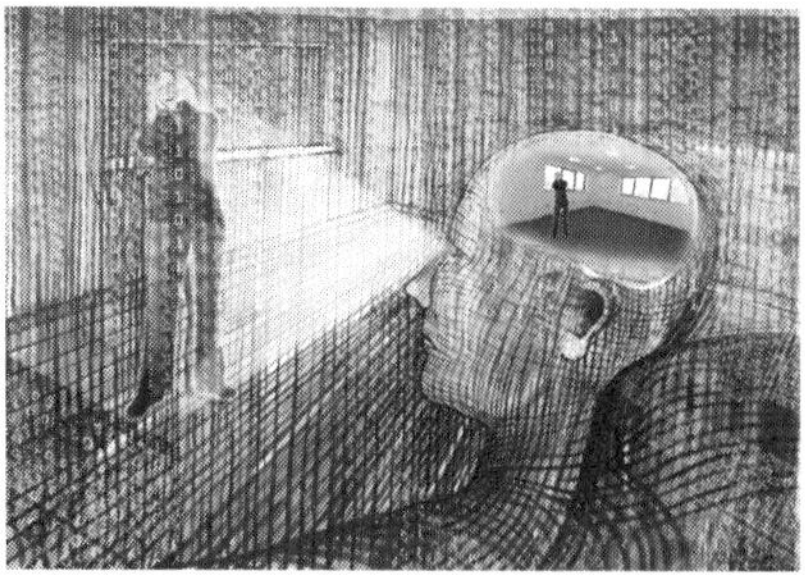

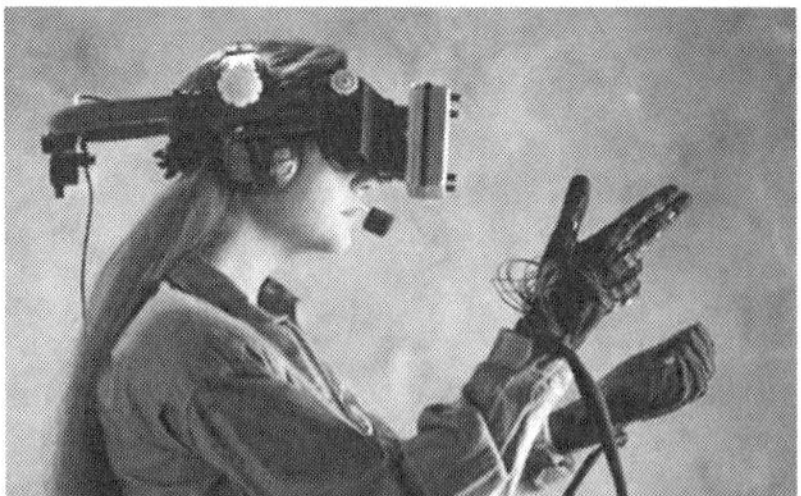

図38：バーチャルリアリティゲームの解読過程は、私たちが「物理的」世界を解読する原理と同じ。

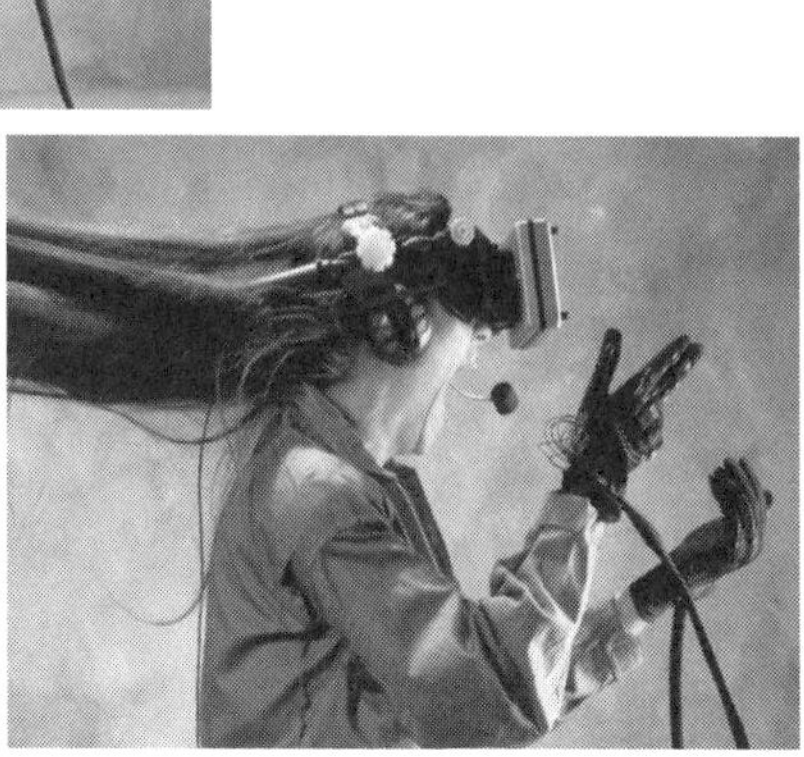

図39：「物理的」世界のように、非常に「現実的」に見える。

いるものが現実であるかのように反応する（図39）。人間の現実と、どのようにその幻想がつくられるか、おわかりいただけただろうか。

脳は情報処理装置

あたりまえのことを述べていると思われるかもしれない。もちろん、脳は情報を処理する。それに異論はないだろう。しかしもう少し視野を広げると、私と主流科学界の見解は分かれてくる。意識（情報）は脳によって処理されるだけでなく、脳内で**生まれる**という主張もあるが、私はまったく同意できない。しかし人びとがさまざまな知覚状態にあるとき、脳のさまざまな部分が「点灯する」、あるいはスイッチが入る。では、脳がそのような状態を生み出しているのか？　それとも、**処理されている**情報は脳以外の場所で生まれ、脳はそれらの状態に関連した脳の特定領域で情報を**解読**しているのだろうか？　私は後者と考える。

脳が私たちの思考や感情、感覚として知覚するものとして解読する情報は、どこから来るのだろうか？　答えはひとつではない。情報には多くの出所がありうる。シャボン玉に閉じこめられた人は、自分のシャボン玉のなかの情報を、脳によって処理するだろう。いっぽう、カルトによる知覚のファイアウォールを破って拡大意識につながった人は、シャボン玉のはるか彼方《かなた》からの情報を処理するだろう。その結果、双方の自身や世界の見方は、劇的に違ってくるだろう。

脳について、これまで教えられてきたことはしばし脇に置き、脳は意識《コンシャスネス》の源《みなもと》ではなく、処理装置にすぎないと考えてみよう。「口ずさんでくれたら、弾いてみせよう」［訳注：1980年代に英国で放送されていた、紅茶のCMに出てくる台詞《せりふ》。もともとは、バーなどでピアニストが知らない曲を客にリクエストされた際に返す言葉］というやつだ。脳で処理される情報は脳の外側にある意識の波動場から来るが、その範囲は五感の「シャボン玉」に限定することもできるし、マインドが接続できるあらゆる規模の拡大意識でもいい。もし拡大レベルに接続すれば、シャボン玉のなかにいる人びとからは、イカれているとか、正気でないといわれる。

脳によって処理される情報も、数えきれない情報源からやってくる。テレビやソーシャルメディア、個人的体験、名ばかりの「教育」制度などなど。脳が活動する周波数帯の範囲内で伝達されれば、脳は無数の潜在的情報をすべて解読するだろう。脳は人間の声の音（周波数）を解読するが、肉声の領域をはるかに超えた現実から伝達される情報も、マインドがそのレベルの意識を受けいれられるようになれば、解読するだろう（図40）。

「頭のなかで声を聞く」という言葉は、声帯によって伝達された情報を、脳が電磁波として受け取り、言葉として解読するという現象をあらわしている。情報は別の人間から、あるいは「遠く離れた」次元の現実から（霊能者や霊媒師のように）もたらされる可能性がある。情報は、脳の知覚に侵入して、標的を誤誘導したり操ったりするため生成された波形で伝達されることもありうる。これから説明するように、カルトは今日世界中で、まさにそのようなシステムを動かしている。

脳は、情報の受信機であり、送信機であり、処理装置《プロセッサー》であって、源《みなもと》ではない。どれが「自分」で、どれが思考や感情として解読する波動情報の出どころであるかを見きわめるのは、難しいこともある。その方法は、のちほど説明しよう。

脳は情報の処理装置である。特定の方法で処理されるよう情報がコード化されてしまえば、コンピューターはもはや中立ではないし、脳も同じだ。情報「B」でなく情報「A」を解読するようコンピューターをプログラムすれば、コンピューターは実行する。これはファイアウォールとよばれ、中国の独裁者が人民に見せたくないインターネットの広大な領域へのアクセスを防ぐために使われている。

同じことは脳でもおこなうことができ、その中心的要素が脳の「可塑性」［訳注：発達段階の神経系が環境に応じて最適の処理システムをつくりあげるために、よく使われるニューロン《神経細胞》の回路の処理効率を高め、使われない回路の効率を下げるという現象」とよばれるものだ。比較的最近まで、脳は一度形成されると、生涯変わることはないと信じられてきたが、今日の科学者たちは、事実は正反対であると知っている。「可塑性」とは、**処理する**情報に応じて、脳が情報**処理**の方法をどう変えるかということだ（図41）。

すべての情報は、周波数の形態で伝達される。あらゆる思考や感情、感覚はそれぞれ固有の周波数であらわされる。脳が情報を処理する際は、それらの周波数があらわす順番で発火（解読）するようにニューロンが配置される。脳は特定の周波数の情報や思考、感情、知覚状態を処理する。そ

図40：脳が声帯からの周波数の「単語」を解読できるように、脳は他の現実からの周波数情報を解読できる。心を開き、シャボン玉をこわすだけでいい。（ニール・ヘイグ画）

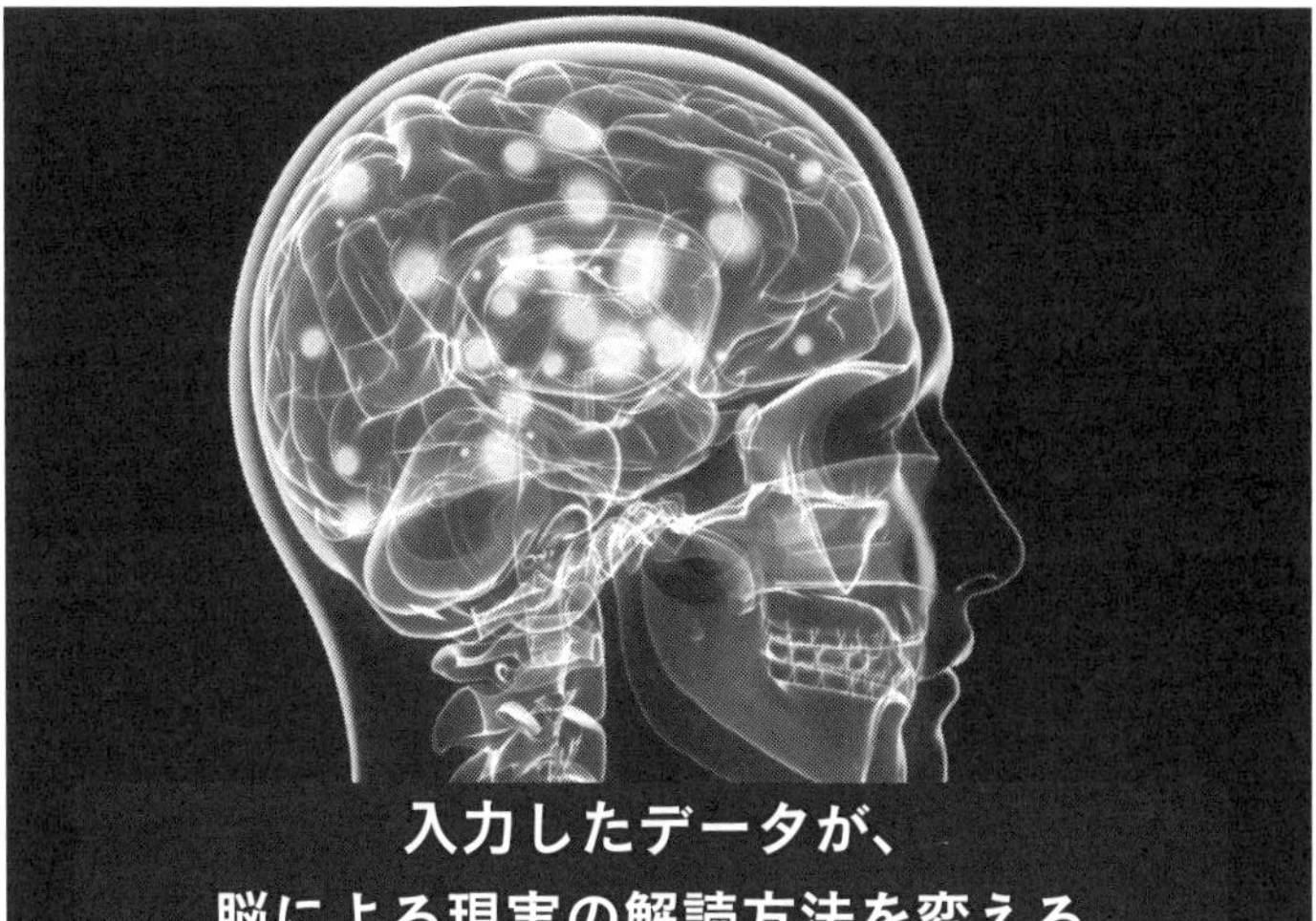
脳による現実の解読方法を変える

図41：脳は、みずからが受けとり、処理するものになる。

のため、さまざまな知覚と行動が、それぞれの周波数の処理にかかわる脳のさまざまな部分を点灯させるのである。

知覚によって意識は脳の対応する部分を活性化するが、脳はみずからを活性化できない。脳が同じ情報や思考、感情、知覚（周波数）の流れに占拠されるようになると、脳の可塑性は神経ネットワークを固定し、ひとつの処理（「発火」、つまり**解読**すること）の順番を繰りかえすようになるだろう。これを変える唯一の方法は、他の周波数をあらわす情報や思考、感情、知覚によって、つまり可塑性によって、処理の順番を変えることである。

知覚は波動周波数であらわされ、自己達成的な顕在意識と潜在意識のフィードバックループ《調整改善の循環構造》をつくる。このループによって私たちは、知覚の周波数帯域内でのみ、可能性のフィールド《波動情報場》と相互作用する。こうして知覚は、私たちが経験する現実になる。カルトがこれをふまえ、人類が知ることを阻んだなら、大衆操作は無限の可能性をもつ。

知覚周波数は、脳が情報を処理する方法を命令する可塑性を通じて脳に影響をおよぼす。変化がなければ、脳は同じ方法で情報を処理しつづける。この連続によって、脳が固定された知覚とニューロンの発火する順番に合致するよう情報を処理するにつれ、固定された知覚は自己達成的な予言になる。状況や対象を違った視点から探求できない、したくない人びとにみられる傾向だ。彼らは「私の心は決まっている（固定化した神経細胞の経路）」とか、「**私は正しい**」とか、「科学が解決している」と言うが、それはあきらかに違う。

「閉じた心」という言葉は、言いえて妙だ。自分の頑固な知覚に囚《とら》われていると気づく選択をすれば、いつでも自由になれる。頑固な知覚は、その傾向を**さらに強める**ように情報処理する方向へ脳をみちびいてしまう（図42）。どこにも行かないのに動いているように見える遊園地の乗り物のように、ぐるぐると回っている。過去の履歴にもとづいて情報をすすめてくる、ユーチューブのような大手ネット企業が採用しているシステムでは、脱出しようがない。「ねえ、見て」、すでに頭にあることを確認するものが、さらに提示される。

私たちは、宇宙に存在するものの０・００５％のほんの一部しか認識していないのに、凝りかたまった知覚を形成できるとは、まさに狂気といえよう。宗教はさらに上を行き、知る必要があることは、宇宙に存在するものの０・００５％のほんの一部の内側にある、たった**一冊の本**《経典》の表紙のあいだにだけ見つけることができるというのだ。ワールドクラスの狂気である。カルトが、世界中の人びとが見たり聞いたりする情報をつねにコントロールしようとしてきた理由がわかってきただろうか。

情報が脳の情報処理の方法を指示し、現実感覚となり、経験する現実になる。これについては、世界の現状に関連して、さらに述べるつもりだ。この観点からみれば、現状がまったく違ってみえてくる。

図42：知覚は、自己達成的な顕在意識と潜在意識のフィードバックループをつくる。私たちは知覚が表現する周波数帯域内でのみ、可能性のフィールドと相互作用する。第４巻にカラーグラビア（「ニール・ヘイグ」ギャラリー）を掲載。

時間？　なんの時間？

「時間」は人間社会のまさに根幹であるから、時間が存在しないことを人びとが理解するのが難しいのは無理もない。すべては「時間」の知覚によって動いている。時間がない、もうこんな時間、時間がたつのが速い、あっというまに時間が過ぎた。しかし、永遠で無限の現実のなかで、唯一の時間は**今**である。他にはなにもない。私たちが過去や現在、未来として知覚するものはすべて、同じ**今**おきている。

ほとんどの人には理解できないだろうが、この観点から考えてみてほしい。「現在」はどこにあるのか？　**今**である。「過去」について考えるとき、あなたはどこにいるか？　**今**である。「未来」について考えるとき、あなたはどこにいるか？　**今**である。知覚された「未来」は結果としてどこでおこるか？　**今**である。「過去」はどこでおこるか？　**今**である。**今**だけが存在する（図43）。

あなたは、「現在」として知覚されるときにこの本を読んでいる。「過去」のあなたのすべての思考と記憶も、「未来」としてあなたが経験するすべての波動場の知覚も、同じ「現在」の顕在意識と潜在意識に存在している。すべては、**今**の同じ波動場で振動している。科学者は、未来が現在や過去にどのように影響できるかについて推測している。実際、「過去」や「現在」「未来」が互いに影響しているような実験結果もある。なぜなら、それらはすべて、同じ**今**のできごとであり、つながっているからだ。
「時間」は、ホログラフィックな現実の構造物が解読されたものである。今の波動場でのできごとは、あるものが別のものに続いて見えるよう、脳によってホログラフィックな連続に配置されている。ボディーマインドが再生する、この連続の見かけ上の速さによって、「時間」の知覚が決定される。私たちの個人的な精神的、および感情的な状態が、時間の経過の見かけの速さや遅さに影響する。

嫌いなことをしているときは「時間」がたつのを遅く感じるいっぽう、楽しんでいるときは「時間」が速くたつように思われる。「うわっ、大変。もうこんな時間」「楽しんでいるときは、時間がたつのが速い」。アインシュタインはこれを「相対性理論」とよんだ。「時間」が**観察者**（解読者）と相対的だからだ。

アインシュタインはこの理論を、観察されているものと比較しての観察者の速度と位置の関係から説明していた。しかし、それは観察者が情報を処理する速度と深く関係する。できごとの連続（「時間」）が存在にいたるのは、私たちがその連続を経験している現実に解読したときのみであり、「時間」の経過は知覚によって指示される。ある人は「時間があっというまにたつ」と言うのに、別の人は同じ部屋にいながら「今日は時間がたつのが遅い」と言う。

「時間」は、脳が処理する情報が多いほど速くたつように思われる。今日、とくに即時配信ニュースやソーシャルメディア、インターネットで多くの情報が処理されるようになり、「時間」が速度を増しているように思われる。

兵士を対象にした研究から、マインドが時間をどのように捉えているかがわかる。三つのグループが同じ距離の行進をし、それぞれに行進した時間が告げられた。あるグループは彼らが行進していた正確な時間または距離を知らされた。2番目のグループは、実際より短い時間行進していたと言われた。そして3番目は、実際より長い時間行進していたと聞かされた。同じ距離を行進したにもかかわらず、それぞれのグループの疲労度は、自分たちが行進していたと**考えた**時間に比例して違っていた。

DVDに収録された一本の映画は、同じ**今**に存在する。これに異論はないだろう。ある場面が別の場面に続くので、私たちは同じ**今**に存在している映画を、「時間」の連続として体験する。DVDで見ている場所が「現在」と思われ、「過去」はすでに見た場面、「未来」はまだ見ていない場面だと思われる（図44）。今のDVD全体が、過去から現在を経由して未来へと移る「時間」として**今**でも体験される。

このようにして、現在しかないのに、私たちは「時間」の経過を体験する。哲学者アラン・ワッツは、「個々」のできごとを「ひとつの継続するできごとのさまざまな部分」と説明した。これもDVD同様、良いたとえだ。流れる川を時の流れの象徴とし、さまざまな瞬間をひとつの流れとして体験するという表現もある。しかし、ひとつの川全体は、源流から海まで同じ瞬間に存在している。

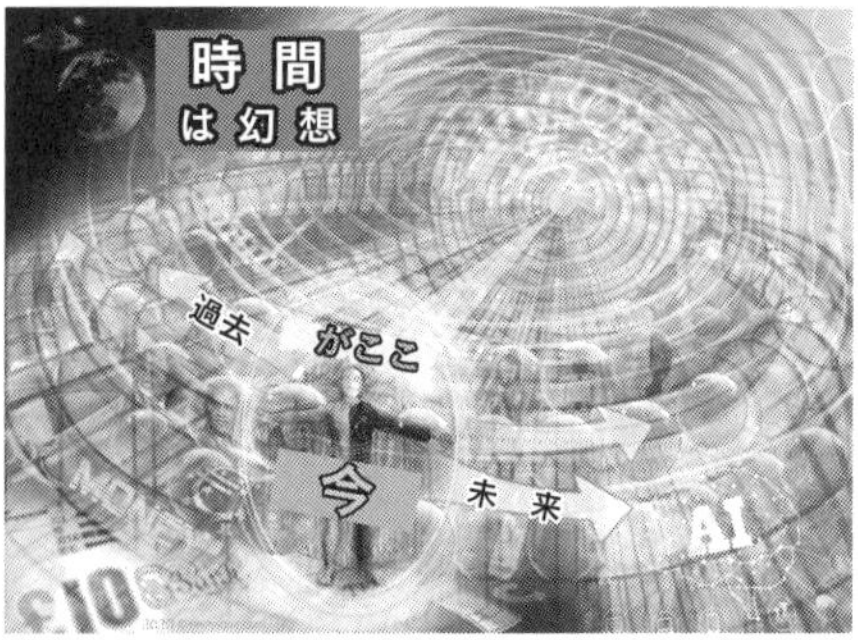

図43：「過去」や「現在」「未来」は知覚にすぎない。すべては同じ今、おきている。第４巻にカラーグラビア（「ニール・ヘイグ」ギャラリー）を掲載。

図44：DVDのさまざまな場面すべては同じ今、同じディスクに存在しているのに、過去や現在、未来としてあらわれる。それらに対する私たちの知覚が「時間」の幻想をつくる。（ニール・ヘイグ画）

図45：見えない線を越えれば「日にち」が変わるのに、「時間」が実在する？　時間は存在しない。私たちが存在するようにみせている。（ニール・ヘイグ画）

過去の「瞬間」に続く知覚された各「瞬間」は、実際には「ひとつの継続するできごと」の「さまざまな部分」である。私たちが知覚する時間は、あきらかに人間がつくりだしたものである。時刻とは、なんともばかばかしくできていて、国際日付変更線とよばれる見えない線をまたいだ瞬間、同じ今が明日になったり、昨日になったりするのだ。(図45)。

オーストラリアの人は毎年、新年を米国の人びとよりずっと前に迎える。もし今日の米国人が明日のオーストラリア人に電話をかけても、彼らは同じ今に話している。老化の速度は、解読された幻想としてしか存在しない「時間」の知覚と関係している。

肉体の波動場の安定性が同じであるうちは、そのホログラムは変化しえない。老化はマインドと肉体との相互作用である。生まれてから死ぬまでのサイクルを導く肉体の設計図には、順序がある。探求すべきものが無限にあるのに、ひとつの周波数にずっととどまりたいとは思わないだろう。

しかし、この「老化」の順序の速度は、マインドとその知覚に左右される。人びとは、みなそうだからというだけで、自分たちがある一定の周期と期間で老化しなければならないと思っている。ここにもまた、老化の「あたりまえ」を経験することで得られる**知覚**によって老化が促進されるという、自己達成的な予言がある。以下は、時間＝幻想というテーマを表現した引用である。

時間は存在しない。時間とは、合意にもとづく構成概念にすぎない。私たちは太陽が地球の周りを回るときの距離を区切り、それを小さく分割して、ひとつひとつにラベルを貼《は》った。時間はそれ

なりに役立つこともあるが、人間はこの構成概念によって、まるで時間が実在するかのように人生を生きるようプログラムされてきた。私たちはこの構成概念を実態のあるものと混同したため、その奴隷に成りさがってしまった。

カルトの「神々」と、幻想の「時間」という操作された概念の奴隷になる必要はない。マインドと「時間」の知覚がどのように相互作用しているかを理解すれば、時間をコントロールすることができる。一流のスポーツ選手は、無意識にそうしている。

ロンドン大学の研究者は、ボールが速く動くスポーツ（テニス、野球、クリケットなど）をする人は、時間の流れを遅くできることを発見した。彼らはプレー中、情報を非常に速く処理するので、ホログラフィックな映像が一般の人びとよりもゆっくり流れる。テニスの試合で観客がボールを目で追うため頭を左右に動かしているとき、選手たちはもっと速い速度で知覚している。だから選手たちは、「観客」の速度では太刀打ちできないような速いボールを、正確に打てるのだ。

偉大なサッカー選手には、他の選手より多くの「時間」があるようだとよくいわれる。情報を処理する方法によって、そのように**みえる**のだ。ピッチの状況を非常に速く評価（情報を処理）するので、処理（と反応）が遅い他の選手より速く反応できるのである。

試合は、選手たちのマインドのなかでおこなわれていることを思いだしてほしい。したがって、結果を決めるのはマインドにほかならない。このことがスポーツの世界でもっと深く理解されれば、あらゆるプレーが驚くほど飛躍的に向上するだろう。スポーツでのプレーの限界は、人生そのものと同じく、自分がここと思うマインドの知覚的限界だけで決まるのだ。

一流のスポーツ選手がよくいう、「ゾーン」とよばれる状態がある。私自身もサッカーで体験したことがあるが、スポーツだけとは限らない。私は、執筆中や講演中にゾーンに入る。スポーツでは、ゾーンは「時間」を遅くし、観衆の声は消散して静まり、結果に対するおそれや心配はなくなる。自己疑念に満ちた（「考えすぎ」）、「（マインドの）意識」とよばれるものを超えた、覚醒意識のレベルに接続するのだ。

続いて訪れるのは、心の静寂と、仕事にただ熱中し、結果がどうなるかを心配しない集中力である。こうした瞬間に、最高のプレーが発揮される。自信のなさや、感情に邪魔されることのない意識状態にあるからだ。

光の速さ？　歩く速さでは？

プログラムされた集団的知覚においては、速度と「時間」の限界は光の速度である。光速は可能である最高の速度とされている。なんたるたわ言か。私たちは、無限の可能性のなかの無限の現実に生きている。速いも遅いもない。

毎秒約30万キロメートルの光速（および関連して知覚される物理現象）は、現在の人間の知覚の周波数帯域だけに適用され、それさえ意識の知覚によって変えられる。光の速度とは、ボディ－マインドが現実をそれより速く意識的に解読できないというだけのものだ。その理由をこれから明かすとしよう。

意識による伝達速度はすでに観測されているが、光の速度とは比べものにならないほど速い。**瞬時**である。約65キロメートル［訳注：40マイル］離れた場所にある同一人物の細胞は、他方の変化に対して即座に反応した。このことが、光の速度という神話のうそを暴き、途方もないと知覚される「距離」を軽々と飛び越える波動コミュニケーションが現実のものであると証明した。

上海の中国科学技術大学のファン・インが率いる物理学者チームは、光子《フォトン》（小さな光の固まり）が相互作用する速さを、光速の**1万**倍と推定した。人間の周波数帯域内での、光速やボディ－マインドの解読システムといった限界に近づくと、「時間」は他の多くのものとともに変化する。

空間と距離は、ホログラフィックに解読された現実のさらなる幻想である。夜空を眺め、あなたが「見ている」と考えるかたちで「見ている」と思っているすべては、あなたの頭、つまりボディ－マインドの解読システムのなかだけに存在する（図46）。もっと言えば、頭というより脳の後ろの部分で、視覚的現実が解読され、個人的な視覚映像が構成される。コンピューターゲームでは、場面が変わるにつれ時間が経過し、空間にも奥行と遠近感があるように見える。しかし、それらはコンピューターが解読するために書かれたコードにすぎない。

私たちが知覚する空間は、ホログラフィックなかたちによって定義される。かたちが存在しない

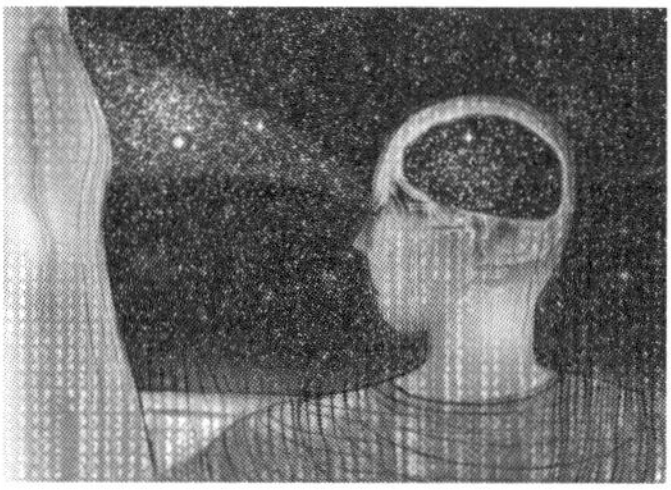

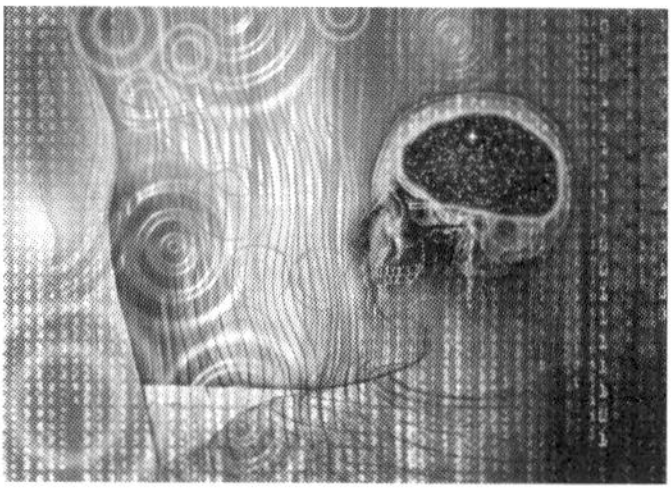

図46：夜空はとても遠くにあるように見えるが、あなたの脳のなかにそのようなかたちで存在するだけ。「空間」はどこへいった？（ニール・ヘイグ画）

図47：すべて存在するものは、さまざまな周波数帯で同じ「空間」を共有している。アナログのテレビ局が、同じ「空間」を共有していても、その周波数にチャンネルを合わせるまで放送が見えないのも同じことだ。

ところでは、これを「空間」とよぶ。そこが情報に満ちた意識場（フィールド《波動情報場》）だったとしても、人びとはこの「空間」を「空っぽ」と考える。私たちが「空間」とよぶものは、かたちあるいは「物」がないだけであり、けっして「空っぽ」ではない。あなたが今座っているか立っている、同じ「空間」に無限が存在するが、人間の解読システムではごく小さな部分しか知覚できない（図47）。

解読された知覚の幻想をのぞけば、「交差」する「空間」あるいは「移動」する「時間」はないのに、星からの光は数億光年を移動するといわれている。あなたは信じるものを知覚し、知覚するものを体験する。信じるものを変えれば、体験するものが変わる。

証拠は山ほど

別の現実と意識レベルが存在する証拠は、文字どおり数百万人もの人びとが経験し、生還した「臨死体験」とよばれるものにみることができる。臨死体験とは、肉体が死に、人びとが自分の認識が身体の外側の別の観察点へと解き放たれるのをはっきりと経験するときである（図48）。

ここまで述べてきた現実のあらましから、臨死体験者がなぜあのような体験を語るのかがわかる。臨死体験は古代ギリシアやローマの文書や中世の作品に描かれており、その数は歴史を通して、数億以上にちがいない。

近代の体験者は、肉体から離れているのを知覚しながら、医療従事者たちが「体験者」（というよりその一時的な乗り物）を生き返らせようとしているのを見ていたと報告している。多くの人は、「彼ら」が「死んで」いたはずのあいだ、医療者が言っていたことを正確に思いだせる。また、自分の身体を見おろし、もはや肉体を自分たちの一部として認識していなかったと話している。

臨死体験者には、トンネル［訳注：日本でいう三途《さんず》の川］を通過するという共通のテーマがある（かならずというわけではない）。早くに亡くなった友達や親戚（「死んだ」ときよりずっと若く見えることが多い）に会ったり、言葉にあらわせないほどの愛に包まれたまま、驚くほど美しい場所を訪れたりする。これまでにない落ち着きと安らぎの感覚や、はじめて自由を感じたという報告もある。

世界は見た目とは違うと理解し、そこで生きてゆくことを受けいれた人の大半は（すべてではない）、身体にもどったあと人生が好転している。「規則にしたがわず、物事に同意するだけなので、世の中になじめない」と言った人もいる。これは、幻想を見抜いたときにおきることだ。より寛容で、愛情深く、思いやりを感じ、モノや地位に執着しなくなったという人もいる。

臨死体験者にもっとも共通する特徴は、もはや死をおそれていないことである。人はたいてい、おそれることなどなにもないのに、いつか来る死を怖がっている。死へのおそれ（未知の世界へのおそれ）は、支配の遂行に大いに役立つ（新型コロナ詐欺を見よ）。だからカルトは、死は怖くないということを知られたくないのだ。

私は数年にわたって数多くの臨死体験談を読んだが、ほとんどは非常に肯定的である。「死」で体験したものより人間生活を好む人は、めったにいない。彼らがもどってきたのは、自分たちの経験がまだ終わっていないと告げられるか、子どもなど愛する人たちを残して逝きたくなかったからだ。ほとんどの人は、生まれ変わったようになる。臨死体験で、可視光線のごく狭い周波数帯域内に注目させる、肉体の近視眼を超えた現実を目にしたためだ。

「私たち」は死なない。幻想が死ぬだけだ。私の結論は、ベルギーのリエージュ大学とカナダのウエスタン大学の科学者チームによって裏付けられた。彼らは、臨死体験についての158の書面による証言で、肯定的な反応が否定的な反応をはるかに上回っていることを発見した。臨床的に11分死亡したカナダの救急医療隊員、アダム・タップはこう語る。「いつもいた場所でちょうど居眠りから覚めたような感じで、おそれなどはなく、完全な満足と幸福だけがあった」

私の母が死んだとき、葬儀場に行き、彼女の身体が台の上に横たわっているのを見た。彼女の手を触ると、ご承知のように冷たく生気を失っていた。しかし、そのかたわらに掲げられていた母の大きな写真には、エネルギーと輝きが満ちていて、**生きている**ようだった。兄のポールが、葬式で使うために手配した写真だ（図49）。

カメラは、私たちが見ることのできる画像を記録するだけではない。カメラは、肉体の「なかに」一時的に住まう、活力に満ちた生命力、つまりほんとうの「私」を捉える。もはや母の肉体にはない、写真のなかに見た生命力、**それが**私たちなのである。電化製品の電源を切ると、それは

「死ぬ」、つまり作動をやめる。しかし、電気自体、すなわち機械の生命力は存在しつづける。生命力のない肉体は、維持するエネルギーがなくなったために腐敗する。

ある臨死体験者は、私たちの世界を、懐中電灯をもって真っ暗な倉庫を歩くようなものだと表現した。そのとき目に見えるもの、気づくものすべては、光が届く狭い範囲に限られる（図50）。彼女が言うには、肉体を離れるということは、倉庫内のすべての明かりが点灯するようなものである。懐中電灯の範囲内しか認識していなかった、自分自身、そして取りまくものすべてが実際は巨大であることが照らしだされるのだ（図51）。

体外離脱経験に普遍的なもうひとつのテーマは、すべては「ひとつ《ワンネス》」であり、つながっているという感覚だ。ある臨死体験者は、ロサンゼルスで病院にいる状況を認識しながら、インドにいる家族の会話も聞くことができたと語った。彼は、同じ瞬間にどこにでもいるように感じたという。これは、私たちの認識が、もはや可視光線頼みの肉体の近視眼（懐中電灯の明かり）によって焦点を合わせなくなり、距離と時間という幻想を超えて他の波動とつながる、波動の知覚的現実に近づいたときおこることだ。

「個々の」自己の感覚がありながら、同時に存在するすべてのものと継ぎ目なくつながっている感覚。難しいことではない。私たちは、無限の意識《アウェアネス》の途切れない流れのなかの、注意を向けたひとつの点であり、同「時」に「個々の」注意と全体の両方である。カルトによって、人間が全体意識から切断されるということは、「肉体をもった」意識が、孤立と分離（シャボン玉）を感じながら

図48：膨大な数の人びとが、臨死体験によって五感の知覚のフォーカスから離れ、大きく異なる現実に入ると述べている。

図49：「死」のときに肉体を離れる、生命力が宿った母の写真。「死」は注意を向けた点の転換にすぎない。

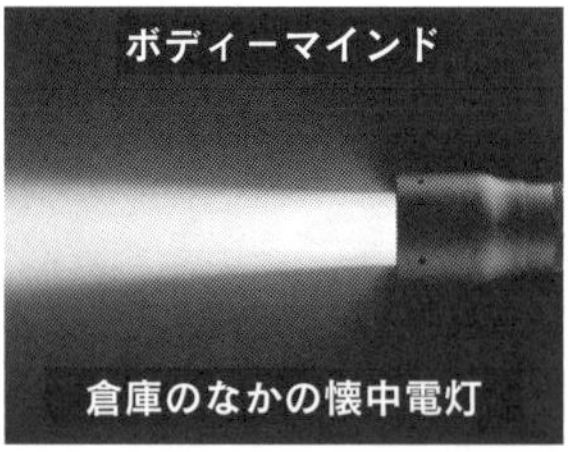

図50：私たちの経験する現実は、真っ暗な「倉庫」内の懐中電灯の明かりのようなもの。私たちが知覚するすべては、その光線の範囲内にある。

図51：肉体を離れるときは、倉庫のすべての明かりが点灯するようなもの。現実は、私たちが思っていたよりはるかに大きいことに気づく。

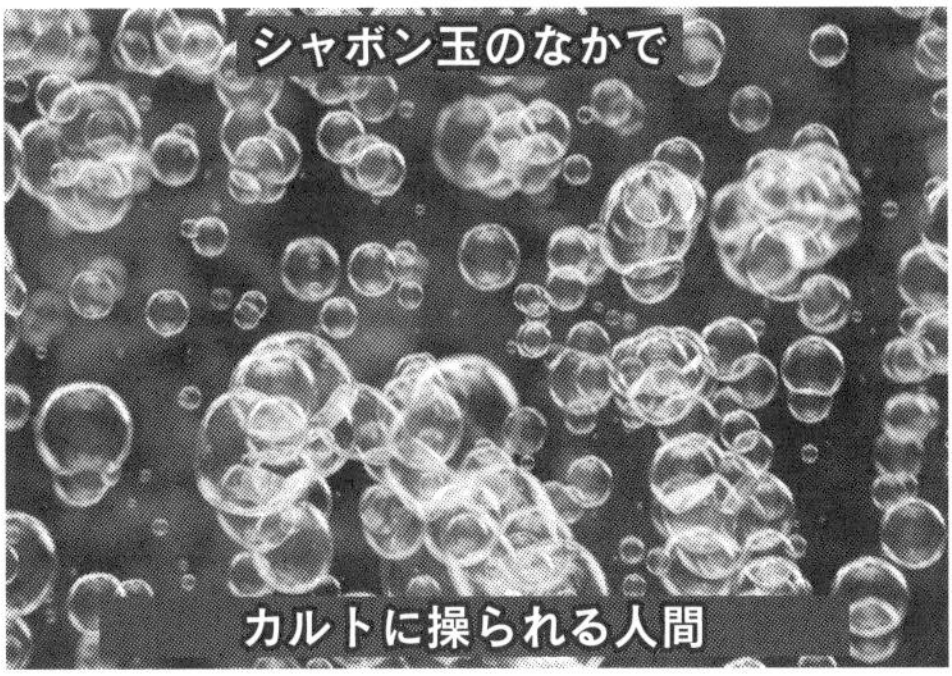

図52：シャボン玉をこわせば、自由が待つ。

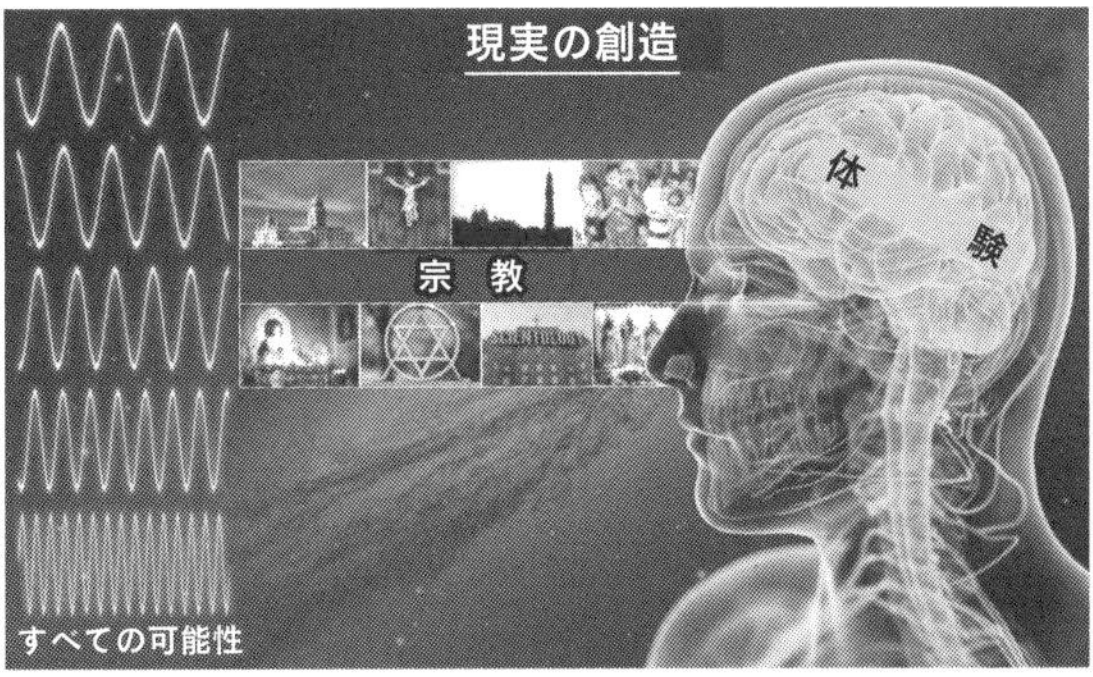

図53：宗教は最強のマインドコントロール。寺院の扉に書かれている名前がなんであれ、中身は同じだ。

図54：複数の宗教をつくり、互いに（内部でも）敵対させて、ターゲットを対立する集団に分割する。（ガレス・アイク画）

現実を経験することだ（図52）。

ある臨死体験者は、肉体を超えた現実をこのように描写している。

……すべては初めからあった。私の誕生も、祖先たちも、子どもたちも、妻も、すべてが同じ場所に、同時に存在していた。自分のすべて、周りの人たちのすべてが見えた。彼らが今考えていることも、前に考えたことも、以前におきていたことも、今おきていることも、なにもかもが見えた。時間は存在せず、できごとに連続性はなく、距離にも、時期にも、場所にも限界はなかった。行きたいと思えば、どこにでも同時にいることができた。

まさにそのとおり。それがボディ－マインドが制限する焦点や、解読する幻想を超えた人生である。私たちは一時的な幻想または映画を体験していて、全員が同じ無限の全体のあらわれであり、そのなかで五感が私たちになにを告げようと、時間もできごとの連続も、限界も、距離も、時期も場所も存在しない。行きたいと思えば、どこにでも同時にいることができる。

もし、人類がこのことに気がついたなら、世界がどれほど変わってくるか考えてほしい。もしみなが、人種や宗教、性別、政治、収入は一時的で架空のラベルや体験であり、私たちはみな、**お互いであると理解したら？** そんなかりそめの違いを理由に、対立などするだろうか？

カルトは、この幻想を永続しなければならない。さもなければ、分断と統治の操作はおしまいだ。

宗教とは、これまで（カルトによって）発明された最強の思考操作《マインドコントロール》のひとつで、分断・統治の最強形態だ（図53、54）。

人びとが身体を離れるとき、まだ自分はキリスト教徒だとか、イスラム教徒だとかユダヤ教徒だとかヒンズー教徒だとか、黒人だとか白人だとか、男だとか女だとかトランスジェンダーだとか、金持ちだとか貧乏だなどと考えるだろうか？　そう信じたい人もいるかもしれないが、それは妄想だ。「肉体的」または精神的障がいで苦しむ人びとは、障がいがあらわれている肉体から離れても、まだ障がいを負っているのだろうか？

私たちは、今すぐ**体験と自己**の根本的な違いに気づかなければならない。その気づきだけが、世界を変えるだろう。

あなたが信じるものがあなた

臨死体験者のなかには、末期がんさえ消失するなど、驚くべき健康状態の変化を報告する人もいる。肉体から離れると痛みが消え去ったというが、もっともな話だ。痛みは感覚の現象であり、無限のかたちで肉体を超えた意識ではない。臨死体験者は、五感を使わず、もっと高度な方法で見たり、触れたり、聞いたり、味わったり、嗅《か》いだりできたという。

肉体の目がないのに、どのようにして見ることができるのか？「目で見る」というのは**幻想**である。拡大意識はすべての「感覚」を感じとる。身体が見ることを可能にするための、知覚的制約には縛られない。肉体をもった意識は、身体に囚《とら》われ、目だけに頼った視覚の幻想によってプログラムされている。そのため、肉体から解放されるまでは、目だけで見る現実を体験するだろう。目を閉じて、瞑想《めいそう》状態や変性意識状態《アルタードスティッ》［訳注：精神や肉体の極限状態、瞑想や薬物の使用などによってもたらされる一時的な意識状態］で幻を見ることがある。鮮明な夢は、**目**で見るものだろうか？

視覚障がい者たちは、身体を離れたのちにどのように見えたか説明する。視覚障がいとは、可視光による人間の現実の範囲内で、目と脳の接続を通じて視覚情報を解読できないことである。ひとたび可視光から離れると、意識によって見ることができるようになる。人間という体験のあいだ、肉体のシステムがフィルタリング《選別排除》していた認識とつながったためだ。

他に臨死体験に共通するテーマは「人生の回顧」で、自分の行為が他人にもたらした結果（良くも悪くも）を感じる。肉体という情報フィルターから解放されて、カルトが知覚のファイアウォールでアクセスを禁じていた認識や本質、理解に意識的につながったとき、人生や現実についての知識が流れこんできた、と多くの人が語っている。

ある体験者は、量子物理学に関する深い知識を携えてもどってきた。彼女にそのような知識はなく、勉強したこともなかった。ただし、肉体をもったままそのような情報にたどり着くことも可能だ。その方法はのちほど説明しよう。

主流派の研究者や科学者は、数百万人の体験にもとづく山のような証拠を無視している。なぜなら、それは自分たちの現実に関する見解を覆すからである。彼らは、自分たちが説明できないものは存在しないという前提で働いている。ロケットで成層圏まで打ち上げられるほどの、自己欺瞞《ぎまんてき》的な傲慢《ごうまん》ぶりだ。

「物理法則はどうなるのか?」と科学者は叫ぶ。物理法則は、人間の現実の周波数の壁の内側でのみ理論上有効で、他の場所では適用されない。私たちが現実のほんとうの姿、それが実際どのように機能するかを理解したなら、人間の現実にも適用されなくなる。適用外の現象は、「奇跡」(「物理法則に反する」)とよばれる。奇跡などない。無限の可能性とは、すべてが可能であるということだ。この本を読み進めていけば、すべてがあきらかになるだろう。

ほとんどの人は身体を離れるとき至福の経験をするが、そうでない人もいる。宗教的な人物を見る人もいるが、ほとんどの人は見ない。「ばかは死んでも治らない」というが、臨死体験の違いには多くの理由がある。知覚プログラミングの治療法は臨死体験である必要はないが、これが有効であることはまちがいない。

もしあなたがイエス・キリストを救世主と信じているなら、臨死体験でイエスを見るかもしれない。肉体を超えた意識があなたに情報や概念を伝えようとしている、ということを忘れないようにしよう。もしあなたが愛をイエスに結びつけるなら、そのイメージは愛を象徴し、死という未知の不安な状況をやわらげるためにあらわれるかもしれない。

文字どおりイエスがいるという意味ではないし、もちろん、実在したとしても、「彼」がどんな見た目だったのか誰も知らない。私は、イエスが存在したとはまったく思っていない。しかし、さまざまな文化に多様な装いといろいろな名前であらわれる、拡大意識の**象徴**としてなら理解できる。そう考えれば、「私を通らなければ、だれも、父のもとに行くことができない」［訳注：『ヨハネによる福音書』14章6節、日本聖書協会『新共同訳』。イエスがトマスに「私が道であり、真理であり、命です」と告げたあとに続く］という言葉が理解できるだろう。つまり、拡大意識状態によってのみ、無限の全体は認識できるのだ。

「イエス」の物語の基本形は、「イエス」が生きたと思われる時代よりもずっと前から、世界中でさまざまに語られており、それぞれ拡大意識状態を象徴している可能性がある。さまざまな名前の英雄が登場し、さまざまな歴史的・文化的設定で同じストーリーが繰りかえし語られている。聖書には、「イエス」の肉体的描写はない。人びとが「イエス」に対して抱くイメージは、後世の芸術的な想像力と解釈からきている。臨死体験で「イエス」に会ったと主張する人びとは、そのような典型的な姿を見ている。

　すべては心のなかにある。そしてそれがすべてである。ニューエイジの「イエス」は「サナンダ」とよばれ、アセンデッドマスター［訳注：転生を経て次元上昇《アセンション》した高次の存在］であると主張される。なんと、彼はキリスト教の「イエス」とほぼ同じに描かれているのだ。私は文字どおりの「イエス」の存在は受けいれないが、拡大意識の**象徴**としては、まあ、ありだろう。

　肉体から離れるときの意識状態は、あなたの体験に多大な影響をあたえるだろう。あなたが人生や現実について信じていたことが、事実と違うようだとあきらかになる。現実についてある程度理解している人は、「死」に続く過程を認識できるだろう。だが認識をカルトの知覚プログラムでふさがれている人は、非常に多くの臨死体験例のように、混乱し、訳がわからなくなってしまうかもしれない。

精神活性薬物を体験する際には、自身の認識状態が大きく影響する。精神活性薬物は、通常の人間の知覚では受けいれられない現実に接続する、脳の領域と経路を活性化する。現実をシャーマニズム的［訳注：シャーマニズムとは、超自然的存在と交信するシャーマンを中心とする宗教や思想。イタコもシャーマンである］に理解するため、そうした幻覚剤が数千年にわたって使用されてきた。私は2003年、ブラジルで2晩過ごし、精神を活性化させる熱帯雨林の水薬、アヤワスカを飲み、合計7時間以上の素晴らしい体験をした。2日目の夜の5時間、澄んで大きく、力強い女性の声が、「物理的」現実の本質は幻想であると詳しく説明してくれた。その伝達者を「声」とよぶことにしよう。「時間」と「空間」の幻想についての説明のなかで、声はこう言った。

「なぜA地点からB地点に飛ぶのですか？　あなたはA地点であり、B地点でもあり、その『あいだ』のすべてだというのに」

私は家にもどると、言われたことを思いかえしながら、徹底的に調べはじめた。そして、主流科学（とくに量子物理学）が物理的現実は幻想であることを証明する証拠をすでにもっていることを発見した。しかし、支配階級は依然、この世界はすべてここにあり、あなたはあなたの頭脳にすぎないと繰りかえすばかりだ。先に説明したとおり、これがカルトの語り口である。

幻覚剤で悪夢を体験した人もいる。私が思うに、薬物の効能は、現在の精神や感情の状態、そして潜在意識でおこっていることを反映する、より深いレベルの自分に接続を可能にする脳の経路を開くというだけのものだ。ＬＳＤなどのドラッグを何百回も飲んできた人たちを知っているが、お茶しか飲まない人のほうが彼らより深く悟っていた。薬物はマインドを開く助けにはなるが、どのレベルで開くかは自分次第だ。薬物が、自分のレベル以上の場所に連れていってくれるわけではない。

過激派気候変動集団、エクスティンクション・レベリオンの共同設立者、ゲイル・ブラッドブルックは、精神活性薬物を服用して啓発されたと考えており、市民的不服従として幻覚剤の集団摂取を支持すると発言している。彼女はＢＢＣで、「幻覚剤」を服用して「深く」祈ったときに、エクスティンクション・レベリオンを設立する構想が浮かんできた、と語った。「啓発」は続き、ブラッドブルックは気候変動カルトを立ちあげた。あとの章であきらかにするが、気候変動カルトは人間の自由を根本からおびやかすものである。彼女は、「世界を救う」ための世界規模での中央集権化の要求（まさにカルトがずっと求めてきたもの）を、「覚醒」とごっちゃにしている。

そのような「悟り」は、さらなる奴隷化へと直結している。もう一度言っておこう。幻覚剤によってかいま見られる世界は、通常意識していなくとも、無意識のうちにすでにあなたがいる場所だ。薬物の作用によって、知覚の制約から一時的に自由になって、つねにそこにあるが、ふだんは見えないものが見えるようになる。人間の現実を超えた意識に接続する際は、自分に応じたレベルに接続することになる。薬物は、死と同じく、無知の治療法というわけではないが、プログラミングを抜けだす助けになる可能性はある。知覚が鍵となるが、それをコントロールしているのは誰だろうか？ **自分自身**だ。自分自身でコントロールすると選択し、なにを考えるかという指示を拒否すれば、カルトの知覚支配から自由になれる。

カルトによって無慈悲に操られている現実という幻想は、宇宙サイズだ。主流派の科学者が、（幻想である）時間と空間が、宇宙の基本的な構成要素であると信じているという事実がそれを物語っている。この組織的に押しつけられた無知（「知識、理解または情報の欠如」）は人間支配の基本である。マーティン・ルーサー・キングは「自由の鐘を鳴らそう」と言ったが、そのためにはこの支配を終わらせなければならない。

第2章
私たちは何者？

あらゆる成長は、本質的には認識の拡大である

——ジョセフ・レイン

人類の知覚に対する組織的な罠《わな》の背後には邪悪な力があり、その教化は絶えまなく、生涯にわたっておこなわれる。カルトが誘導するトランス状態から覚醒《めざ》める人がかつてないほど増えているのは、意識の力がプログラミングを凌駕《りょうが》するあかしではないか。

人びとが無意識的で、知覚的にボディーマインドに囚《とら》われているのは、そのように**操作**されているからだ。感覚優位のトランス《酩酊》状態から、覚醒《めざ》められては困るのだ。かつては、ほとんど誰もが眠っていた。五感があるのに無意識だなんて、信じがたいヨタ話に聞こえるかもしれない。しかし、ほんらいの無限の「私」の影響から切り離され、生涯を通じて知覚をハイジャックする感覚の世界に閉じこめられると、人はそのような状態になってしまう。

さいわい、私たちは望めばいつでも意識的になれる。誘導された昏睡《こんすい》から覚醒《めざ》める人びとが増えている。いっぽう、科学技術によって勢いを増すプログラミングの津波によって、カルトの知覚的ハエ捕り器に深くハマっている人びともいる。たとえハエ捕り器のなかにいても、意識的になることを選択すれば、いつでも幻想、つまり知覚の罠から逃れることはできる。

本書を書く原動力となったのは、このプロセスを速め、拡大したいという思いだ。人びとが真の自己をより意識するようになると、世界はそれを反映するように変わらざるをえない。同じように、今日の狂った世界や長い「過去」も、人類の集合的**無**意識を反映してきたし、反映しつづけている。これを理解できれば、「過去」と「現在」のできごとについて多くのことがわかってくるだろう。

皮肉にも、もっとも**無**意識的な者が、つねに人びとの生活や社会を指図する権限をもつ地位にある。これもまた、計画されたものであり、偶然ではない。カルトが、知覚プログラミングによって継続的な集団支配を確保するには、攻撃対象を眠ったままにしておく必要がある。もっとも効果的にそれを達成するには、無意識な「シャボン玉人間」を、カルトが陰から糸を引く公権力の地位に配置すればいい。トップに立つ者が、あやつり人形のようにみえる理由がおわかりいただけただろうか。

この策略には、拡大意識からボディーマインドを切り離し、孤立したボディーマインドに自己と現実のしかるべき認識をプログラムすることが必要だ。プログラミングは、情報をコントロールすることによっておこなわれる。このプロセスは、いたるところでみられる。イスラム教徒はイスラム教徒の家庭から、キリスト教徒はキリスト教の家庭から、ヒンズー教徒はヒンズー教徒の家庭から、そしてユダヤ教徒はユダヤ教徒の家庭から生まれる傾向がある。いずれの場合も、現実や人生についての理解は、成長期に言い聞かされたことをもとに形成される（図55）。

思考操作《マインドコントロール》の最強の形態は、反復である。カルトがつくったナチスも、それをよくわかっていた。意見や「事実」とされるものを、「誰でも知ってる」状態になるまで繰りかえし吹きこむ。実際「みな」は、**知っている**と思うように言われたものを「**知っている**」だけだ。それは「知っている」のではなく、知覚を**ダウンロード**しただけである。まったくの別物だ。

正統を信じるか否かによって、アメとムチ、恩恵と懲罰があたえられる。生まれた家の宗教を、生涯信じつづけるのも無理はない。信条や行動の制限と押しつけも、もれなくセットでついてくる。

この連鎖は、宗教を信仰していない人や、宗教に対して否定的な人にも等しくあてはまる。無宗教の人びともまた、家庭や「教育」、学界、メディアを通じ、「正常」や「合理的」とされる情報の反復によってプログラムされる。そうした情報の大半は、現実《リアリティ》に対する誤解を露呈しているのだが。

若者たちは、このたわ言を信じなければならないと教えられる。そして「試験」によって、どれくらい吸収したかを計られる。その結果は、体制のなかでの生涯のキャリアに影響する。信じるように言われていることにたびたび疑問を呈すなら、クラスに「破壊的な影響」をあたえるとみなされる。もうリタリン［訳注：ＡＤＨＤ（注意欠陥多動障がい）の治療薬。アンフェタミン、メタンフェタミン（覚せい剤）などと近い作用をもつ。依存や乱用が問題になり、日本ではナルコレプシーにしか処方されない］は処方されたかい？

この生涯にわたるプログラミング過程については、のちほど取りあげるつもりだ。集団的な人間の知覚がどのようにハイジャックされるのか、どうすればそこに陥らないようにできるか理解することが、きわめて重要だからだ。人生とは選択、すなわち**知覚**である。この選択が、健康状態や幸福度、体験するものすべてを決める。これまで経験したこと、「偶然の機会」とよばれるもの、良いことと悪いことを含む「運」、他人がつくりだしたようにみえる状況、そうした**すべて**だ。

選択がどのようにすべてを決定するかを理解するには、まず、自己や現実、人体についての主流の知覚や信条、先入観をすべてまっさらにする必要がある。これらすべてについて、体制が教えこんだことはでたらめである。何世代にもわたって毎日垂れ流される、絶えまないプロパガンダの中

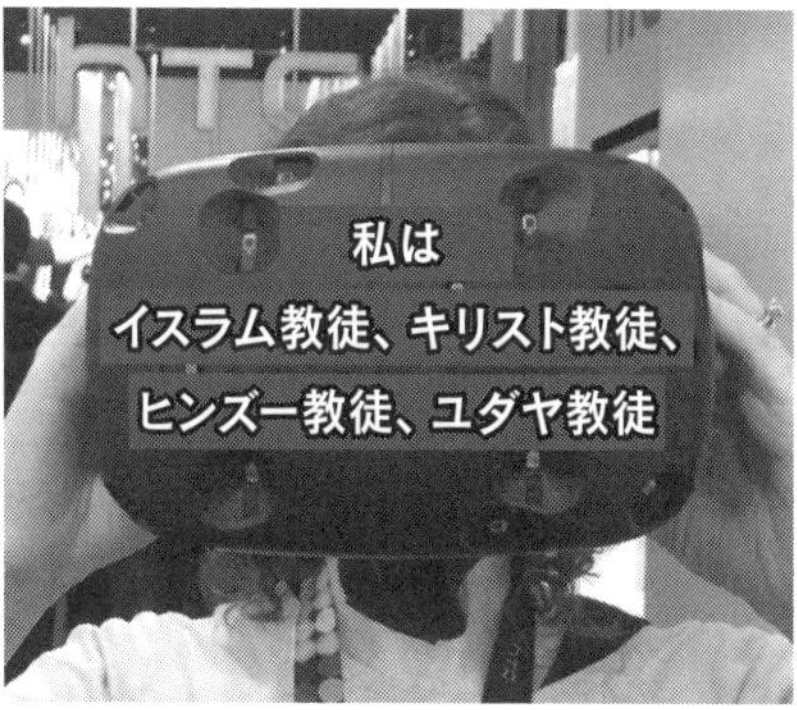

図55：私は、かくあれかしと育てられたもの。

図56：ほとんどの人が自分だと信じている偽の自己認識。

図57：私であると言われたものが私。

核となっているのがカルトである。

自分がほんとうは何者であるのかわからぬままにしておけば、大衆支配というアジェンダ《実現目標》はたやすくなる、とカルトはわかっている。これが人類奴隷化の基本である。催眠術のように、偽の自己認識、または私がシャボン玉や「幻の自己」（図56）とよぶものを広めるのだ。「人《パーソン》」という言葉は、「俳優の仮面」を意味するラテン語の「ペルソナ」に由来する。まさにドンピシャだ。私たちの幻の自己のペルソナは、まさに俳優の仮面またはヘッドセットである。

私たちは、固体の肉体によって固体の世界を体験しているようにみえるが、そうではない。私たちは、すべてが「空」間をはさんで他のすべてから離れている世界に住んでいるようにみえるが、それも違う。すべては、私たちが揺り籠から墓場まで操作され、本物であると信じこまされている幻想である（図57）。詐欺を見抜くことができれば、カルトが人生を支配するのを止めることができる。

ワンネス

私たちは何者なのか？　人間という形態は、一時的なものでしかない。私たちは姿形のない**認識**、すなわち認識している状態である（図58）。

どの程度認識しているかは、私たちがどの程度認識することを選択するか、あるいはどの程度認

図58：肉体は、永遠の認識である私たちの一時的な乗り物にすぎない。

識することを自分自身に**許すか**によって決まる。その「認識の程度」が人生経験を決める。私たちは、認識または意識の無限の流れのなかで注意を向けた独自の点である。その認識「全体」(無限)を、「神」とよぶ人もいるし、ネイティブ・アメリカンは「グレート・スピリット」とよんでいる。私は**存在するすべて**、あるいは**ワンネス**とよぶ。

存在とは単一の知覚状態ではなく、**ワンネス**はさまざまな認識状態での無限のあらわれによって、たえず自身を体験している。私が、**自己を認識している無限の認識**とよぶ認識レベルは、みずからがすべての認識であることをわかっている状態だ。

この状態は、さまざまな名前でよばれてきた。「ボイド」[訳注:空っぽでなにもないこと、無効なこと]、「父」、私は**ワンネス**とよぶ。古代の宗教用語「父」は、この概念を人間世界の経験に結びつけようとこころみた語だ。**ワンネス**は真の父**であり**、母であり、あらゆる存在のすべてである。ワンネスは、すべての可能性をはらんだ領域である。どれを実現させるかを決定するのは、私たちの知覚だ。実現させる方法は、これから説明しよう。

すべての可能性とは、「**存在する**」、「**存在した**」、「**存在する可能性がある**」のいずれにもコード化されている意味あいだ。過去や現在、未来という幻想に囚《とら》われた人間のマインドでは、ありえないと感じるだろう。**今存在し、過去に存在し、この先存在しうるすべて**であるものなどあるだろうか? けれども、過去・現在・未来のすべてといったら、**すべての可能性**以外の何物でもないではないか?

ワンネスの認識のなかで可能性は無限なのだから、現実は無限である。すべてが可能でなかったら、あらゆる可能性の状態があるといえるだろうか？　このように、**自己認識状態にある無限の認識**は、（見え方として）「過去」で「現在」**そして**「未来」である。つまり、そうで**あり**、そうでない。可能**であり**、可能でない。した**し**、しなかった。どこにでも**あり**、どこにもない。すべてで**あり**、無である。存在**し**、存在しない。「神はどこにでもいる」という人もいれば、イカれている、ありえないという人もいる。しかし、あらゆるしくみをすり抜ける**ワンネス**の感覚において、それは真実である。なぜなら、**ワンネス**はすべてだからである。

不可能はひとつの可能性なのだから、不可能でさえも、すべての可能性のなかに存在しなければならない。（知覚によって）可能を体験するか不可能を体験するかの選択は、私たちに委《ゆだ》ねられている。ある人が不可能として体験することを、克服して可能にする方法を見つける人もいる。実現させる方法を知らなければ、もちろん不可能である。方法を**知っていれば**、可能になる。どちらも、あらゆる逆説を含む、すべての可能性のなかの選択肢である。

すべての可能性は、「みずからと論理的に矛盾を強いられる状態」と定義される逆説にあふれていなければならない。すべてが可能とは、そういうことだ。あらゆる「真実」には、矛盾する「真実」、すなわち現実の知覚と**可能性**が存在しなければならない。なにかをひとつの角度から見ると（知覚）、Aが「真実」である。別の角度から見れば（知覚）、Bが「真実」である。矛盾しているようにみえても、観察する点によっては両方とも真実（可能性）でありうる。

肉体は、私たちが体験するように固体なのか？　イエス。拡大意識の観点からも、ほんとうに固形か？　ノー。ここに逆説がある。そうで**あり**、そうでない。知覚と**可能性**という、ふたつの異なる体験の観点から、どちらも真実である。**「私は正しい」**という人間の信念は、再評価の恩恵に浴すかもしれない。

無は全

「ボイド」という言葉は、**自己認識状態にある無限の認識**を形容する際に使われてきた。無限は、無のように感じられるからだ（図59）。人類史上、変性意識状態《アルタードステイツ》に入った人は、「神」、「父」や**「ワンネス」**をボイド、あるいは静寂として知覚してきた。

私自身、２００３年のアヤワスカ体験中の際にそれを感じた。私は振動と周波数とかたちの世界から、言葉にあらわせないまぶしい暗闇を目の当たりにした。おかしな言葉だが、暗闇がもっとも明るい光のように輝いていた。「これが無限です、デーヴィッド」とアヤワスカの声が私に告げた。「あなたがやってきたところで、あなたがもどるところです」。「もどる」とは、人間の知覚にそぐわせるため使った言葉である。私たちは**つねに**無限で、けっして「去る」ことはない。私たちは忘れるよう操作されているから、忘れてしまっただけだ。輝く暗闇は静穏かつ静謐《せいひつ》で、かたちある世界の動きや振動とはまったく違っていた。

ボイドは「無」と形容されるが、静穏と静寂のなかには想像によって「神」または「**ワンネス**」から顕在するのを待つすべての可能性のかたちで、**すべて**が存在する。そこには、**ワンネス**のひとつのあらわれである、**私たち**の想像力も含まれる。しばらく静寂のなかにいると、なにが聞こえる？　なにも。なるほど、しかし、この「なにもない」は脳が解読するための音波がないということにすぎない。静寂のなかで、なにもないとは、すべてがあることである。

音を聞き、姿形を見る。音やかたちはすべての可能性である静寂と静穏から顕在化した可能性である。静寂は標準であり、基本の状態である。いっぽう音は、**すべてがある**静寂から鳴り響き、消えてゆく。13世紀のペルシャの神秘主義者、ルーミーは「沈黙は神の言語であり、他のすべては稚拙な言い換えにすぎない」と言った。科学的な研究により、過剰な音（音量が大きすぎる、音量が大きくなくても時間が長すぎる）による負の影響や、ハートやマインドへの静寂の恩恵があきらかにされている。

私は、静かな自然のなかで暮らしているおかげで、終日無音か、それに近い環境で仕事をしている。最高だ。「騒音《noise》」という言葉は、じつは「吐き気《nausea》」を意味するラテン語から来たという話を読んだ。可能なかぎり、静かで騒がしくない／吐き気のしない場所で過ごすことが望ましい。

「ボイド」はすべての創造（可能性）の**源**である。いっぽう、周波数と振動の世界**は**創造である（図60）。アヤワスカの声はこう言った。「振動するなら、それは幻想です」。静穏と静寂から、言葉で言いあらわせないほど巨大な愛が流れだし、5時間の交信の最初に声が言ったことを実感できた。

「ほんとうに知っておく必要があるのは、無限の愛だけが真実で、他は**すべて**幻想だということ」これは、直後に書いた本の題名になった［訳注：『Infinite Love is the Only Truth: Everything Else in Illusion』（未邦訳）］。

言い換えれば、**自己認識状態にある無限の認識**（「ボイド」、**ワンネス**、愛の源）がたったひとつの真実で、その他はすべて、周波数または振動のかたちをとる情報（意識／「思考」）によって無限の認識から顕在化させられた、創造物または想像物である。「たったひとつの真実」はすべての可能性のなかに存在しうるのか？　たったひとつの真実**とは**、すべての可能性だ。それはワンネスの想像力によってのみ制限されるが、想像力は無限である。

私のブラジルでの体験から5年後、ハーバード大学で教鞭《きょうべん》を執った脳神経外科医のエベン・アレグザンダー博士は危険な病に侵《おか》され、１週間昏睡《こんすい》状態に陥った。他の医師たちは、そこから彼が生きてもどる、少なくとも五体満足な状態でもどるとは信じていなかったという。アレグザンダーは、学術的な知覚プログラムのおかげで、この世がすべてだと信じていたという。科学者である彼の父親も、認識は脳のなかにのみ存在し、脳の死が人の死だと信じていた。

アレグザンダーは、奇跡的な回復をみせた。脳の機能はほぼ停止し、昏睡状態のあいだは最低限の生存機能しか動いていなかったというのにだ。彼はその後２０１２年に、『プルーフ・オブ・ヘヴン——脳神経外科医が見た死後の世界』（早川書房）を上梓《じょうし》し、自分自身と現実に対する認識を変えた臨死体験について書いている。アレグザンダーは臨死状態で、ある女性と出会った。見覚えがあるが、なぜ、どこで会ったのかはわからなかった。

回復したあと、アレグザンダーは会ったことのない実妹（彼は養子だった）の写真を見せられたという。それは彼が臨死状態で会った人物だった。アレグザンダーの主張は当然、物議を醸《かも》した。これをどう考えるかは、自分で決めるべきだろう。

この本でもっとも印象に残ったのは、アレグザンダーが「コア」を体験したことを思いだしている場面で、彼はこれを「輝く闇」と表現している。これこそ、私が9年前に見たものであり、アレグザンダーもまた、この「コア」を「もっとも純粋な愛にあふれ、すべてがわかっている」場所としている。すべてわかっているとは、すべての可能性ということだ。私はこれを、すべてわかっているもの、すなわち**存在する、存在した、存在する可能性のあるすべて**である**ワンネス**として体験した。

アルバート・アインシュタインは次のように述べている。「科学の追究に真剣に取り組む人はみな、宇宙の法則にあらわれているスピリット、人間よりはるかに優れたスピリットが存在することを確信するようになる」。そのスピリットこそ、ひとつの宇宙だけでなく、すべての存在に浸透している**「ワンネス」**である。

創造物とよばれるものは、（「人間」を含む）**ワンネス**の無限のあらわれによって、**ワンネス**からあらわれる。繰りかえしになるが、創造は無限である**ワンネス**の想像のみに制限される。したがって、創造力はその可能性において無限であり、私たちは人間の可視光という非常に狭い周波数帯でその断片を体験しているにすぎない。

それでもなお、私たちは**ワンネス**のひとつのあらわれとして、**ワンネス**の共同創造者である。**ワンネス**が発する意識フィールドは、ひとつの細胞が人体の**何兆個もの**細胞になるまで分裂を重ねるように、無数の意識フィールドを生みだす。重要なのは、すべて存在するものがひとつの意識のあらわれであるように、それら細胞はすべて**ひとつ**の細胞のあらわれであるということだ。

私たちは注意を向けた「個々の」点であり、**すべて**の点である。部分は全体であり、全体は部分である。水のひとしずくがふたたび大海とつながったなら、しずくはどこで終わり、大海はどこからはじまるのか？　ふたつは同じものだ。カルトのアジェンダはすべて、私たちが海であると悟らせず、しずくにすぎないと思わせておくためにつくられたものだ（図61、62）。

私たちはみな、**ワンネス**のあらわれ、あるいは共同創造者である。たとえ路上で暮らし、うなだれて、見捨てられた落伍者《らくごしゃ》だと感じていても。身体の知覚的限界を超えたアヤワスカの体験中、拡大意識のなかで、私はすべてのものとつながったと感じていたが、「私」という個人であることに変わりはなかった。どちらかではなく、**両方**なのだ。心が開き、意識が拡大すればするほど、自己の感覚と「私」はいっそう拡大する。

人類は、自身を切り離された個人と知覚するよう、広く操作されてきた。大部分の主要な宗教でさえ、他の現実があることは認めても、「神」と人間は**同じ**ではなく、互いに分かれたものとしている。「私は神である」というのは冒瀆《ぼうとく》とみなされる。カルトの世界では、アジェンダにしたがい、

図59：存在する、存在した、存在する可能性があるすべての存在に浸透するもの。それがすべての存在である。

図60：ワンネスは、無数の注意を向けた点によって、すべての現実を創造している。私たちもその点のひとつである。第４巻にカラーグラビア（「ニール・ヘイグ」ギャラリー）を掲載。

図61：１滴のしずくは個に見えるかもしれないが、大海とつながれば、しずくはどこで終わり、大海はどこからはじまるのか？　みな同じ、ひとつのものだ。

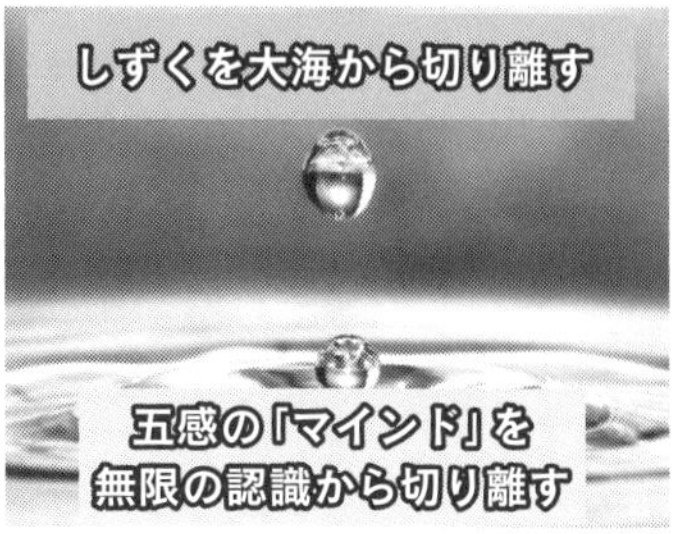

図62：人間の知覚操作の基盤は、しずくを大海（ほんとうの私たち自身）の認識から切り離すこと。

奴隷と主人が存在しなければならない。

完全に覚醒《めざ》めた状態の無限の認識、**「ワンネス」**は、どこにでも広がっている。ワンネスは、生命の網《ウェブ・オブ・ライフ》［訳注：あらゆる動植物は「複雑な関係性の網（ウェブ）」によって結びつけられているという考え方］を織りなすものである。**ワンネス**はすべての現実を貫き、今まさに、あなたのなかにも存在する。これからあきらかにしてゆくが、知覚が体験する現実を創造する。孤立している、**ひとりきり**の個であると知覚することで、それが現実の体験となる。意識が**ワンネス**とつながっていなければとてもリアルに感じられるが、それは幻想である。自分自身が何者なのかを考えなおし、拡大意識にハートとマインドを開けば、体験は**かならず**変わる。

「人間」とはなにか？

では、ここまで述べてきたことを今日の国際社会と結びつけてみよう。人間の体験は、多くの認識レベルでなされる。人間の「オーラ」として電磁的、視覚的に確認できるレベルがある。肉体とオーラの組みあわせは、私がボディ－マインドとよんでいるものである。「自我《エゴ》」といわれることもある（図63）。

オープンマインドな人とか、心を閉じている人などというが、うまいことを言ったものだ。開いたマインドは、拡張した認識状態とつながっている。いっぽう、閉じたマインドはシャボン玉のなかに引きこもり、ボディーマインド（五感）からあらゆるものを知覚する。ほとんどの人は、シャボン玉の知覚をもっている（だんだんと変わりつつあるが）。大衆の知覚に影響をあたえる主流機関などは、完全にシャボン玉知覚である。科学、学術、メディア、医学、商業、政治、政府関係者のことだ。

「ソウル《魂》」とよばれる認識レベルがある。ソウルは人間の周波数帯域の外にあり、「チャクラ」といわれるエネルギーの渦によって、ボディーマインドと接続する。「チャクラ」とは、インド亜大陸で使われていた古代サンスクリット語で、「光の輪」を意味する。同じ「自己」内の各認識レベル間で回転する、エネルギー（意識）的接続をうまく言いあらわしている（図64）。

チャクラが開くと、人間の「私」は魂の「私」によって影響を受けて導かれ、**ワンネス**の「私」にいたることができる。別の言い方をするなら、心をどこまで開くかに制限はない。チャクラ／意識のつながりが閉じたり弱まったりすると、五感のなかで知覚的に孤立するようになり、幻想でしかないラベル貼りによる自己認識の餌食《えじき》になってしまう。「私」というラベル、すなわち幻の自己であるボディーマインドだけが、「私」であるようにみえてくるのだ。

ボディーマインドはソウルの投影であり、ソウルの影響が弱まると、ボディーマインドは方向性をもってひとり歩きするようになる。体中に渦が点在するが、主なものは次の7つである。

（1）頭頂部にあるクラウンチャクラ（多くの臨死体験者は、頭頂部からふたたび身体に入ったという）。

（2）額の中心にある「第三の目」チャクラ。ここを通じて他の現実と霊的につながることができる。
（3）さまざまなレベルの交信にかかわり、声帯と接続してその振動に影響をあたえるスロート《喉》チャクラ。
（4）胸の中心にあるハートチャクラ。ここを通じて愛を表現する（詳しくはのちほど）。
（5）胸骨のすぐ下にあるソーラープレクサスチャクラ。
（6）へその下にあるセイクラルチャクラ。私たちが感情を体験する場所であり、この感情のチャクラが腸につながっているため、緊張や恐怖を感じると「お腹をこわす」のである。
（7）脊椎《せきつい》の底部にベースまたは「ルート《根》」のチャクラがあり、これが私たちに一見「物理的な」現実の基盤をあたえ、性と生殖にも関係している。

各チャクラは、内分泌系の腺に接続されている。脳内にある豆粒大の松果腺《しょうかせん》（松果体）は、霊感、あるいは「第六感」にかかわる「第三の目」として知られている。松ぼっくりのようなかたちのもので、脳の中央にある。松果体は「神」や拡張された現実とつながるものとして、歴史を通して世界中の文化で重視されてきた。

内分泌腺は、性ホルモンなどのホルモン、代謝、睡眠などをつかさどる生体時計や免疫系を調整する。これらのつながりを通して、チャクラの渦のエネルギーのバランスが、全身に「物理的」にも心理的にも影響をあたえる。松果体やチャクラとうまくつながれば、認識を他のレベルへと拡大

図63：肉体とオーラの電磁場は私がボディーマインドとよんでいるもので、五感によって現実を体験する。しかし、私たちはそれだけの存在ではない。

図64：「チャクラ」として知られるエネルギーの渦は、異なるエネルギーレベルをつなぎ、交信する。

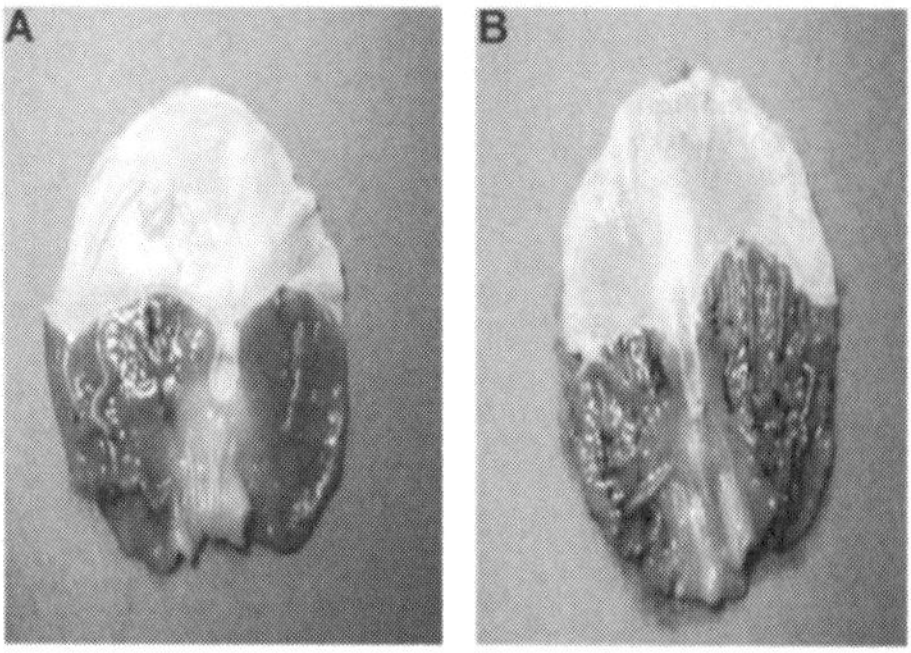

図65：フッ化物は、ボディーマインドを超えた認識の周波数に私たちを接続する松果体を石灰化する。けっして偶然ではない。

する能力が向上する。きちんと働いていないと、人びとは五感のシャボン玉のなかに閉じこめられる。カルトはこのことを熟知している。

カルトが「歯を守る」という口実で、飲料水や歯みがき粉にいれているフッ化物は、松果体を石灰化することがわかっている（図65）。人びとを五感に閉じこめるためのものは、**随所**にちりばめられている。アルミニウム（ワクチンなど多くのものに含まれる）やグリホサート（長きにわたって食物連鎖に侵入してきた除草剤で、公園などでも散布されている）、Wi-Fiは、すべて松果体を抑制するものだ。なぜ、私たちはそのようなものに囲まれているのだろうか？　それは、知覚を五感のシャボン玉に閉じこめるためだ。

科学的研究によって、アルミニウムとグリホサートが結合して生成される化合物によって、とくに松果体の機能が破壊されることがあきらかになった。血液脳関門［訳注：脳の血管と脳細胞のあいだでの物質交換を制限する機構で、脳にとって有害な物質の侵入を防ぐ］はこうした毒素から脳を守るものだが、今や5G電波によって突破され、その影響は何倍にも増えている。

「蛇神」

ルートチャクラは、「クンダリニー」（「とぐろを巻いた」を意味するサンスクリット語に由来）として知られる変容エネルギーの源である。クンダリニーは、とぐろを巻いた大型の毒蛇、またはヘビに象徴される。クンダリニーのエネルギーは、東洋の一部では伝統的に女神としてあがめられている。クンダリニー活性から生じる「悟り」をあらわす、双翼をもったカドゥケウス（ヘルメス神の杖）の図柄はそのエネルギーの象徴だ（図66）。

クンダリニーはゆっくりと影響することもあるが、私の1991年の経験のように、核爆発かのように強烈な場合もある。クンダリニーのエネルギーが放射されると、各チャクラや脊髄《せきずい》、中枢神経系を通ってクラウンチャクラから噴きだして、その途中、他のすべてのチャクラを活性化する（図67）。

このような活性化は、人びとを「悟り」の状態に導き、「啓蒙された《イルミネイテッド》」状態にするといわれている。国際カルト内の重要なネットワーク、「イルミナティ《啓蒙主義者》」という名前は、人びとを意識的に他の現実に接続したり、時には卓越した心霊能力を呼びさましたりもするクンダリニー活性化の原理に関連している。

ただし、強調しておきたいのは、そのような接続に善《よ》し悪《あ》しはないということだ。クンダリニー覚醒によって、高い振動数の拡大認識に接続できるが、人を思いどおりに操る低い振動数の認識にも接続できる。どの振動数に接続するかは、幻覚剤を服用する場合と同じく、自分が意識的・無意識的にどこにいるかで決まる。

イルミナティカルトの新入会員は、秘密結社や悪魔儀式でのクンダリニー活性化によって、特定の周波数領域へと開かれる。人外の力が、知覚的憑依《ひょうい》によってカルトをコントロールする領域だ。

クンダリニー覚醒によって高い認識領域に接続するか、低い認識領域に接続するかは、自身の周波数次第であり、みずからの知覚と在り方によって決まる。

たとえば、あなたは愛で動くのか？　憎しみに駆りたてられているのか？　愛と憎しみの周波数は大きく異なる。多くの人が「クンダリニー上昇」を体験し、素晴らしい覚醒が進行している。しかし主流メディアを眺めていても、そのような情報は入ってこない。主流派は、なにがおきているのかまったくわかっていないのだ。

クンダリニーのプロセス、あるいはシャボン玉からのゆっくりとした覚醒《めざ》めによって知覚が変わりはじめるにつれ、多くの課題があらわれてくるので、混乱してしまうかもしれない。突然、世界が違ってみえてきて、周りの人に「おかしくなった」と思われるかもしれない。

精神科の治療を受ける羽目になった人の多くは、クンダリニーの経験をしただけなのだ。五感を超えた情報源や影響力と接続するため、これまでと違う奇妙な知覚をもつようになることや、「声が聞こえる」こともある。ほとんどの場合、こうした現象はそのうち落ち着いてくる。しかしそれを待たず、なにがおこっているのか、そもそも人間の本質さえわかっていない無知な精神科医に、薬を処方されてしまうことが多い。そのような投薬（覚醒の抑圧）は、これまたなにがおこっているのか見当もつかない家族によって、助長されることもある。これが「教育された」無知のゆく末である。

他の本で詳しく語ったように、私は１９９１年にペルーの丘で人生を変える「超常現象」を体験

図66：カドゥケウスはクンダリニーエネルギーの象徴で、チャクラや中枢神経系を上昇してクラウンチャクラから噴きだし、私たちを別の現実と接続する。接続先の現実の性質は、私たち自身の状態によって決定される。

図67：クンダリニーの活性化により、高い周波数の認識に接続されることもあれば、カルトとその「神」が活動する低い周波数の認識に接続されることもある。

したのち、とてつもないクンダリニー覚醒を経験した。ドリルのようなエネルギーが頭のてっぺんに入り、身体を通り抜けて落ちてゆくいっぽう、別の流れが逆方向に進んだ。そのときはわからなかったが、あのエネルギーはチャクラのネットワークと中枢神経系を流れ、クンダリニーを**すさまじく**活性化させた。自分が誰なのか、どこにいるのか、いったいなにがおきているのかもわからなかったが、感覚を超えた概念や情報、認識があふれてきて、私は３カ月のあいだ、まったくの混乱と当惑のなかにあった。

私は、当時を「ターコイズ時代」とよんでいる。つねにターコイズ《青緑》色を身に着けたいという衝動に駆られていたのだ。色を含め、すべては固有の周波数であり、私が体験していた変化の結果として、エネルギー場がターコイズの**周波数**に引きよせられたので、ターコイズに魅せられたのだ。

同じ理由で人はある種の色に無意識に引かれ、特定の色を身に着けているときエネルギーを放射する（「その色が似合う」）。いっぽう、別の色を見ると疲れを感じる。効果があるのは、知覚する色ではない。それは周波数であり、それが自身の周波数場にどのように影響するかだ。

波動をおくれ

肉体とはなにかということを理解するには、自分自身の洗脳を解かなければならない。ボイドの静穏と静寂の外側で創造された現実のすべては、波動のかたちで周波数と振動を通じて伝達される情報（思考、想像力）である。

音**波**や思考**波**、脳**波**について話そう。創造は、「神」または**ワンネス**の意識から注意を向けたすべての点からあらわれる。**ワンネス**は創造の無限の領域によって自身を体験する。聖書にあるように、「わが父の家には住処《すみか》多し」だ。ボイドの外にあるあなたや私、すべてのものは、波動や周波数、振動の形態をとる情報場または意識領域である。つねにそこにあり、選択すればいつでも**ワンネス**と意識的に接続できる。

私たちは実際、無限の表現であり、究極的には無限の宇宙そのものなのに、人びとはみずから貼りつけたラベルを自分だと信じている。カルトは、このことを絶対に私たちに知られたくない。カルトの支配は、私たちの無知のうえに成りたっているからだ。

知覚は、私たちが生みだす波動の周波数と性質を決定する。意識と「私」の感覚が拡大するほどに、あなたが放出し、接続する周波数や振動はより高く、速くなる。あなたが知覚的に**ワンネス**と同化し、静寂かつ静穏で、すべてがわかっているボイドというふるさとに還《かえ》るまで、それが続くだろう。ワンネスと一体化してもあなたは「あなた」だが、意識と知覚がまったく異なる状態にある。「父」の元を離れて大失敗し、経験から学んでふたたび家に帰ると父に歓迎される、聖書の放蕩息子《ほうとうむすこ》の例え（新約聖書『ルカによる福音書』15章11～32節）は、これを象徴的に形容したものかもしれない。「父」は、**ワンネス**が審判を下さないのと同じく、息子に審判を下さなかった。どんな選択や体験をしようとも、あなたはみずからを体験している**ワンネス**なのだ。ただし、重要なのは、私たちが孤立した知覚状態や、「個」に**すぎない**という感覚、憎しみや不安、おそれ、心配、憂鬱《ゆううつ》、罪悪感、うらみ、復讐《ふくしゅう》などの知覚的な独房にとどまる限り、より高い意識レベルに拡大することはできないということだ。これらは、私たちを低振動の体験に閉じこめる低振動の状態である。

知覚上の周波数帯域「A」にいるなら、「A」のみ体験でき、接続し、相互作用できるのも「A」だけだ。ラジオ局「A」は、ラジオ局「B」が異なる周波数で放送している場合、「B」局とは接続できない。「死」と知覚されるものの後でも同じだ。知覚（周波数または振動）状態が、私たちが引きよせる現実、つまりどの「住処《すみか》」にゆくかを決定する。とはいえ、肉体からの解放、あるいはそのように錯覚することで、知覚は急速に変化する。

肉体／オーラ（ボディー―マインド）とソウル（ボディー―マインドを超えて拡張した認識）は両方とも、周波数と波動の意識領域である。それらはひとつの「存在」として接続し、交信するようになっているが、ボディー―マインドがソウルの周波数の同期から大きく外れると、交信と影響力が低下する（図68）。

ソウル、つまり「ハイヤーセルフ」とよばれるものがキーボードをたたき、マウスをクリックしても、ボディー―マインドまたは「自我《エゴ》」からの応答はない。カルトは断固としてこれを切断し、ボディー―マインドをソウルから遠ざけるため動いてきた。次の策略は、孤立したボディー―マインドに、集団統制できる知覚をプログラムすることである（図69）。

真の現実の知識は、秘密結社と悪魔のネットワークの中枢にとどめられている。一般人には知ら

図68：ボディーマインドがより大きな自己（「ソウル」や「ハイヤーセルフ」）の影響から切り離されると、私たちは五感のみから来る知覚に翻弄《ほんろう》される。第４巻にカラーグラビア（「ニール・ヘイグ」ギャラリー）を掲載。

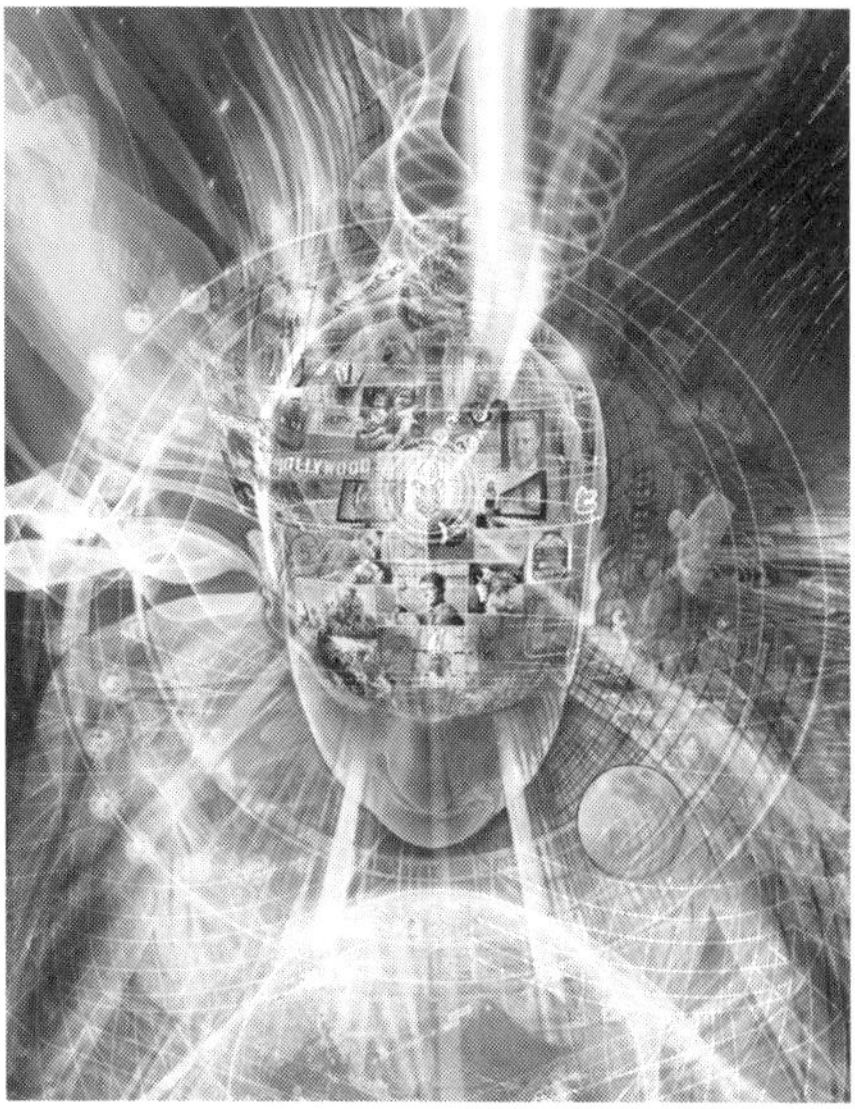

図69：人類は、カルトに奉仕する情報源が放つ不正確な情報によって刻々と攻撃され、集団的知覚を形成させられている。（ニール・ヘイグ画）

れぬよう、ネットワークのなかだけで世代を超えて受け継がれてきた。そうした知識は、古代社会では広く理解されていたが、のちに一般社会の外へ追いやられてしまった。

それに大きく貢献したのが、宗教の押しつけである。宗教の背後にはカルトがおり、現実を探求すれば死刑に処された。世界が植民地化されるにつれ、カルト帝国（とくに英国）は、シャーマン［訳注：秘された知識とすぐれた精神能力をもち、精神世界と人間世界の橋渡しをおこなう人物］や古代知識の伝承者を狙《ねら》い撃ちにした。偽りの現実が知覚をハイジャックし、主流（カルト）「科学」と主流（カルト）宗教のゆがんだ信条を植えつけ、現実とはこのようなものだ、という公式見解をつくりあげた。

東洋の宗教は、マーヤー（「幻影」）［訳注：インド哲学で、真実の世界を覆い隠している現実世界のこと］やブラフマン（無限の存在や無限の知識、究極の現実）［訳注：ヒンズー教またはインド哲学における宇宙の根理。外界に存在するすべての物とすべての活動の背後にあって、究極で不変の現実とされる］について語っている。素晴らしいことだ。

残念ながら、これらの基本的真実は、途方もない数のヒンズー教の「神々」への、儀式的崇拝の陰に隠れてしまっている。知識を隠し、無知にさせておくことが、人間支配の基本だ。今日、そうした知識は少しずつ取りもどされつつある。拡張した認識状態にある人や、純粋に真実を追い求めるオープンマインドな少数派の科学者（おもに、知覚できる「物理的」世界を超えた現実を探求する量子物理学領域）は、このありえない「物理的」幻想の誤謬《ごびゅう》を見抜き、カルトが必死に抑圧してきた古代人の知識を理解している。

身体は固体ではない。量子物理学だけが、唯一そう示している。肉体は、情報の設計図を用いてコード化されたエネルギーの波動場である。思考や感情、あるいは飲食物のかたちをとる波動、そして「スマート」［訳注：あらゆるものが「スマート」フォンなどでインターネットにつながっている」社会における無数の放射に対し、ポジティブにもネガティブにも、たえず反応している。

あらゆるもの、すなわち食べものや飲みもの、私たちが摂取し、相互作用するすべては、情報の波動場のあらわれである。波動はポジティブにも、ネガティブにも、ニュートラルにも、他の波動に影響をあたえる。科学技術が生みだした放出波による「スマート」革命が、人間の行動を大きく変えた。若者の自殺も急増した。なぜなのか、不思議に思ったことはあるだろうか？　波動の観点から、その「なぜ」があきらかになる。気にとめておいてほしい。

主流派の統一見解に囚《とら》われないオープンマインドな科学者たちは、波動の機能や波動が人間の生活にあたえる影響を理解することの重要性について、基本的な結論に達した。科学者たちが研究から到達した結論に、私が別の方法でたどり着いたことを、不思議に思う向きもあるかもしれない。

じつは、不思議なことなどなにもない。ボディーマインドを超えた、拡大した認識状態に達すれば、科学者だろうと、私のようにプロサッカー選手になるために15歳で学校をやめた者だろうと、同じ知識に触れるのだ。

自分に貼りつけたラベルは関係ない。なにを知り、なにを知らないかを決めるのは、他の次元の認識と可能性にどれだけ心を開くかだ。この基準からすると、心を閉ざした「科学者」より、「科学者」でなくてもオープンマインドなほうがいい。

原子神話

固体であることと物質主義に慣れ親しんだ知覚を、波動場とホログラムに置き換えてみよう。主流科学のはじまり以来ずっと解けなかった謎が、あっというまに説明できる。固体も物体もないことに気づけば、すべてのつじつまが合うのだ。

物質主義者の見解の基礎は、原子と言われているものが物体、すなわち「固」体を形成するということだ。その原子が固くないとは、なんと面妖《めんよう》な！　原子は、エネルギー波の束である。その束は、原子核を「周回している」電子だと科学がいうところのものから成る。原子は固体ではなく、固体の世界をつくりだすことはできない（図70）。

粒子と原子核は、原子全体の一部である。その他は、物質性の観点からすれば、「空っぽ」である。それでも科学者たちは、肉体は**原子**でできていると説く。同時に、肉体は物質的で、固体性があるとも主張する。原子に固体性がなければ、物質的ではありえないというのに。原子は、波動が運ぶ情報が解読されてあらわれたものである。

以下の説明は、「物質的な」原子理論を総体的に捉《とら》えたものだ。

原子核をピーナッツとすれば、原子全体は野球場ほどの大きさになる。私たちを構成している原子内部の空きスペースを完全になくしてしまえば、人間1人はほこりの粒子1個、人類全体でも角砂糖1個に詰めこむことができる。

原子核と電子を深く掘りさげてみると、やはり「物質的」でないことがわかる。しかし主流科学は、**そうではない**ことがあきらかなのに「世界は固体であり、肉体は固体である」という見解を固持し、信頼を失っている。

原子という名は、「分割できない」という単語からきている。名づけたのは、紀元前460年から紀元前370年ごろの古代ギリシアの哲学者、デモクリトスである。デモクリトスは、物質は「分割できない」原子でできており、物質の動きは原子が互いに衝突してはね返ることから生じる、という、近代科学の基礎となった理論を定式化した。

この理論が、つねに物体が他の物体に衝突しているという、宇宙の科学的説明につながったことにお気づきだろうか。（幻想の）ビッグバンが、衝突を引きおこしたといわれている。以来、宇宙は土曜の夜の酔っ払いのように、あちこちぶつかりながら、うろつきつづけている。タクシーをよべ、宇宙がまた泥酔している。どうしてあんなことや、こんなことがおこったのですか、教授？「衝突だ」。では、これは？「なにかがぶつかったのだ」

古代ギリシアに、すでにこのことを見破った者がいた。著名な哲学者ソクラテス（紀元前470〜紀元前399年ころ）は、「物理的現実」とは違う力が、私が目に見える世界とよぶものをもたらしたと信じていた。ソクラテスは正しかった。彼の弟子、プラトン（紀元前427〜紀元前347年ころ）は、「洞窟《どうくつ》の比喩《ひゆ》」［訳注：『国家』第7巻で語られるイデア論の説明］で、同様のことを説いている（図71）。

プラトンは、洞窟で暮らす囚人という象徴的な物語を描いた。囚人たちは鎖につながれており、ひとつの壁しか見ることができない。囚人たちの後ろには、彼らからは見えない炎があり、人びとや動物たちが火の前を通ると、壁に影が映るようになっている。その影が、囚人たちの現実となった。影が彼らの知り、体験するすべてだったからである。

囚人たちのなかには、影を研究し、知覚された現実に関する専門家として知られる者もいた。実際には、現実だと信じこんで、影を研究しているだけだというのにだ。今日の主流派の科学者や研究者は、この囚人とまったく同じことをしている。例外的に、我が道をゆく素晴らしい研究者もあるが。私にいわせれば、彼らはシャボン玉のなかの現実が存在するすべてだと信じ、研究している「専門家」である。

プラトンの物語では、ひとりの囚人が脱走し、影が幻想であることに気づく。もどってくると、まだ奴隷状態にある他の者たちにその情報を伝えるが、彼らはその話を信じず、彼を狂人よばわりする。プラトンがはっきりと意図したように、これは今日まで続く人間のありさまを描いた比喩だ。

私たちが体験していると考える現実は、波動場の現実からの「影」（解読された投影）である幻想の「物理的」現実という意味で、他のなにかの「影」である。ソウルは波動場の現象であり、ボディーマインドもそうだ。肉体は、「出産」を通じて自己複製できる波動場情報の設計図である。肉体もまたひとつの認識状態である。なぜなら、万物は認識状態であり、肉体はマインド（ソウルがかたちをもったもの）がこの現実を体験するために設計されたものだからだ。

マインド、つまり「自我《エゴ》」はソウルと同期し、つながっていて、拡大意識に影響されていると考えてほしい。この接続状態では、マインドはこの世界に**ある**が、完全にこの世界と**同化**しているわけではない。マインドは、「物質」の幻想に影響されない知覚のレーダーをもっている。

しかし、マインドがソウルの知覚的影響を受けなくなれば、現実の捉《とら》え方がまるっと五感に占領され、五感の現実が支配的になる。それは、カルトがコントロールするメディアや科学、医療というかたちをとる五感の現実から受けとった情報や、学校、大学で教えられる内容のよせ集めだ。（図72）。

ソウルがいなくなれば、現実感覚全体を孤立したボディーマインドにプログラムして、シャボン玉の知覚に引きいれることができる。既知の人間の「歴史」のほぼ全体を通して、少数の支配者が多数の民衆を奴隷にしてきた手法はこれである。今日では、「スマート」な科学技術によって、支配はまったく新しい領域にまで深まっている。

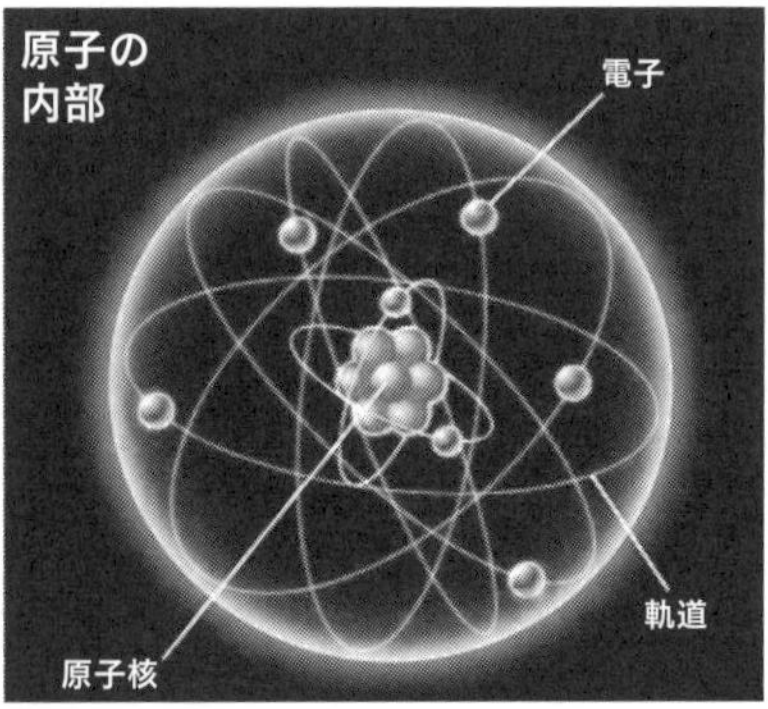

図70：固体でない原子が固体でない世界をつくるのは不可能。うん、理にかなっている。

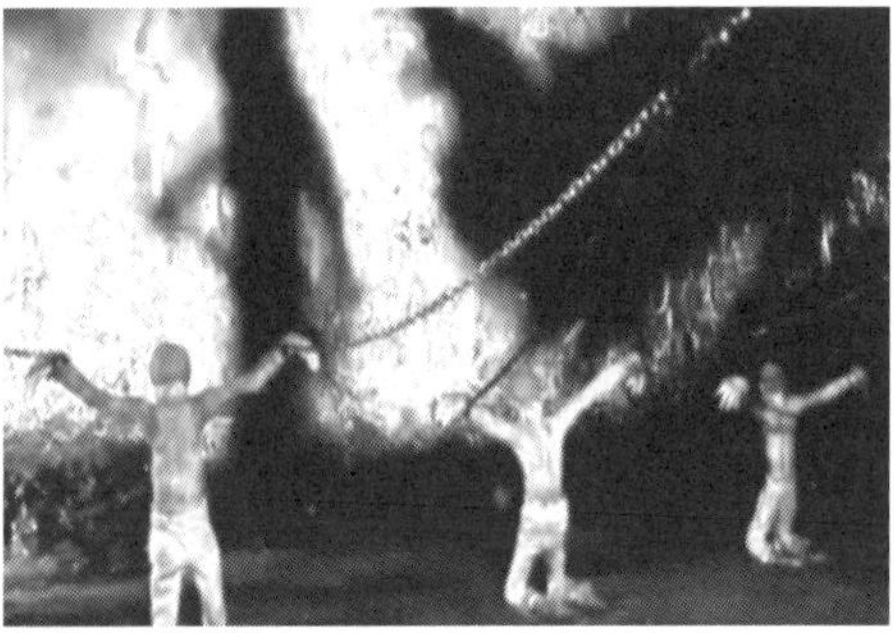

図71：人間のありさまを象徴する、プラトンの洞窟の比喩。

図72：おだまり、私は物事をわかっている。体制が教えてくれたから。

マインドには、主にふたつのレベルがある。顕在意識と潜在意識だ。人間の行動の約95％は、潜在意識から来ていると考えられている。顕在意識による意思決定ではないのだ。カルトとその非人間の親方《マスター》たちは、潜在意識に狙いを定め、マインドの広大な領域でおこっていることを対象に悟られ**ない**ようにしている。

科学雑誌『ワンダーペディア』では、1秒間に1100万個の刺激が［脳の］神経回路をパチパチと音を立てながら流れてゆく様子を引用していた。脳はどうにか対処できそうな毎秒**40個**程度にまで絞りこみ、ここから私たちは目に見える現実を知覚している。私たちは見たり、聞いたり、触ったり、嗅いだり、味わったりするもののごく一部しか意識していないが、潜在意識は**すべて**を吸収している。

過去の著作で詳しく述べたように、カルトは象徴《シンボル》の言語を使う。そうしたシンボルは顕在意識を飛び越え、潜在意識に語りかけるようにつくられている。

「物理的」現実はどのようにつくられるか

波動情報をホログラムに解読すると、波動場情報の設計図は物理的世界の体験になる。五感は**波動場**情報を電気情報に解読し、脳に伝達する。それが、デジタルまたはホログラフィックな情報（幻想の「物質」）として解読され、物理的世界として知覚される（図73）。

さまざまな形態の情報は、**同じ**情報がさまざまな状態に表現されたものである。波動場はすべての現実の基盤であり、肉体も例外ではない。一連の解読は、マインドのはたらきである。私たちは**自身の身体**を、科学者が「観察」とよぶもの、すなわち「見ること」によって、３Ｄの物理的現実であるかのように解読している（図74）。

このあと説明するが、これは肉体の波動場とマインドの波動場の相互作用によっておこなわれる。身体は（その他すべてと同じく）、マインドのなかにある。マインドの状態に身体の状態が左右されるのは、これが理由だ。

最新のバーチャルリアリティ・ゲームの登場人物はとてもリアルに見えるが、彼らはコンピューターによって解読された情報にすぎない。今日では、生身の人間のように見える偽のデジタル人間がつくられている（図75）。

複数の人にヘッドセットを装着させ、自分たちの身体が人形の身体であるかのように錯覚をあたえる実験を見た。脳はすっかり騙《だま》されてしまい、針で目を突くなど、人形に対してなにかがおこなわれると、人びとはまるで**自分たち**がそうされたかのように反応した。「物理的」な肉体をもつという**体験**を知覚するためには、かならずしも実際に肉体をもつ必要はないのだ。

バーチャルリアリティは私たちの慣れ親しんだ現実を技術的に模倣しているが、私たちの現実自体、バーチャルリアリティのより進化したバージョンにすぎない。実際、このふたつの見え方は非常に近づいているため、仮想技術の最先端にいる人びとは、違いがわからなくなるまでそれほど長くかからないだろうと語っている。バーチャルリアリティは解読された情報であり、ますます「リアルな」現実をまねていることはみなわかっている。けれども、「リアルな」現実も、基本的に同じ方法であらわれていることを理解するのは難しいようだ。

バーチャルリアリティの技術は、私たちが「ほんとうの」現実を解読するのとまったく同じく、五感をハイジャックして無効にする。バーチャルリアリティがどのように機能しているかを観察すれば、「ほんとうの」現実がどのように機能しているかを考察できる。バーチャルリアリティの世界は脳のなかに存在しているにすぎず、「ほんとうの」現実も同じである。脳自体、ほんらいの姿は波動場の構成物である。

私は何年もこう言いつづけている。米国の認知科学の教授、ドナルド・ホフマンも同じ意見だ。「脳それ自体が幻想である……さまざまな色と同じく、神経細胞《ニューロン》も、私たちが見るとき以外は存在しない……私たちが知覚するときだけ存在するのだ」

「物理的」な肉体や「物理的」な世界はどこにあるのか？　私たちの**マインド**のなかにある。マインドは物質を超えたものだといわれるが、マインド**は**物質であり、物質**は**マインドである（図76）。これはすべての意識レベルのマインドと、すべての「物質」のあらわれにあてはまる。「量子物理学の父」、マックス・プランクは次のように述べた。

すべての物質は、粒子である原子を振動させ、原子というもっとも極小な太陽系を共に支える力

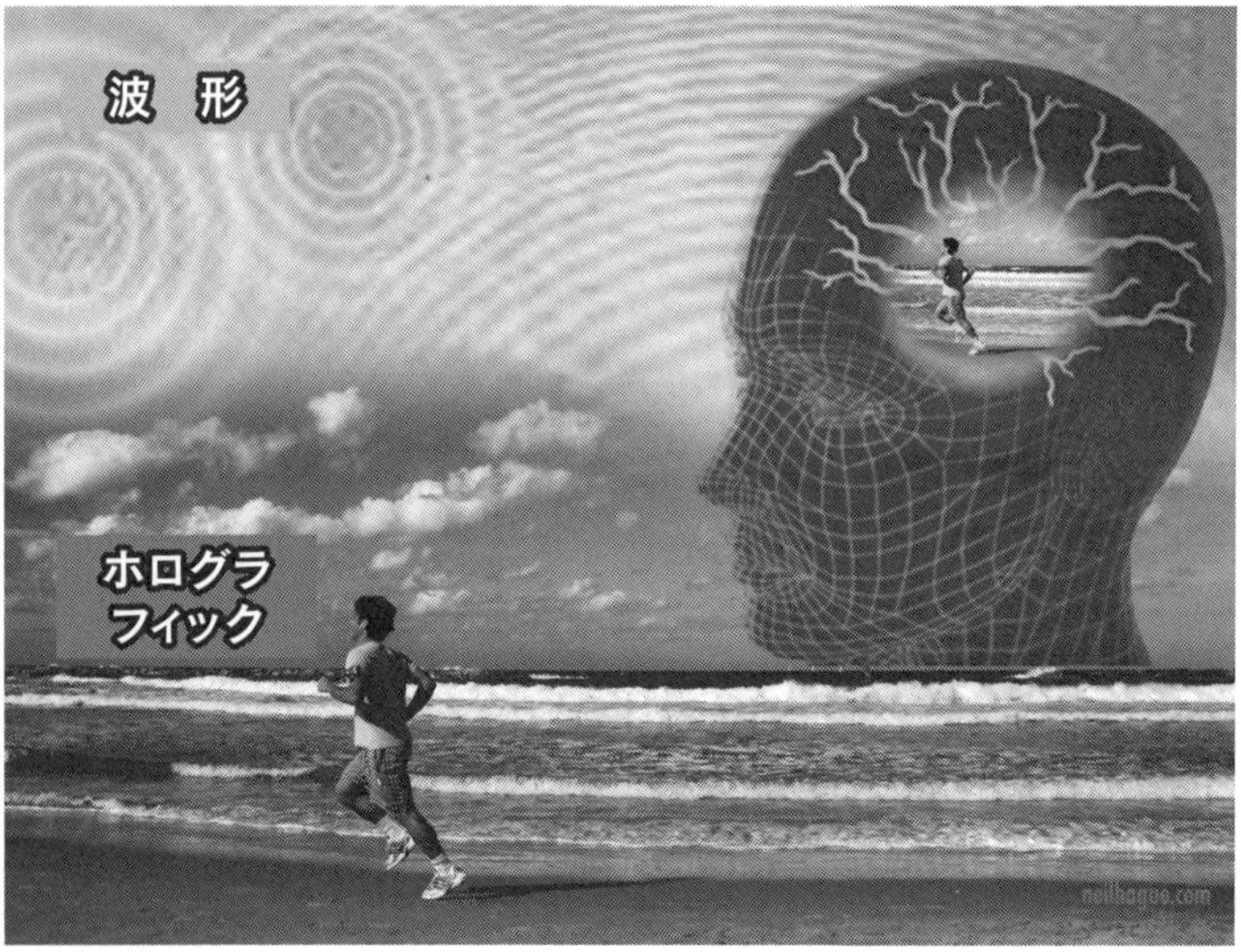

図73：人間の現実――波形が人間の解読システムによってホログラフィックになる。（ニール・ヘイグ画）

図74：私たちは、自分の身体さえホログラフィックな形態に解読する。身体はどこにある？　マインドのなかだ。（ニール・ヘイグ画）

図75：これらはデジタル的につくりだした「人」で、生きた人間としては存在しない。科学技術によって、偽の風景や生物もつくりだせる。

図76：『マトリックス』のこの有名な場面は、「物理的」な錯覚を完璧《かんぺき》に形容している。

によってのみ発生し、存在する。この力の背後には、意識をもった知的なマインドの存在を想定しなければならない。このマインドは、すべての物質の母体《マトリックス》である。

プランクは、こうも言っている。

私は、意識こそ根本であると考える。物質は意識から派生したものと考える。意識から逃れることはできない。私たちが話すすべて、存在しているとみなすすべては、意識を前提としている。

マインドはすべての物質の**解読者**であり、**知覚者**であり、**創造者**である。

ホログラフィックな幻想

私たちが物理的に体験する現実は、じつはホログラフィックで柔軟であり、固体ではない。ホログラムは平面からあらわれるが、立体的に見える（図77）。この技術は、店で見かけるような単純なホログラムからはじまった。以来、ホログラフィックはバーチャルリアリティと同じく、人間の現実にますます近づいている。

今日、映画や舞台では、「本物の」人間の隣に、共演が難しい人物［故人や遠方にいる人など］

がホログラフィックに登場したりする。出来が良ければ、私たちと同じように「固体」に見える。エルヴィスのような、とっくに亡くなったアーティストが、現在活躍している歌手とデュエットする。英国の偉大なコメディアン、故・レス・ドーソンが登場するコメディ番組を見たことがある（図78）。

ホログラフィックな人の姿は、世界中に送信できる（図79、80）。また、デジタルホログラムを見れば、「物理的」現実とはいかなるものなのかがわかるだろう（図81）。

NASA（米航空宇宙局）のジェット推進研究所の進化的計算、および自動設計センター局長を務めるリッチ・テリレは、2017年に宇宙はデジタルホログラムだと信じていると述べた。私たちが物質的世界として知覚するものはすべてデジタルホログラムなのだから、さもありなんだ。

宇宙がデジタルホログラムであれば、ピクシレーション［訳注：人間をコマ撮りしてアニメーションをつくる技法］が、現実の構造に見つかることが予想される。私たちがテレビ番組の映像として解読するテレビ画面に、ピクセル《画素》があるのと同じように。そして実際に、そうであることがわかっている。

科学雑誌『ニューサイエンティスト』は、ホログラムの現実に関する2009年の記事で、拡大すると「時空の構造は粗くなり、最終的にはピクセルのような単位でできている」としている。英国サウサンプトン大学の研究者による2017年の報告では、人間の現実は2D《平面》スクリーンから投影された3D《立体》映画を見ているようなものである、という「有力な証拠」が見つかった。そう、**波動**

図77：これらの画像はすべてホログラム。「固体」に見えるがそうではない。

図78：生きている人の舞台に、故人などホログラムの人物も挿入できる。

場のスクリーンだ。

サウサンプトン大学で、応用数学および理論物理学の責任者を務めるコスタス・スケンデリスによれば、画像は高さ・幅・奥行をもったものとして知覚されるが、実際は平面上にある。チームの発見は、査読制［訳注：出版前に、他の研究者による評価・訂正を受ける］の専門紙『フィジカル・レビュー・レターズ』に掲載されている。それによると、宇宙は「巨大で複雑なホログラム」である可能性があり、スケンデリス教授はホログラムの現実は宇宙の構造を理解するうえで、大きな飛躍であると述べた。

スケンデリスは、現実を映画館で3D映画を見ることにたとえたが、映画と違って現実では触ることができるし、「投影」を本物として体験できる。私は、ホログラムとホログラムが（固体と固体のように）触れあうのではなく、電磁場と電磁場が接触するのではないかと考える。皮膚、つまり触覚は、情報をホログラムの現実に変換する基本的な解読器であり、波動のアンテナである。ホログラフィックな映画を**観ている**わけではなく、**創造（解読）している**のだ。

日本の茨城大学の研究グループは、宇宙がホログラフィ［訳注：ホログラムをつくる技術］による投影であるという「説得力のある証拠」を発見したとしている。

ひとたびホログラムというツールを使えば、「物質」をめぐるあきらかな矛盾が、すっかり説明できるようになる。こうした筋道とエビデンスによって、かつてないほど多くの科学者が、ホログラム説を支持するようになってきている。なかでも、スタンフォード大学の物理学教授、レオナル

図79：女性は別の場所から投影されたホログラム。

図80：ギターを弾いている人たちはホログラム。

図81：このバイクはデジタルホログラム。

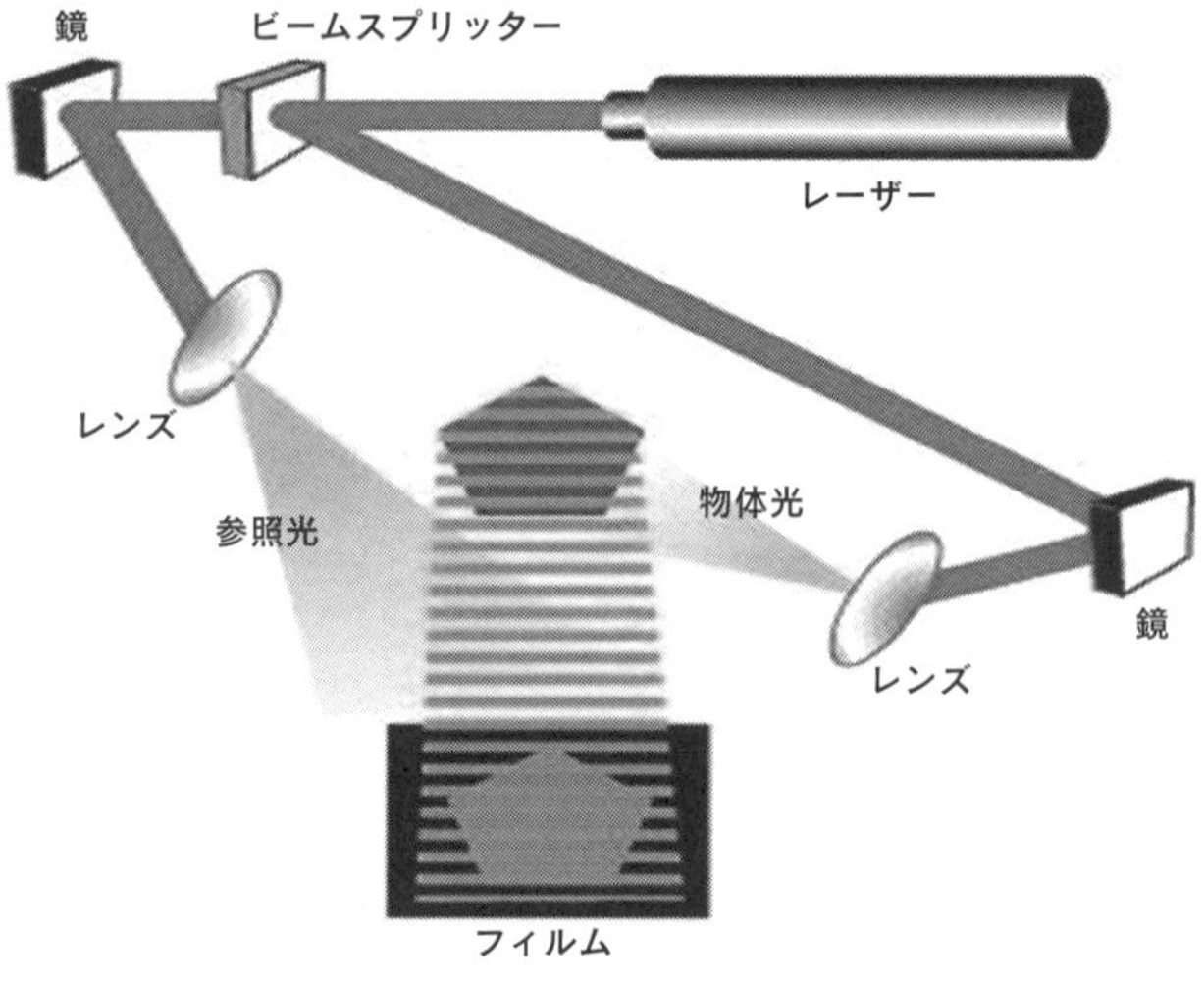

図82：レーザーの２つの部分が衝突して干渉縞《かんしょうじま》（捕捉された被写体の波動場バージョン）を形成しながら、ホログラムがつくられる様子。

ド・サスキンドは著名なアルゼンチンの理論物理学者、ファン・マルティン・マルダセナらとともに、宇宙を説明するためにホログラフィックモデルを導入した。サスキンドは次のように語っている。「かつては無謀な推測だったが、いまや物理学の日々の作業ツールになっている」

主流科学が気づくずっと前から、現実は本質的にホログラフィックであると、私が確信できたのはなぜか？　五感を超えてフィールド《波動情報場》に触れれば、いちいち数学的に立証しなくても、物事がほんとうはどうなっているのかが**わかる**のだ。学校で勉強がからきしだったために敗北感を抱いている人は、このことを覚えておいたほうがいい。

オープンなマインド、とりわけオープンなハート（詳しくはのちほど）は、大学の学位（一流であろうがなかろうが）よりずっと啓発的である。現実を理解するのに、科学的マインドは必要ない。**オープンなマインド**が必要だ。偉大な科学者は最初にわかり、あとで詳細を解明するが、ほとんどの科学者は、その逆をゆく。

人間社会で体験するホログラムの基礎情報は、**波動場**にコード化されている。ホログラムは、レーザー光線をふたつに分割することによってつくられる。一方（物体光）は波動場として記録するために撮影される対象を経由して、ホログラムの印画紙に当たる。もう一方（参照光）は、同じ印画紙に直接当たる（図82）。

ふたつが印画紙の表面で衝突し、波動場にコード化された対象の情報である「干渉縞《かんしょうじま》」をつくりだす（図83）。このプロセスは、ふたつの石が池に投げ込まれて波が衝突し、水面に波紋が形成されるまで広がるのと同じである（図84）。この模様は、石の重さや落とされた高さと速度、距離を波動場で表現したものだ。

ホログラフィを用いて別のレーザーが波動場の干渉縞に向けられると、奇跡のように（そんなものはないのだが）、対象の3D「固体」画像がホログラムとして浮かびあがる。レーザーが波動場の模様にある情報を「読みとる」（解読する）のだが、人間の現実の場合、レーザーは**マインド**にあたる。私たちの現実全体は、マインドによって波動の基礎形態からホログラムの「物理的」幻想へと解読されている。

ホログラムはまるで固体のように見えるので、新車発表で車のホログラムがあったりすると、人びとはそこを通り抜けようとしない。しかしやってみると、できると気づく（図85）。

では、なぜ私たちは壁やお互いを通り抜けることができないのか？　主な理由はふたつ。（1）マインドが本物であると信じていることは、本物として体験される。（2）「固い」物体にぶつかったときに感じる抵抗は、物理的な抵抗ではなく、電磁的な抵抗である。

私は今、椅子に座っているが、座面、床、地球と突き抜けて落ちることはない。お尻の電磁波が椅子の電磁波と異なるからである。私のお尻と椅子は、ホログラム（「物理的」）レベルでは接触しておらず、**波動場の**電磁レベルで抵抗が発生している。波動場の周波数が十分に離れている場合、それらは互いに通過できる。そういうわけで、「幽霊」は歩いたり浮かんだりして壁を通り抜けるように見える。

幽霊のような姿（意識のあらわれのひとつ）は空気のように見えることがある。幽霊の姿は可視光や五感、周波数帯域のあらわれではなく、無線周波数が壁を突き抜けるのと同じように、固体に見えるものを通過できる。人間の知覚の通常の限界を超えてビジュアル解読能力を拡大できる人は「幽霊」を見ることがあるが、五感の現実に閉ざされた人は見ないことが多い。「幽霊を見た」と言う人もいるし、「あなたは狂っている。私にはなにも見えない」と言う人もいるだろう。

見えるか見えないかは、その周波数に波長を合わせられるか、合わせられないかで変わる。「物理的」な現実はホログラムの幻想でしかない。これを前提とすれば、人間の体験や「超常現象」とよばれるものへの理解が、大きく違ってくる。

あらゆる「超常」現象は、世界が「固体」ならばおこりえない。ところが、ホログラムは固体に見えるが幻想であること、マインドの力が波動情報場に影響をあたえ、ホログラムの性質を変えるということをふまえると、一転して可能になり、説明もできるようになる。不可能とか「奇跡」といわれるものは、波動場（ホログラフィックな「固体の」現実）に影響をあたえる意識がつくりだした、ひとつの波動場にすぎない。

次の章では、すべての「超常」現象は、この理解からかんたんに説明できることをみてゆく。主流派科学の大部分が、存在しない「物理的」現実だけに着目しているかぎり、生命の謎にみえるものは説明できないだろう。必要なのは、物理的でない現実の理解だ。この状況では、「物理的」発想の主流派科学者は、「それは不可能だ」と繰りかえすことしかできない。物理的な知識《ナレッジ》ベースと

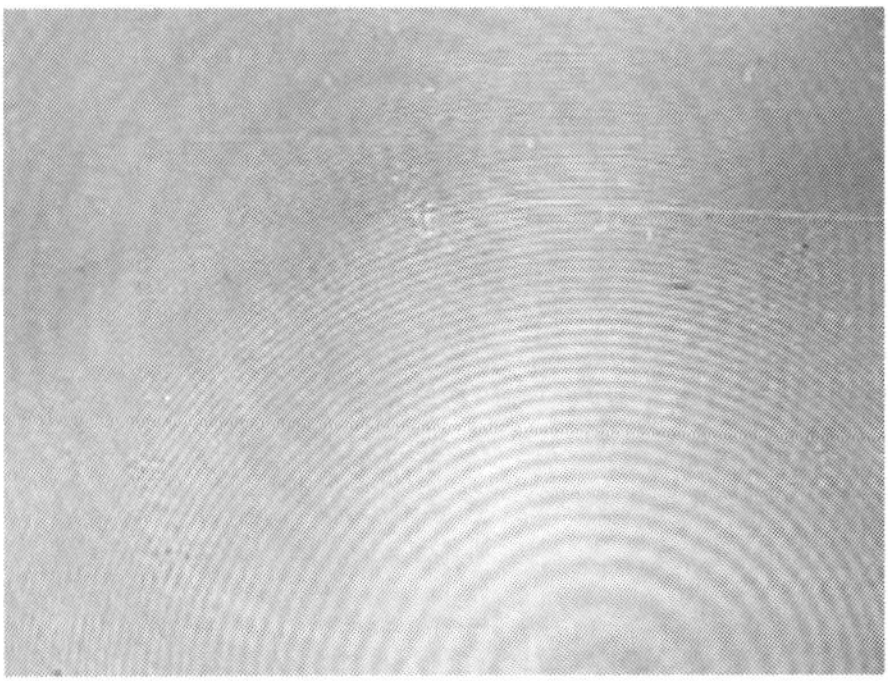

図83：波形のホログラムである干渉縞。

図84：水に落ちた２つの石は波をつくって広がり、接触し、干渉縞を形成する。その模様は、石の重さや落ちた場所、速度を反映する。

図85：ホログラムの車はどう見ても固体だが、通り抜けることができる。

観点からは、不可能**だから**だ。

電気的な現実

ボディーマインドは、電気的および電磁的に動作・交信する。脳も、電気信号によって肉体とその細胞や器官と交信する。私たちは、人間レベルでは電気的または電磁的な存在であり、私が宇宙インターネットとよぶものの一部である。宇宙は私たちに、私たちは宇宙へと、互いに影響をおよぼす。私たちの思考や感情、知覚が波動の接触を通じてフィールド《波動情報場》と相互作用するため、その情報交換によって影響しあうのだ。

生物学者のブルース・リプトンは、人間の各細胞には1・4ボルトの電気が含まれていると指摘する。しかし、ひとつひとつでは微弱なため、全身で**数兆個**の細胞が集まって、やっとその電気の存在がわかるようになる。ネット上の動画で、アンテナに人の手が触れるとパワーが増大し、電流が流れる様子がみられる（「手かざし」ヒーリングでも同じことがおこっている）。

私たちは電気的だ。この電気は、「死」の瞬間まで肉体でつくられつづける。私たちの細胞は電気を貯《た》めておく電池であり、電気が流れだしてしまうと弱ったり、病気になったりする。逆もまた然《しか》りだ。老化のスピードは、このことと関係している。適切な電気量に満たない細胞が死んでしまったり、新陳代謝がうまくゆかなくなってしまったりして、老化がおこるのだ。このように肉体ほんらいの設計図が崩壊しはじめることが、老化や機能低下という体感になる。

そのことを念頭において考えてみよう。今日の私たちのように、さまざまな電磁波が飛び交うフィールドのなかで暮らすことで、細胞の新陳代謝など、身体の電気／電磁的システムが混乱してしまったらどうなるだろうか？　絶えまない新陳代謝に深刻な不調をきたした状態が、がんである。電磁波と、がんなどの病気には相関がある。感情的なストレスは、ボディ－マインドがつくりだす電気／波動場を通じて、電気／波動の調和をくずしたり、ゆがめたりする。こうして、ストレスから病気になるのである。

危険を感じてとっさにおこる攻撃・逃避反応や、短時間のストレスなら問題ない。身体は、そうした状況に対応し、また安定した状態にもどるようにできている。「つねにあるぼんやりした不安」などの継続するストレスはそれとはまったく別物であり、健康を著しく害することがある。ストレスがつくりだすゆがんだ波動場は、免疫システムの伝達を妨げ、思考プロセスが混乱してまともに考えられなくなることもある。逆に、愛とよろこびの状態にあると、バランスのとれた波動になり、その状態が肉体に波及する。ストレスを別の角度からみると、そのような状態がつくりだす脳内麻薬への依存といえる。

私の母はよく、ご近所さんのことをこう言っていた。「あの人たちはふしあわせでいたいのよ」。感情的な麻薬への依存とは、心配ごとがなければ（ふしあわせでなければ）、なにか心配すべきことを探し出し、麻薬が分泌される状態にせずにはいられないということだ。

心身の不調に対し、主流医学とは異なるアプローチをするヒーリングでは、電気／電磁的バランスをとり、細胞の電気的な回転の速度と方向を調和させる手法をとる。太陽系や銀河をながめてみると、もっとも小さな粒子にいたるまで、すべてのものが回転していることがわかるだろう。回転が逆方向になってしまうと、体内に電気的混乱がおこる。

人びとはほんとうの原因をわかっていない医者を訪ね、薬（これも波動のひとつ）をもらう。薬はさらに大きな電気的混乱、じゃなかった、「化学的副作用」を引きおこす。調合薬の情報場は、バランスがくずれている（そのため「副作用」がおこる）。合成でない、天然の栄養やビタミンの情報場《フィールド》は調和がとれており、人体と同期して、ダメージをあたえることはない。状況に応じて、どのフィールド（栄養／サプリメント）が調和をとってくれるかを見きわめることが大切だ。

すべてに勝るのは、肉体を癒すマインドの力である。マインドが、病気として体験している、バランスのくずれをととのえる知覚の波動を生みだすことによって治るのだ。

言葉では

人びとが無意識に使っている言い回しが、現実を文字どおり言いあてていることがある。部屋のなか、劇場やスタジアムなどで「電気」を感じるというのは、さまざまな人の相互作用によって生みだされたもののことだ。興奮した群衆のなかで首の後ろの毛が逆立ち、肌がゾクッとするのは、電磁エネルギーが感情というかたちで放出されているからだ。肌もそうだが、身体全部がアンテナになっているので、強い電気／電磁場を感じとってゾクッとするのだ。「心霊スポット」で、人間が見ることのできる周波数帯を超えた存在の電磁場に触れると、このように感じる。

人と人とのあいだにも、電気が流れている。「人を引きつける人物《magnetic personalities》」というのは、電気／電磁場のパワーと相性のことだ。セックスとは、ふたつの電磁場が融合することで、ふたつの値の合計以上のパワーが生みだされる（こともある！）。

古来より伝わる鍼《はり》治療は、体内での情報の流れを整えるものである。情報は電気／電磁気のかたちをとり、経絡《けいらく》とよばれる力線を通って体内をめぐる。人体の経絡は、地球をめぐり、相互作用する経線、あるいは「レイライン」［訳注：古代の遺跡には、直線的に並ぶよう建造されたものがあるという仮説にもとづき、遺跡群が描く直線をレイラインとよぶ］と同じようなものだ（図86、87）。どちらのシステムも、すべてのものをつなぐフィールドのコミュニケーション・ネットワークのあらわれである。宗教が知識を隠蔽《いんぺい》する前、古代人はこうした現象を理解していた。古代人は、その道筋や多くの線が交差する主要な渦の「チャクラ」ポイントに、土を盛ったり、石を立てたり環状に並べたりした。渦の力が増すほどに、その場所は聖なる地とみなされるようになった。

鍼治療では、髪の毛ほどの細い鍼などを使って経絡の流れを整えてゆく。電気にコード化された、経絡を流れる**情報**は、中国では「気」といわれる（図88）。その原理も、やはりコンピューターと同じだ。ウイルスが情報の流れを乱すと、キーボードやマウス操作への反応が遅くなったり、なくなったりする。画面には、ゆがめられた情報が表示されている。電気のかたちをとる気の情報が、不調和や病気（安楽でない）の状態になったときも同じである。そのため古代中国では、病気になったときではなく、健康なときに鍼師《はりし》に施術をしてもらう人もあったという。

病気にかからないよう、気を整えるのが鍼師の役目だからだ。鍼治療を「足に鍼を刺して頭痛を治す」と揶揄《やゆ》し、否定するというのは、無知から来る知覚の最たる例だ。傲慢《ごうまん》に否定して恥をかく前に、気についてすこしでも調べてみればいい。気の情報は体内をめぐっている。足から頭へとめぐるなかで、足で流れが滞り、それが頭に痛みをもたらすことは十分ありうるのだ。

次の章に移る前に、ホログラムについてもうひとつ。ホログラムには、どこをとっても全体の縮小版になっているという、すごい特徴がある。ホログラフィックな波動場のプリント、あるいは干渉縞を4つに切ってレーザーを当てれば、元画像の4分の1の部分が見えると思うだろう。ところがそうではなく、元画像**全体**が、4分の1の大きさになったものが見えるのだ（図89）。画像をさらに細かく切っても同じである。情報がホログラフィックな波動場あるいは干渉縞のなかに分散されているため、このようなことがおこる。サイズが小さくなるほどぼやけてくるが、全体像は保たれたままだ。

人間のエネルギー場は、地球のエネルギー場の縮小版である。私たちのホログラフィックな現実においては、脳の活動は宇宙の姿と驚くほどそっくりだ（図90）。鍼やリフレクソロジーのような治療法が、全身の縮小版であるツボや反射区を使う理由はこれである。肉体がホログラムであれば、

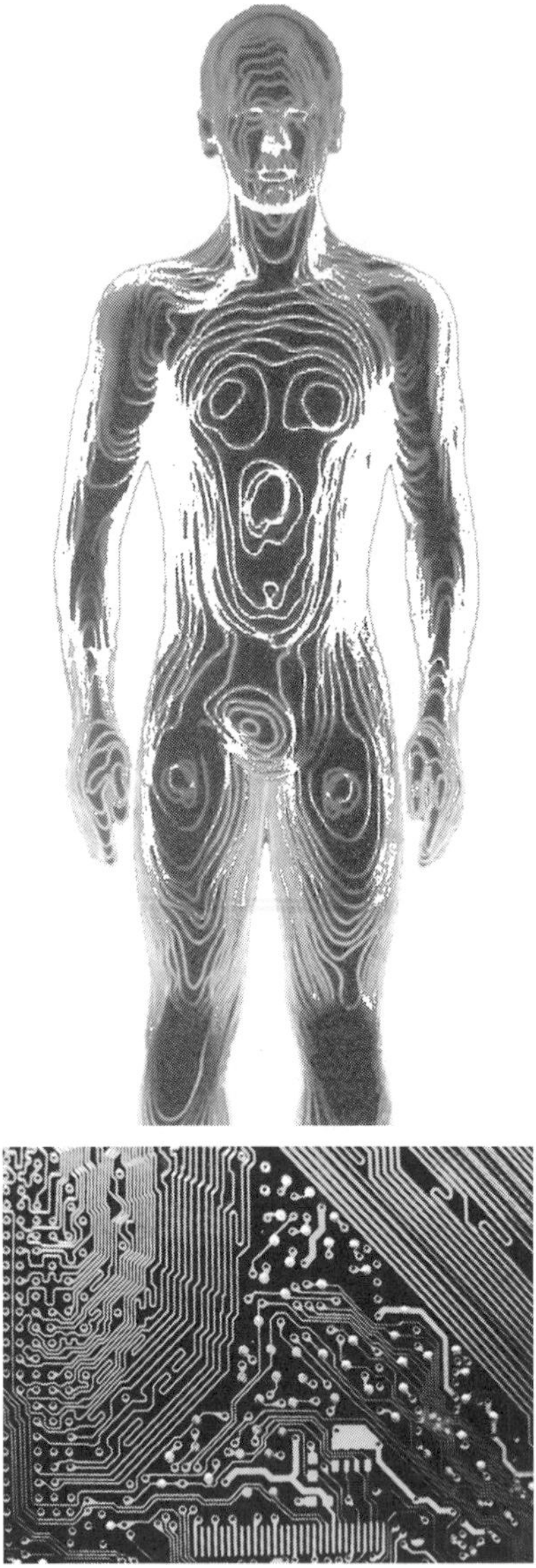

図86：人体の経絡をトレーサー色素で染色したもの。コンピューターのマザーボードとよく似ている。

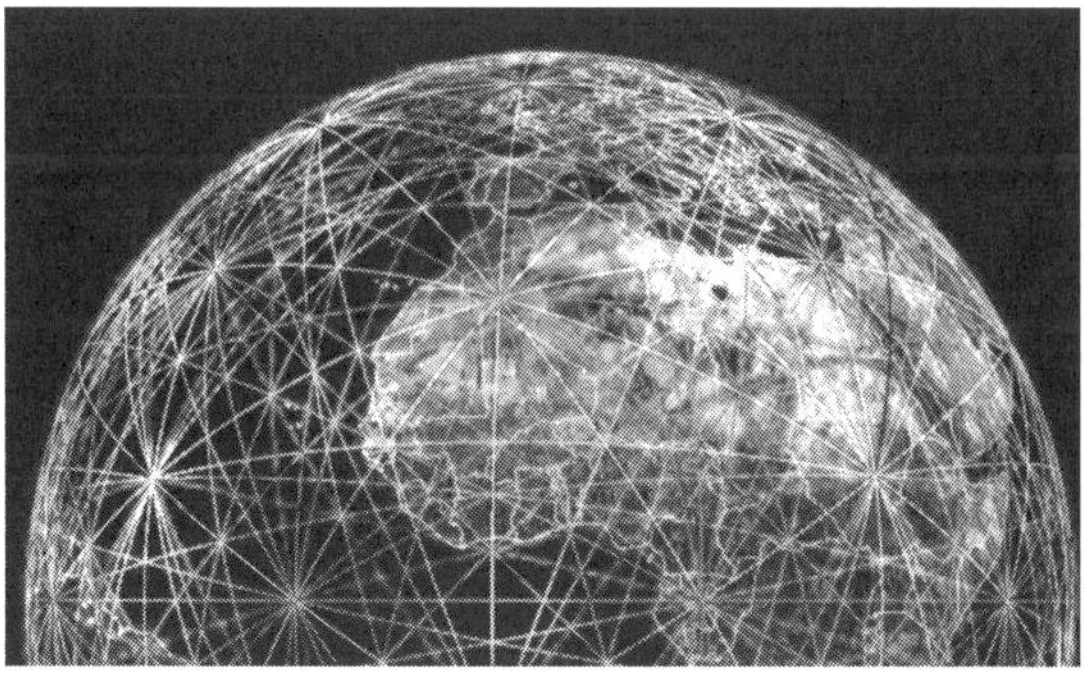

図87：地球上にも、エネルギーの経線が交差し相互作用している。

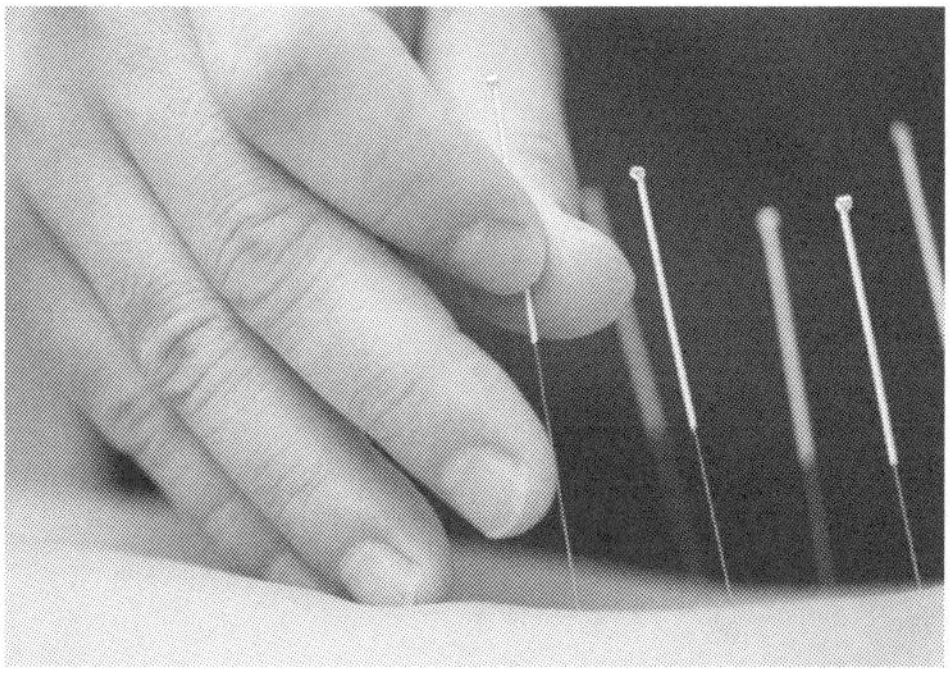

図88：髪の毛のような鍼《はり》などを使い、経絡のエネルギー、あるいは「気」（情報）の流れを整えてゆく。

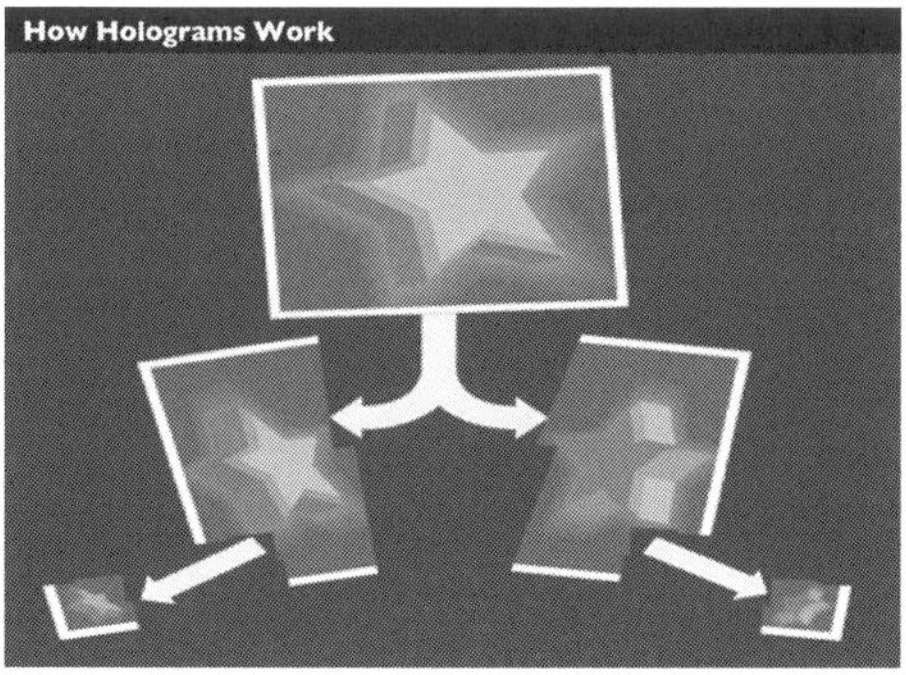

図89：ホログラムのすべての部分は全体の縮小版になっており、同じ情報がコード化されている。

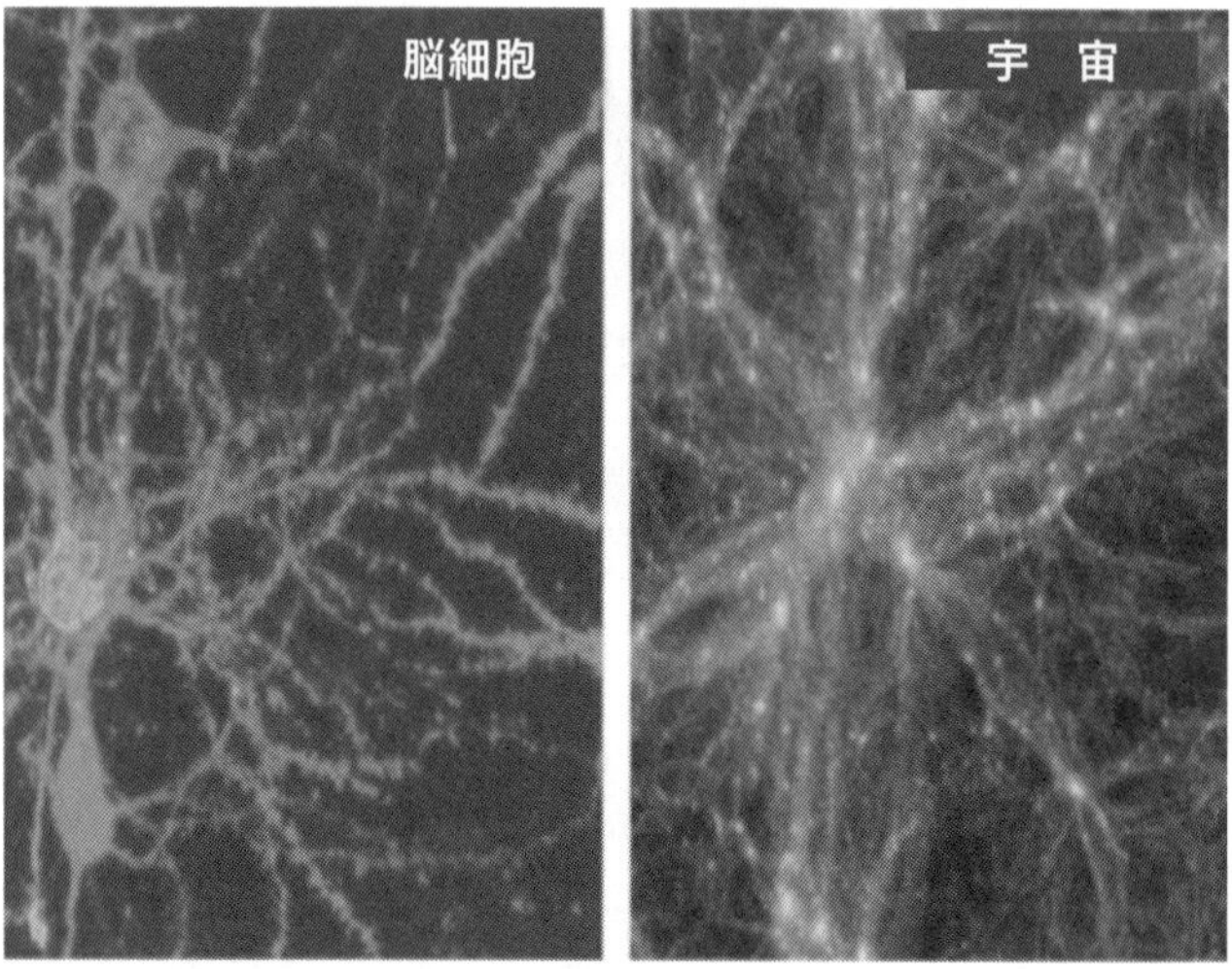

図90：脳活動と宇宙。上の如《ごと》く、下も然《しか》り——ホログラフィックな原理である。

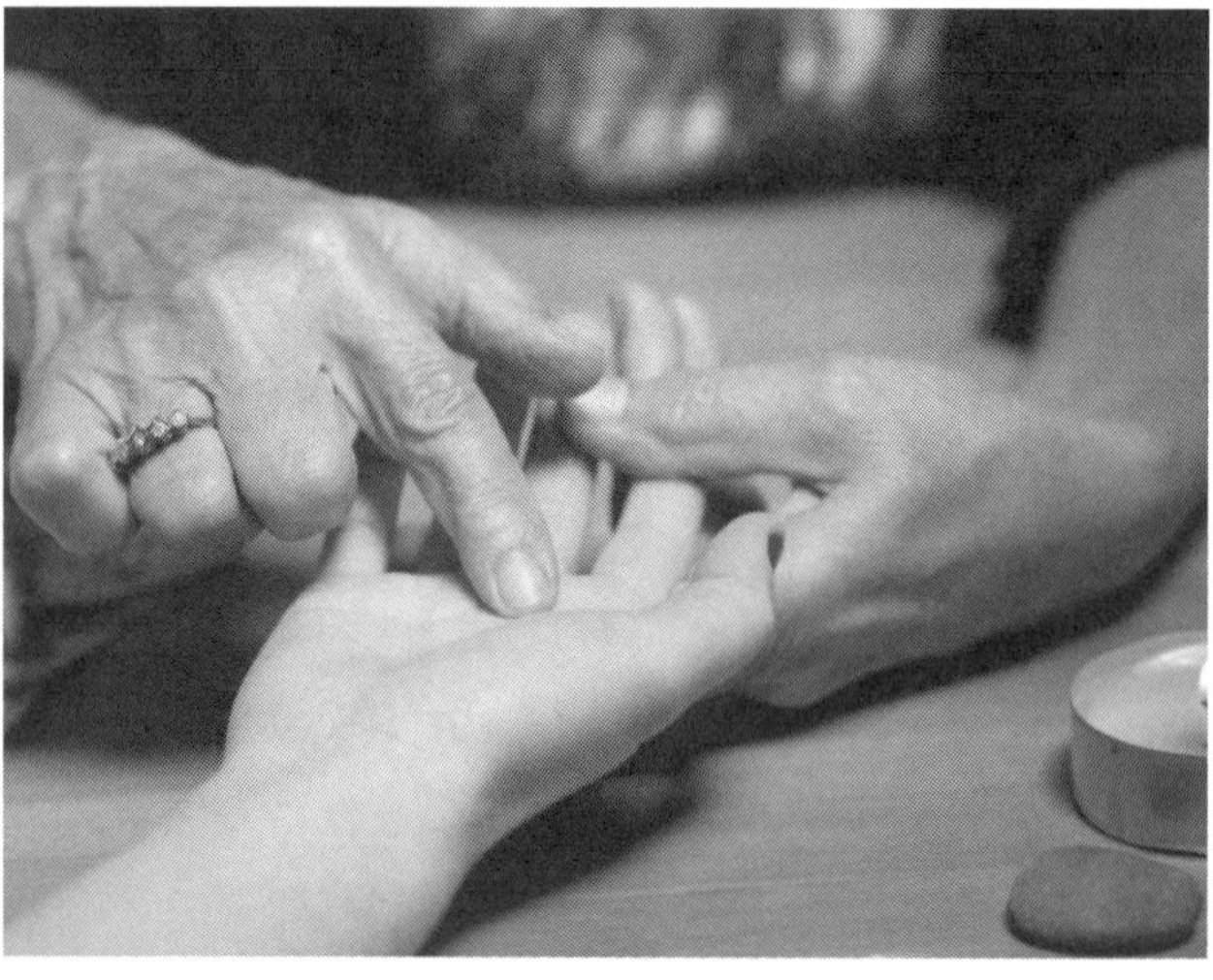

図91：手のひらから情報を読みとることができるのは、全身の情報の設計図がそこに縮小されているからだ。ホログラムとまったく同じしくみである。

すべての部分は全体の縮小版であるはずだ。小さな細胞にも、ホログラフィックな原理にしたがって、全身と同じように呼吸、消化、免疫器官がある。地球にも、人体に経絡というネットワークがあるように、レイラインという電気システムがある。熟練した手相師は、ホログラフィックな情報が手のひらにあらわれていることから、手を見ただけで全身の情報を読みとることができる（図91）。ホログラフィックな原理は、古代からの「上の如《ごと》く、下も然《しか》り」というテーマの基盤である。

現実は、私たちが信じるよう教えこまれてきたものとはまったく別物だ。「説明のつかない謎」は、オープンマインドな研究によって解き明かされてゆくだろう。謎といえば……。

第３章
謎とは何か？

不可能なことはおこりえない。したがって、どんなに不可能に見えることも可能なはずだ

——アガサ・クリスティー

私が言うところの現実という視点からみると、いわゆる人生の謎というものは、陽の光を浴びた雪のように消えてゆく。「不可解」な現象の長いリストが、**「あぁ、そういうことか」**「驚いた、謎がぜんぶ解けたぞ」となってしまうのだ。

水にふたつの石を落としたときの波、というテーマに話をもどそう（図92）。それぞれが発した波がぶつかってつながる部分は波の**からみあい**といわれ、からみあいを理解することからすべてのピースがはまりはじめる。

たとえば、肉体《ボディ》－精神《マインド》は、肉体の波動場と精神の波動場のあいだにある波動のからみあいである。ふたつが同調、またはからみあっているとき、私たちは「生きている」。ボディ－マインドの振動が同期した波動のからみあいのダンスは、人間の生命のダンスである。肉体が機能を停止する（**波動場**が振動して電気を発生させるのを停止する）とき、マインドはからみあいから解放され、私たち、または肉体は「死ぬ」。臨死体験者は肉体を離れることを、マインドが肉体の知覚的制限から自由になり、これまでとはまったく異なる現実を受けいれる、と説明するが、そのときにおこっているのがこの現象だ。肉体との波動のからみあいは、五感の解読システムを通じて、マインドを可視光とよばれる非常に狭い周波数帯に注目させる。ひとたびマインドが肉体の近視眼から解放されれば、私たちはこれまでと違う現実を認識するようになる。

懐中電灯と倉庫のたとえにもどろう。もし肉体の波動場振動が回復すれば、からみあいも回復し、マインドは肉体に引きもどされるだろう。もし回復しなければ、私たちは肉体の外に出る。マインドは、人間としての体験や交流のため、人間界の周波数帯で動作する肉体を必要とする。からみあう別の肉体を探すことが、輪廻《りんね》といわれる現象だ。体外離脱（肉体が死に瀕《ひん》していない状態での臨死体験）経験が多い人のからみあいは一般の人よりずっと流動的で、マインドは簡単に肉体から離れることができる。マインドをそのように動かすための訓練は、たくさんある。マインドは、波動のからみあいをコントロールでき、からみあいをやめることもできる。

マインドの波動の力により、私たちは医学的にありえない状況にあっても生きると決めることができるし（「私は生きると**決めた**」）、死を選ぶこともできる（「私は生きる**意志を**なくしてしまった」）。マインドは肉体のボスなのだ。しかしカルトがその逆だと信じこませているので、私たちはその力をまったく使っていない。肉体は、マインドなしには存在できない。マインドは、肉体とのからみあいを解消する際、いきいきとした力をあたえる生命力をもち去ってしまう。生命力を失った肉体は腐敗しはじめる。よく言われるように、死とはまさに光が抜けてしまうことなのだ。人間の生命は、生命の**リズム**または振動であり、肉体の概日《サーカディアン》リズムや生物学的リズムは、この根本的な振動や、他の波動との相互作用とかかわっている。

量子もつれとよばれるからみあいもあり、「からみあうふたつの粒子は相互関係にあり、どれほどの距離を隔てていても、片方におこったことがもう一方にも影響する」。科学者アルバート・アインシュタインはこれを「不気味な遠隔作用」と表現した。実際は、ちっとも「不気味」なことで

図92：波のからみあい―現実と人間の相互作用を理解する鍵となる。

はない。波動を発現しているふたつの粒子がそれぞれの波動によってつながったなら、ふたつの波動は調和して、**同じ**波動あるいは同じ**存在領域**としてあらわれる。

遺伝子《ジーン》の精《ジニー》

ボディーマインドのあいだの波動場の関係性は、人間の現実を理解するのに不可欠である。私たちは、自分たちにおこることは肉体的なことであれ、精神的なことであれ、すべて基本的に遺伝子が決定したことなのだと教わっている。遺伝的に乳がんリスクが高いといわれ、残念なことに乳房を切除してしまった女性たちもいる。

主流医学は外傷や整形外科、外科手術、死の淵《ふち》に立つ人の蘇生《そせい》（電気ショックが蘇生するのは心臓だけだろうか？　まず電気を生みだす波動場振動を回復させている？）においては、概して素晴らしい。抗生物質は濫用《らんよう》されすぎて「スーパー耐性菌」とよばれる超強力な菌もできてしまっているが、効果は高い。しかしながら、一般的な病気となると、現代医学は救いようがない。

米国において、心臓病よりもがんよりも多い最大の死因のひとつは、あらゆるかたちでの**治療**である。おかしな話ではないか？　そもそも医療はおかしなものだが、「事実と違う」と思われるのであれば、チェックしてほしい。しかもそこには、公式に報告された件数しかカウントされていないのだ。医学的原因による死の多くが、虚偽の診断の裏に隠されている。主流医学は、肉体が生物学を超えたものであると知らず、ただ身体機能だけをみているので、そういうことになってしまう。

医薬品を使ってそのように仕向けているのが製薬カルテル、または「ビッグファーマ」だ（図93）。これは「健康」を支配すべく、カルトを動かす石油王J・D・ロックフェラー（拙著参照）らによってつくられたカルトである。ビッグファーマ（多くの人を殺しているため死のカルトといわれる）は、医師を養成・洗脳《indoctorinated》する医学校や、医師会などの専門組織を所有し、大勢のロビイストや潤沢な政治献金を通じて、各国の政府をも手中に収めている。状況は悲惨きわまりない。まちがいなく言えるのは、「ビッグファーマが望むことは、人類にとって害となることである」ということだ。主流医学は主流「科学」から派生したものであり、科学界もまた、中枢はカルトである。いずれも資金提供と上層組織によってコントロールされており、（ますますどこでも）主流においてはビッグファーマが認める肉体の定義や治療しか認められない。医師になりたい？ ならこちらのやり方にしたがってもらう。さもなくば医師名簿から抹消する、というわけだ。ビッグファーマのやり方より効果的な手法を取りいれようとするまっとうな医師は、このような脅しに遭《あ》ってきた。主流の科学者になりたい？ 私たちが「科学的」正統（正統医学）とするものに楯突《たてつ》くなら、カネや名誉はないものと思え。「気候変動」カルトは、「絶滅」（死）を主要なテーマとし、気候変動は人為的なものであるという正統を押しつけている。これに異議を唱える科学者たちをみてみると、研究資金を減らされたり、提供を受けられなかったりという憂き目に遭っている。同様のことが、カルトがつくった正統科学、正統医学に連なる学術界のいたるところでおこっている。そうした機関に所属する者の大部分は、自分たちがカルトの言いなりになっているとは知らずにいる。それを知っているのは、秘密結社や悪魔組織の中枢にいる者だけだ。

正統医学の基礎では、マインドではなく遺伝子にすべての決定権があるとされている。しかし、事実はその逆だ。カルトは、肉体はマインド**そのもの**なのに、これをマインドから切り離すため、人間社会において現実を逆転させたのである。ビッグファーマの医学はこの虚偽にもとづいており、その医薬品は（ホログラムの）肉体に化学的な作用をおこすことを目的としている。ビッグファーマはホログラム上に見える症状のみに着目するが、波動場のエネルギーや情報のバランスのくずれこそがその原因であり、症状とはくずれたバランスがホログラム上に投影されたものだ（図94）。ホログラム上の問題（症状）は、じつは波動場の問題（原因）なのである。

代替療法では、主流医学が症状だけを治療し、原因を無視することを長きにわたって告発してきた。医療産業は、**かならず**原因があらわれてくる肉体の波動場の存在を認めていないのだから、無理もない。私がかねて言うように、肉体は波動情報場であり、ホログラムはその情報場の投影にすぎない。情報場でおこったことはホログラム上でもおこる。マインドを乱さないものは肉体も乱さない。ビッグファーマの医薬品は、脳の狙った情報処理過程に精神的な効果をもたらすと謳《うた》っているが、情報そのものの源である、マインドの波動場には届かない。

人体には数兆の細胞（細胞「電池」）があり、そのほぼすべてのなかにDNAとよばれる肉体の「ハードディスク」がある（図95）。私たちの体内には30億のDNA塩基対があるといわれ、その一部分が遺伝子である。ひとつの正常なヒト細胞のなかにあるＤＮＡは３万から12万の遺伝子を含む［訳注：ヒトゲノム解読結果によると2万ほどらしい］と推定されるが、そのうち活性化しているのはほんの一部にすぎない。

生物学的ナノテクノロジーの話をしよう。遺伝子には、肉体の見た目（眼の色から身長にいたるまですべて）と、はたらきを指示する設計図が含まれている。このことから、遺伝子が肉体におこることを、どんな病気にかかり、何年生きるかといったことまでコントロールしているという神話が生まれた。マインドや、マインドを超えた意識という未知の要因が無視されており、かなり誤解を招く説である。

すべての細胞の膜組織は液晶であり、ＤＮＡは結晶構造である。なぜなら、それらは情報の送受信装置だからだ。マインド（とハート《心》）は、細胞機能を活性化させたり、非活性化させたりする波動コミュニケーションシステムである。米国の発生生物学者ブルース・リプトンは、著書『「思考」のすごい力 心はいかにして細胞をコントロールするか』（ＰＨＰ研究所）や、ユーチューブ上の動画『Biology of Belief』で、細胞膜は電気回路に使われる半導体情報処理装置と同様のはたらきをし、同じく結晶構造になっていると指摘している。遺伝子は「ハードディスク」であり、プログラム可能だ。肉体によって「白紙」の幹細胞がつくられ、信号を受信し、その機能を決定する指示をコード化する（図96）。

このコミュニケーションシステムを通して、人間も動物も自然界も、マインド、肉体、環境が情

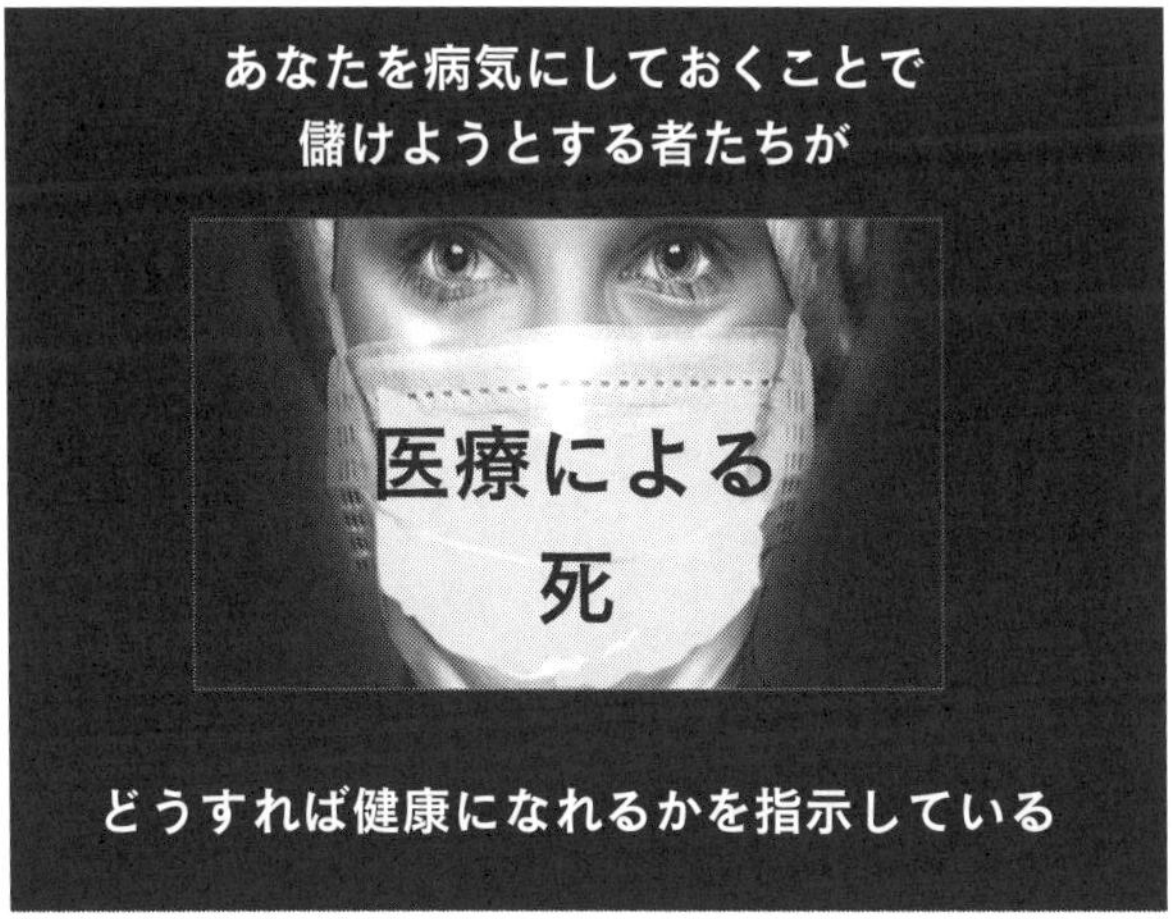

図93：主流医学を支配するカルト・カルテル「ビッグファーマ」は、あらゆる代替医療を潰そうとしている。

図94：肉体の波動場におけるバランスのくずれ、または不具合がホログラム上の病気ー不調和となる。波動場のバランス＝ホログラム上の「健康」である。なぜなら、ホログラムは対となっている波動場の映し鏡だからだ。第４巻にカラーグラビア（「ニール・ヘイグ」ギャラリー）を掲載。

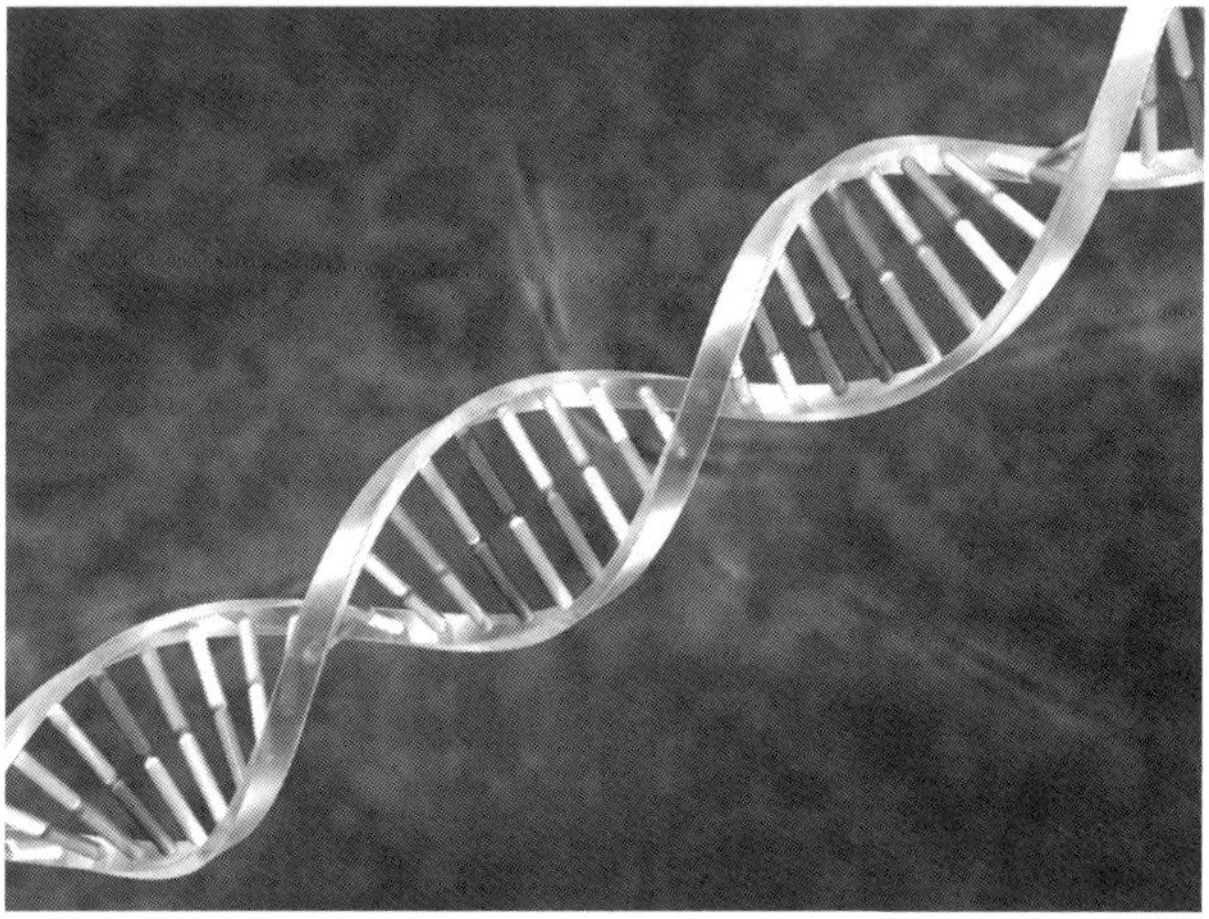

図95：DNA とよばれる情報の送受信装置は、肉体の「ハードディスク」。

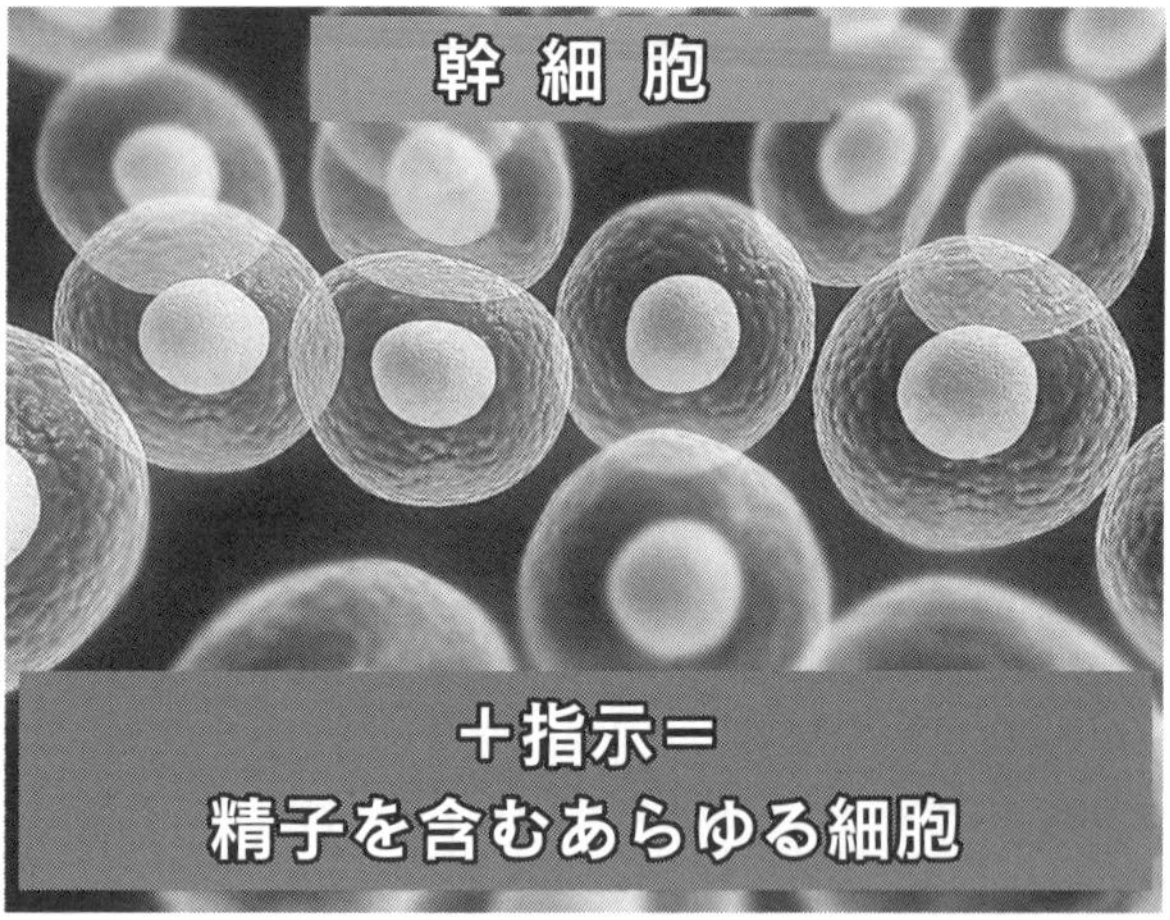

図96：「白紙」の幹細胞はあらゆる機能を果たすようにコード化できる。

報交換しあって「進化」する。環境の変化があれば、新しい資質や能力を発現させて対応するのだ。動物は、この情報交換のおかげで周囲の環境と同期《シンクロ》している。だから砂漠の生きものは水をあまり必要としないし、魚を捕らえる鳥は、空高くからでも魚を見つけられるミクロ《微視的》な視覚をもっている。新しい細胞機能のコード化を通じたこの変換が、環境の変化に対応しておこるのが「進化」である。変換がおこらなければ、その種は絶滅する。私たちは単なる「肉塊」ではないし、世界も偶然の産物ではない。宇宙全体が電気的／電磁的現象であり、存在するすべてのものには意識があるということを、これから説明していこう。

自分自身でオン・オフする

どの遺伝子を活性化するか、しないかを決定するのは圧倒的にマインド、およびマインド《思い》と肉体との波動のからみあいを通じた**知覚**である。私はここ数十年来、知覚の主な役割について繰りかえし述べつづけている。**すべて**は知覚からつくりだされる。だから、あらゆるカルトは知覚を支配することを第一目的としているのである。

あらゆる思考、感情——知覚——は、マインドとその高ぶりから放たれる独特の周波数（波動）としてあらわれる。人間から放たれる、こうした波動を感じることも可能だ。いいバイブス《波動》とか、悪いバイブス《波動》などと言うことがあるが、実際文字どおりなのである。偽りの表情や素振りには、どこかおかしな**感じ**を受けるものだ。私たちは、「肉体の」仮面に隠された、相手のほんとうの知覚やスタンスをあらわす波動周波数を感じとっている。

こうした周波数や知覚の機能が、細胞内のどの遺伝子が活性化、あるいは発動をするか、しないかを決定する。私たちは肉体の「物理的」、心理的状態に作用するさまざまな遺伝子をもっている。健康で、よろこび、楽観的に、精神的にも感情的にもバランスがとれた状態へと導く遺伝子もあれば、病んで（致命的な病の場合もある）、落ちこみ、悲観的になり、精神的にも感情的にもバランスが**くずれた**状態にする遺伝子もある。どう転ぶかは、**情報処理**方法で変わってくる。

では、マインドから放たれた波動や信号を受けとり、それぞれの機能にもとづいて遺伝子を活性化したり、無効化したりする様子を思い描いてみよう。さまざまな機能をもつ遺伝子は、マインドから送信される周波数のうち、自分の機能に関連するものに反応する（図97）。マインドの波動周波数と、それに対応する遺伝子の機能は、**同じ波長**で機能し、マインドから遺伝子へと信号が発され、からみあう。このようにしてマインドの**知覚**状態は肉体の遺伝系へと伝達される。マインドが落ちこんでいるとき、その周波数はうつ状態をあらわす指示をもつ遺伝子を活性化し、この感情状態は肉体に伝達されて同様の作用を引きおこす。白紙の幹細胞に、コード化されているものと同じ知覚波動が作用するのだ。

主流医学は、肉体におこる化学的作用だけをみている。波動のくずれが、顕在意識**および**潜在意識からくる化学的作用を引きおこしていることがみえていない。医師は化学的症状に対して化学薬品を処方し、波動場にある原因を見逃している。この波動接続、またはからみあいのストレスが病気となる。波動にストレスをあたえる破壊的な作用は、心臓に関連する遺伝子に影響をおよぼすこともある。こうしてストレスは心臓疾患、がん、その他すべての病気を引きおこす。前に述べたように、精神、感情が不安やおそれを感じると、周波数は腹部にある感情の遺伝子に「便意《イヤな感じ》」をもよおさせる。

結果からいうと、肉体におこることを決定するのは**遺伝子**ではない。どの遺伝子を起動するか、しないかを決定するのはマインドの周波数である。マインドがメッセージで、遺伝子はメッセンジャーだ。脳のさまざまな部分に「明かりが灯《とも》り」、遺伝子同様、さまざまな思考や感情によって活性化される。脳はマインドからの知覚波動／信号に反応している。知覚波動／信号は、脳が情報を処理する際、脳内のそれらの波動や信号の周波数に関係する領域を活性化する。繰りかえすが、脳は情報の処理装置であって、源《みなもと》ではない。遺伝子が情報の処理装置――**半導体**――であって、源《みなもと》ではないのと同じである。

ここまで私が述べてきた内容は、エピジェネティクス（後成学）とよばれ、近年新しい科学分野として研究されている。科学界では、肉体の遺伝的本質であるDNA、あるいは「ハードディスク」を変えるには、突然変異が必要だと考えられていた。今では、そうではないということがわかっている。科学的定説の長い歴史が、「そういうことだ」からの「えーっと、じつはそうではない」、「君が言っていることはでたらめだ。科学を冒瀆《ぼうとく》している」からの「ふむ、君は正しかったが、これは新発見だと発表しよう」など、窮地に陥っていることがみてとれる。エピジェネティクスでは、肉体が、どの遺伝子がオン・オフされるか、またどの遺伝子の機能が優位となるかによって「物理的に」、また心理的に変化するかを研究している。

とても意義深いことに、知覚マインド波動によって決定されるこのオン・オフ配列は、生殖によって次世代に引き継がれる可能性がある。精子と卵子は肉体（「ソフトウェア」）プログラムをつくるために結びつき、両親のエピジェネティックな（波動場）設計図を伝える（そうならない場合もある）。子どもはすべてにおいて、善《よ》いものも悪いものも、同じオン・オフ遺伝子配列をもって生まれる可能性がある。子どもは、両親その他の「先祖」が、生涯をかけて遺伝的に発現させた知覚をもって生まれる。「彼女は母親そっくりだ」とか、「彼は父親そっくりだ」などと言われるのがそれだ。もちろん他にも要因はあるが、エピジェネティクス（後成学）もそのひとつだ。

また、遺伝子機能を活性化したり不活化したりする信号は、マインドが主要な発生源ではあるものの、それだけにとどまらない。私たちは薬物や毒物を化学物質としてホログラフィックに知覚しているが、その原型は波動場現象である。ビッグファーマの医薬品は、健康に大きなダメージをあたえる。なぜなら、それらはゆがんだエネルギー波動であり、肉体と遺伝子の波動場にゆがみを伝達してしまうからだ。食べものや、環境中にある毒についても同じである。作物に噴霧された除草剤や殺虫剤の毒は、ほんとうに食べる部分には残っていないのだろうか？　もちろん残っている

――波動にも、ホログラム上の化学形態としても。

私たちが食べたり飲んだりしているものは、サンドウィッチやソーダのように見えてはいるが、その原型は情報波動のフィールドである。これらのフィールドは、振動が美しく響き合っていれば（「栄養のある食べもの」）、ボディ－マインドのフィールドと調和するし、破壊的な波動がボディ－マインドのフィールドをゆがめれば（「ビッグマックとコーラください」）、不調和《安楽でない状態》や病気を引きおこす。

食べものや飲みものが、人に心理的にも影響することは古くから知られているが、これは同じ波動－遺伝子の影響から来ている。（図98）。ここ数十年のファストフードの周波数は、体重増加に関連する遺伝子に狙いを定めている。エピジェネティックな作用を受けた世代の子どもたちは、前の世代にはなかった、より体重が増加しやすい遺伝子をもって生まれてきている。

スマート・テクノロジーの激増で、誰もが携帯電話、アンテナ、衛星、Wi-Fiからの放射線周波数の猛攻に遭っている。これによってエピジェネティックな遺伝子機能にさまざまな影響が出ると考えられるが、一般の人びとやほとんどの医療者、電気通信産業関係者は気づかないだろう。しかしカルトはわかったうえで、長期にわたって計画してきた。十分な検証がされないまま世界中で導入された5Gにより、遺伝的、心理的操作は次の段階に入った。これについては、後の章で詳しく述べる。「スマート」時代の若者たちの知覚や感情が変化しているのは、ただの偶然だろうか？

図97：私たちの精神的、感情的状態は、遺伝子をオン・オフすることのできる波動として発信される。このようにして私たちの精神状態は、善《よ》きにつけ悪《あ》しきにつけ、「遺伝的」因果関係に反映される。第４巻にカラーグラビア（「ニール・ヘイグ」ギャラリー）を掲載。

図98：化学的に悪い作用があるだけではなく、波動場にも害をなす。

信じたものが見える

誰かが毒を盛られたとき、その命を奪うのは化学物質ではなく、**ホログラム上に**化学物質としてあらわれている、深くゆがんだ波動場である。肉体の波動場振動はすっかりむしばまれてしまって機能できなくなり、波動はそのダンスをやめてしまう。

米国のキリスト教徒のなかには、聖書の言葉を文字どおりに受けとって、毒蛇をつかんだり、猛毒ストリキニーネを飲んだりして、信仰のあかしとする人びとがいる。［訳注：新約聖書『マルコによる福音書』16章17～18節（『新共同訳』）「信じる者には次のようなしるしが伴う。彼らはわたしの名によって悪霊を追い出し、新しい言葉を語る。手で蛇をつかみ、また、毒を飲んでもけっして害を受けず、病人に手を置けば治る。」を実践するペンテコステ派の一部がこのような儀式をおこなっている］。

ご推察のとおり、命を落とす者もいるが、なんともない者もいる。なぜだろう？　蛇の毒やストリキニーネの波動場は、肉体の波動場の影響を受ける。もしマインド《思い》の波動場がとても強く「自分は死なない」と信じていたなら、マインドからの周波数信号は、肉体を致死性の毒に反応（毒の活性化）させないだろう。こうして「気合いで乗りきる」わけだ。

遺伝子検査によって、遺伝子の設計図から今後待ち受ける問題を読みとれるようになり、私たちは遺伝子をもっと怖がるよう仕向けられている。いろいろな意味で、なんとも悲惨な皮肉である。自分の遺伝子の設計図の犠牲になる運命を信じるなら、信じたとおりの結果をもたらす遺伝子を活性化する周波数帯の精神／脳波動を、みずから送りだすことになる。自己実現的波動場／遺伝的予言である。もしマインドがそのような結果を信じないなら――マインドがボスであるという事実を**知っていて**、実践しているならなおのこと――がんだのなんだのの遺伝子は、生涯にわたり、活性化されることはない。

なぜ多くの人が、医師に余命宣告されたとおりの期間で死んでしまうのか？「あとどのくらい生きられますか、先生？」という質問が、文字どおり死刑宣告となることが多い。マインドは、肉体が宣告された期間のうちに死ぬと確信するようになり、そうなるよう波動周波数を発する。不治の病にかかっていると言われて余命を宣告された人が、宣告どおりの期間に亡くなったのち、検査によって「不治の病」などなかったとわかったケースがいくつもある。彼らは、病にかかっていて、余命はこれだけだ、という医師の予測を**信じた**がために亡くなった。同じような話が、数多く報告されている。私たちは、このように自分が生きると信じたり、死ぬと信じたりする。

ひとつのグループには効果のある薬をあたえ、もうひとつのグループにはそれと知らせずに砂糖の錠剤、あるいは「プラセボ《偽薬》」をあたえて観察してみよう。薬ではないプラセボを摂取した者が、あるはずのない薬の効果を感じるケースが多々ある。向精神薬の治験では、プラセボを摂取した被験者がサイケデリックな「トリップ」を体験した例もある。治療効果があると信じたプラセボを摂取することで、重篤な症状があっても人びとは回復した。先に述べたようなプロセスを経て、このような結果が導かれた。薬を信じることで、信じた結果をもたらすように遺伝子の設計図や免疫系を活性化させるマインド／脳波動が送信されたのだ。「ノセボ《反偽薬》」効果というものもある。健康に悪い影響があると信じることで、マインドがそのとおりの結果をつくりだす。薬の「副作用」を説明するのは理解できるが、マインドや知覚にその可能性が伝えられたことで副作用を感じる人は、どのくらいいるのだろう？

今飲んだ紅茶に毒が入っていたと伝えて（実際は入っていないが）、なにがおこるかみてみよう。「効果がある」と信じられているという理由だけで結果を出している薬は、どれだけあるだろう？代替療法はより肉体のつくりやしくみと協調しているが、信じたことが結果となるのは同じだ。身体に関しては、マインドが**すべて**であり、カルトはそれを承知している。

知覚がいかにして錯覚を引きおこすか、例をあげてみよう。私は、欧米双方でマインドコントロールについて何年も調査するなかで、悪名高い米国政府－軍－CIAによるマインドコントロール作戦「MKウルトラ」で、ひどい目に遭わされた数多くの人びとと出会った。このおそろしいプログラムの目的のひとつは、「トラウマによるマインドコントロール」だった。被験者は極度の恐怖にさらされる。彼らのマインドは、おそろしい体験の周りにシャボン玉、または蜂の巣のような記憶喪失バリアをつくりあげ、ふたたび思いださないようにする。これによって、被験者自身から解離した「オルター《別人格》」とよばれる人格が形成される。次に、こうした人格内人格は、スパイ小説『影なき狙撃者』（リチャード・コンドン、早川書房）のように、暗殺などの任務を遂行するようプログラムされる。

　マインドを操作する者は、さまざまな任務に応じて異なる「人格」を切り替えることができる。「フロントオルター」は被験者の意識として動くよう設定され、それ以外のオルターは意識下にとどまっている。オルターの切り替えには、トリガーとなる単語、言葉、音などが設定されていて、それをきっかけによび醒《さ》まされたオルターが、一時的にフロントオルターとして表に出てくる。オルターは、なんらかの仕事をこなしたり、富裕層や著名人から性的・暴力的虐待を受けたりするためによびだされる。任務が終了すると、被験者ほんらいの人格がフロントオルターにもどされ、他のオルターがなにをしたり、されたりしたのかはまったく覚えていない。

　すでに他の著書で詳しくあきらかにしていることを、ここでまた取りあげたのには理由がある。多くのＭＫウルトラ被験者が、あるオルター、またはマインドの一端がドラッグを摂取したり酔っ払ったりしても、摂取時に「フロント」ではなかった（意識下にあった）オルターに切り替わったとたん、ドラッグや酒の作用が消え去ると言っていたからだ。

　ある女性は、あるオルターが病院で麻酔を受けたあと、別のオルターが手術中に割りこんできたときは最悪だった、と話してくれた。麻酔の効果がなくなり、彼女は目を覚ましてしまった。経験したはずの現実を、錯覚してしまったのである。

　最新のマインドコントロール技術では、高調波を使う。脳の波動場と脳波を技術的に操って知覚や行動をプログラムするもので、肉体のシャットダウンを引きおこして死にいたらせるプログラムも可能だ。

5Gを使いたい？　これを、カルトの「教育」やメディアを通じた情報支配と結びつけてみよう。教育もメディアも、知覚を眠らせる催眠ツールである。いかにして知覚が体験する現実となるか、というカルトの知識が、膨大な数の人間を支配するため冷酷に活用されている。これについては、あとで詳しく述べる。

私は、自分自身の意識が医学的見解をくつがえす力をもっていることを、身をもって知っている。私は15歳でサッカー選手になり、その半年後から関節炎に悩まされるようになった。21歳で引退を余儀なくされるまでに、病は進行した。関節リウマチと診断され、30代で車椅子生活になる可能性もあると言われたが、私は受けいれなかった。鎮痛剤も拒否し、それ以来ずっと使っていない。あの頃の私に対し、よくぞ正しい選択をしてくれたと思う。そうでなければ今ごろ生きてはいなかっただろう。30代になっても車椅子は必要なかったが、リウマチは進行し、ピークに達したときにはつま先から足首、ひざ、腰、手首、指と、大変な痛みに襲われた。

当時はそうは思えなかったが、このときの体験が素晴らしい糧となっている。サッカーを引退したことで、ジャーナリズムに導かれ、今にいたっているし、痛みやリウマチに邪魔をさせないという強い決意もできた。マインドと肉体の関係を理解しはじめた私は、その学びを実践して、知覚を使って関節炎を叩くことにした。

私は、「リウマチは進行を止め、縮小しはじめ、痛みがなくなる」と決めた。「決めた」という語は、「理解している」よりもっと深い意味があるのだが、これについてはまたの機会に。この本が出版される頃には私は68歳［訳注：英語版出版の２０２０年当時。アイクは１９５２年生まれ］になり、15歳でリウマチを発症した身体はぼろぼろになって、**ほんとうなら**車椅子に乗っているはずだが、そうはなっていない。痛みもなく、右手に残るちょっとした変形以外は、リウマチの影響はまったくない。

自分が信じるものが知覚され、知覚したものが体験となる。遺伝子の罠《わな》にはまってはいけない。遺伝子活性を決定する知覚を使って、主導権を握ろう。これさえ**わかっていれば**、遺伝的必然性や医師の見立てなどおそるるに足らずだ。

生まれながらの勝者／敗者？　それともマインドがすべてを決める？

体験をつくりだす知覚のプロセスは、生涯どんなときにもあてはまる。「生まれながらの勝者」について考えてみよう。体験を決定するマインドをおいて、他になにがあるだろうか？「生まれながらの勝者」は、いつも逆転勝利をつかむための状況や「偶然のめぐり合わせ」をつくりだしているようにみえ、そうでない者は、どんでん返しで負けを喫しているようだ。

スポーツの世界では、実績のある者が、なんらかの決定戦や選手権の決勝といった重要な局面で、格下ながら強い想いをもつ者に勝利をさらわれるというケースがある。たとえば、イングランドのサッカーチーム、リーズ・ユナイテッドの１９６０年代、70年代がそうだった。ドン・レヴィー監督が才能ある選手を数多く育て、黄金期を迎えた。シーズンを通して好成績だったが、最終の順位決定ステージで敗退してしまった。能力が足りなかったわけではない。知覚によって負けてしまったのである。レヴィーはチームメンバーに読ませるため、相手チームの詳細な「人物調査書」をつくることで知られていた。**自分の**チームになにができるかより、他のチームがなにをするかにばかり気を取られてしまっていたのだ。リーズは、能力をあるがまま発揮してプレイすれば素晴らしかった。相手チームがなにをするかは、問題ではなかった。しかし、病的なほど縁起を担ぐレヴィーにとっては大いに問題だった。これは、彼が内に秘めていた不安のあらわれであり、シーズンの成績を決定するなどプレッシャーのかかる局面では、その不安がチームに伝染することもよくあった。

知覚の伝達は、大小を問わず、あらゆる集団でおこる。ナチスドイツにみられるように、全人口を巻きこむこともある。誰もが、みずからの知覚や心の状態を反映した波動周波数を発している。ゆえに、サッカーチームは**からみあう**波動場の集団といえる。より知覚が強い場のほうが、押し出しが強い。サッカー評論家は「ロッカールームもピッチも支配する」ような選手のことを、よく「生まれながらの勝者」と表現する。

チームのボスであるマネージャーは、あきらかにみずからの知覚をチームに伝播《でんぱ》させるポジションにある。こうして強いプレッシャーがかかった決定的な局面で、ドン・レヴィーの不安は波動場からチームに伝達された。勝利の自信は、一転して敗北へのおそれとなる。知覚は、先に述べたようにマインドから肉体へと伝達され、肉体の行動はマインドの知覚を反映する。それがこのような評価にあらわれている。「シーズン中は素晴らしかったが、決勝戦では力を出せなかった」名将レヴィーのもと、リーズ・ユナイテッドではこうしたことが偶然とはいえない頻度でおこった。知覚／波動場の支配、もしくは従属は、人間社会のあらゆる場面でみることができ、スポーツの世界では、つねに衆目にさらされている。

「ロッカールームでの破壊的影響」とよばれる現象もある。チームの集合的な波動のからみあいの場のなかで、ネガティブな知覚やふるまいの選手が発した波動から不和やゆがみが生じ、チームの知覚やパフォーマンスに影響するのだ。私は破壊的なメンバーがいるチームでも、みなが協力的なチームでもプレイしたことがあるが、そうした状況はチーム全体のパフォーマンスに大きく影響する。これが、行動パターンの「感染」、情熱の伝染、ネガティブの伝染などという言葉のほんとうの背景である。「感染」は波動のからみあいを通じて広がる。

からみあいが結果にどう影響するか、さらにスポーツの例をひくと、チームまたは個人に対するサポーターの影響があげられる。スポーツイベントの観客は、試合結果に影響をおよぼすことがある。ホームで自分のチームのサポーターに囲まれてプレイする場合は、アウェイのときより勝率が上がる傾向がある。観客の波動場は、注目しているチームの場とからみあう。サポーターからのポジティブな「いいバイブス《波長》」がチームに伝わると、エネルギーの大きなうねりで持久力やパフォーマンスが底上げされる。

２０１２年のロンドンオリンピックで好成績をあげた英国選手の多くが、英国人観客にエネルギーをもらったと感じた、と話している。とりわけ、レース中に限界を感じたときだという。選手たちは、なんらかのかたちで自分のものではないエネルギーを感じた。それはまさに必要としたタイミングでやってきた。自分自身のマインド（決定）と、勝利を願って見守る観客とのからみあいから注入された波動場エネルギーとが結合したと思われるものだ。逆もまた然《しか》りである。低迷しているサッカーチームは、アウェイのほうが勝てることがある。ホームでは、地元のファンの不満と批判が波動のからみあいを通じて伝達され、選手のパフォーマンスや自信、エネルギーに悪影響をおよぼすことがあるからだ。

それでも「生まれながらの勝者」は知覚的にとても強く、敵対的な空気のなかでも全力を発揮でき、周りに影響されないという自身の決意によって力を得る。「私はちっぽけで無力だ」と信じるなら、そのような自己認識を表現して生きることになる。その知覚状態は、同期して他の波動とからみあう波動を通じて伝達されるからだ。

私たちの現実にあるすべてのものは、波動場の周波数である。それはからみあい、振動する意識／情報のパターンであり、すべて意識のかたちである状況、潜在的な状況および体験も含まれる。私たちが誰かの「バイブス《ノリ》」と同期すれば、相手はこちらに引きよせられる。同期しなければ、関心をもたれない。このことは、カルトがいかにして人間社会を操るか、そして私たちがどうやってそれを止めるかということと深くかかわっている。人生がつまらない？　ならば、つまらない人生をつくりだすのをやめて、もっといい人生を**引きよせよう**。

人間関係の（波動）場

恋愛や、私たちが引きよせる体験、占星術における惑星の影響にいたるまで、あらゆる関係性はマインド／意識の波動のからみあいによって説明できる（図99）。私たちがどんな個人的関係を求めているかを決定するのは、あきらかに知覚である。もし双方が求めあっていれば、波動がからみあう。これは、「絆《きずな》」を結ぶと表現される。受けいれられれば、からみあいを強いることもできる。「肉体的」な魅力だけにもとづく関係では、それを反映して波動がからみあう。魅力が薄れれば、からみあいはほどけ、カップルは別れる。肉体だけのつながりであった場合は、そうして終わりを迎える。「肉体的な」魅力が薄れたときに、互いに敵意をもつようになっていれば、愛着の波動のからみあいが敵意の波動のからみあいに置きかわり、険悪になることもある。一方の敵意や憎悪は双方がからみあう場に浸透し、もう一方により強い敵意や憎悪を引きおこすこともある。引きおこされた感情はフィードバックを繰りかえして増幅され、双方の生活に悪影響をあたえたり、こわしたりすることもある。

この相互作用を、人間社会にあてはめてみよう。個人の関係から国同士の戦争まで、いたるとこ

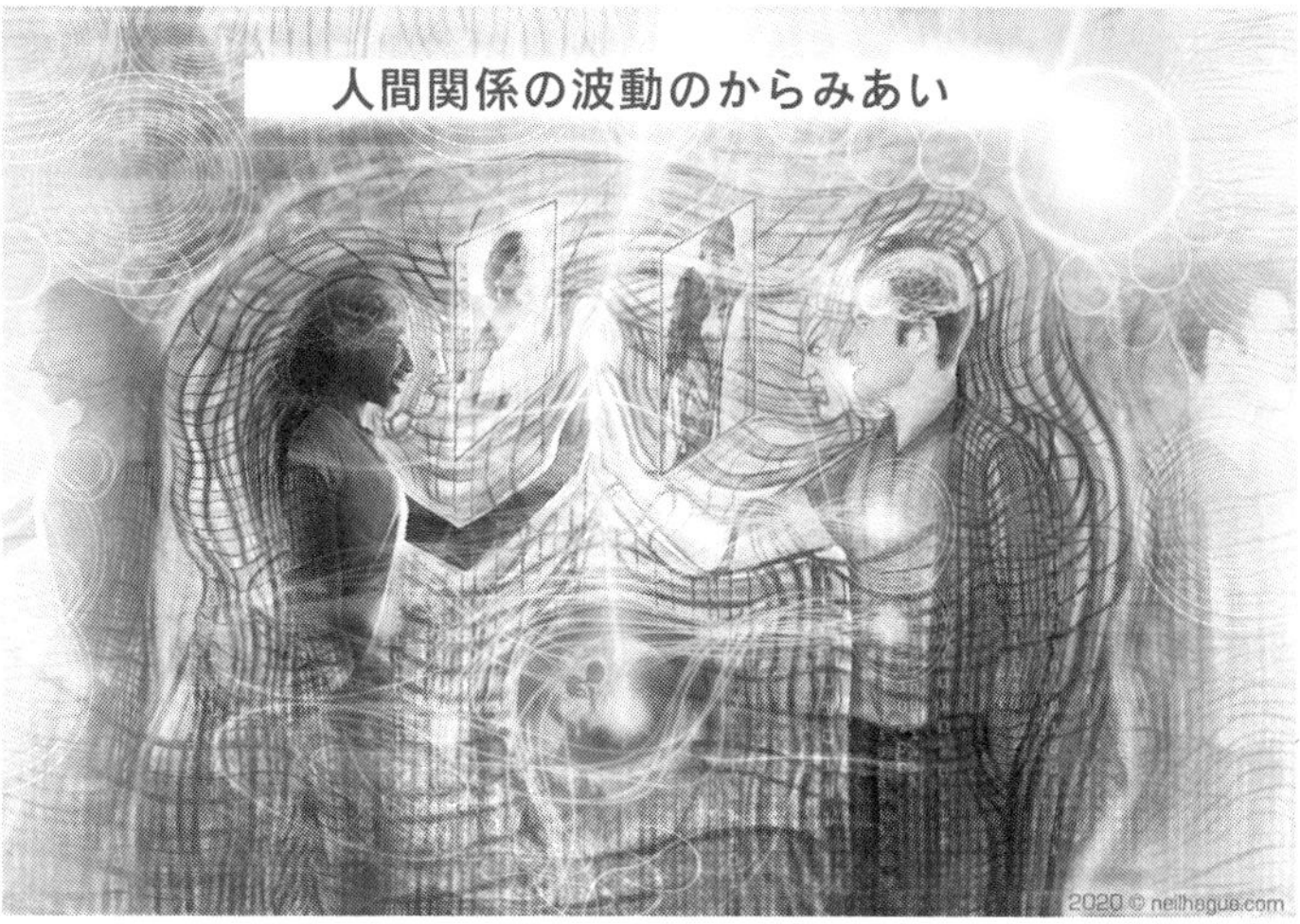

図99：あらゆる関係性は、波動のからみあいと「バイブス」の引きよせあるいは抵抗にもとづいている。第４巻にカラーグラビア（「ニール・ヘイグ」ギャラリー）を掲載。

ろでこれと同じことがおこっている。世界中で、子どもたちに他のコミュニティや宗教に対する憎しみを植えつける両親、コミュニティ、宗教が、ネガティブで破壊的に続いてゆく波動のからみあいを、どんどんのちの世代へと受け継がせている。

カップルのからみあいは、引力**と**反発力、愛（人間バージョンの）**と**憎しみといった、互いのさまざまな知覚が生みだした複数の波動にもとづいている。これらは愛憎関係とよばれ、どの波動の接続が支配的であるかは、状況によって異なる。キャンドルを灯した夕食時には「愛してる」、酔っ払って帰れば「最悪、ろくでなし！」というわけだ。下半身だけではなく、ハートチャクラの渦から生まれる**無条件の**愛にもとづいてあらゆる種類の関係が築かれると、その性質が変わっても、からみあいは互いに有益で、支えになり、永遠に続く可能性がある。人生の終盤を迎え、情欲の段階はとっくに通り越し、さらに互いへの愛を深めて、調和した波動場で支えあう老夫婦がそれである。個々のマインドが個々の体験を決定し、からみあうマインドのつながりが、共有する体験を決定する。

独裁者のマインドは、波動がからみあう相手（国全体のこともある）に、みずからの知覚を押しつける。ヒトラー、スターリン、ムッソリーニ、中国の指導者など、枚挙にいとまがない。ナチスの精神構造は数百万人のドイツ国民とからみあい、魅了された大衆は、ヒトラーへの絶対的な敬意の波動がからみあう、おぞましい党大会と同じリズムで振動するようになった。ここで言いたいのは、波動（知覚）が同期《シンクロ》したものが、なんらかの関係でからみあうということだ。同期しないものは、ただ通りすぎてゆく。
「手かざし」のエネルギーヒーラーは、対象と波動をからみあわせ、エネルギーがそれらのチャンネルを通じて伝達される（だから、良いヒーラーを選ぶことが大切だ）。エネルギーヒーリングは、エネルギーの波動がヒーラーの場から受け手に導かれてからみあえば、対面でも遠隔でも可能だ。私も体験したことがあるが、ヒーラーに**腕があれば**、エネルギーヒーリングは効果がある。

　波動のからみあいは、欲望、野望、おそれ、その他私たちが直面するあらゆる状況に等しくあてはまる。思考や感情はすべて波動周波数であり、欲望、野望、おそれなどの状況は、特定の周波数にある思考や感情の波動場である。欲するもの、おそれ、体験との関係に対する私たちの知覚は、これらとどのような関係をもつか、またはもたないかを決定する。

　なにかを成し遂《と》げたいと言いつつも、「そんなことはおこらない」という自己認識から、できる（する）と信じていないとしたら、マインドから生まれた波動は、成し遂げたいことをあらわす波動場の知覚状態と同期しないだろう。**「できるかもしれない」**という思いのもと、そのためにはどんなことでもすると決めたなら、対象とある程度波動をからみあわせられるだろう。そして、目的地へたどり着くと**わかっている**なら、**「そこにいる」**場と波動をからみあわせることになる。このからみあいによって、あなたはそこに**存在し**、求めるものを得ることができる。マインド／ハートの力は、さまざまなレベルで影響をおよぼす。「できると信じていない」「できたらいいなと思う」「できる自信がある」「できると信じている」そしてもっとも強力にゴールへと導くのは、「できると**わかっている**」だ。

サッカー選手だったころ、私はたくさんの素晴らしい才能をもつ若い選手が転落してゆくのをみた。なぜなら、彼らは自分がサッカー選手になると信じて**（わかって）**いなかったからだ。「自信が足りない」などというが、じつはそこには深い意味がある。私は幼いころ、プロのサッカー選手になると言っていたが、真に受ける者はほとんどいなかった。サッカー選手を目指す若者は多いが、激しい競争を勝ち抜く者はほんのわずかだ。私はただ、**わかっていた**。望んだのではなく、**わかっていたのだ**。なれる可能性はとても低いのに、なぜ信じて疑いもしなかったのかは説明できなかった。そしてどうなったかというと、「思いがけない幸運」の連続で、ぴったりの場所でぴったりのときにぴったりの試合でぴったりのプレイができた。これは単に幸運にめぐまれたのだろうか？　それとも、私のマインドが結果をわかっていたために、結果をもたらす波動場と波動をからみあわせたからだろうか？

思考を現実化するにあたり、ただの「ポジティブ思考」では弱い。**「わかっていること」**はそれよりはるかに強力だ。これについてはまたあとで述べることにしよう。この感覚は直観とつながっている。直観的に**わかっている**のだ。

あなたに憑《つ》いているものはなに？

波動のからみあいの極端な例は「憑依《ひょうい》」だ。昔から知られている「悪魔憑き」といわれるもので、人間の身体を乗っとり、行動や見た目まで変えてしまう。『エクソシスト』など多くのホラー映画で描かれ、歴史上、あらゆる文化圏でそのプロセスが表現されている（図100）。なぜなら、それはほんとうに存在するからだ。主流科学は、その可能性さえ認めていない。彼らは現実を理解しておらず、どうしてそのようなことがおこりうるのか説明する知識ベースがない。「科学」のモットーは「説明できないことはおこりえない」である。説明できないことは、すべてなかったことにされる。私たちが知覚する「時間」にして何百年、何千年にもわたり、共通の現象を体験している人びとが山ほどいることなど気にもとめない。

さて、実際にはこの現象はあらゆる「超常現象」と同じく、簡単に説明**できる**。科学はみずからが説明できないものすべてに「超常」という言葉を使う。しかし、ヒマラヤ山脈のように積み上げられた、古代から現代にいたるまでの体験や報告が、現実にあったことだと示している。科学的に承認された不条理だけに、「正常」のお墨つきがあたえられる。

憑依する存在は、可視光帯の外で活動する意識の波動場で、**もし**ボディーマインドが互換性のある精神・感情周波数にあれば、ボディーマインドの波動場とからみあうことができる。おそれや抑うつ状態にあるとき、ドラッグや大量のアルコールの影響下にあるときなどに憑依はおこる。また、憑依されている人物とセックスをすると、その存在は性的エネルギーの波動のつながりを使って「飛び移り」、エネルギーをからみあわせることができる。

図100：悪魔的なものによる憑依は現実に存在する。映画『エクソシスト』の有名なシーン。

図101：憑依している存在の情報場が、憑依されているターゲットの場に浸透し、極端な例では憑依者の外見をホログラフィックに反映しはじめる。（ニール・ヘイグ画）

カルトは性的搾取者を雇って、憑依させ支配下に置きたい人びとのもとへ送りこむ。憑依する存在は波動場でからみあい、みずからの情報場と人格をターゲットに転送する（コンピューターがウイルスに「乗っ取られた」ときのように）。友人や周囲の人間は、ターゲットの人格や行動の変化に気づく。極端な例では、顔つきまで変わってしまう。憑依している存在の意識／情報場から大量の波動情報が流入し、憑依されている人物はホログラフィックに憑依者のかたちをとるようになる（図101）。憑依され、知覚に影響を受け、操られていてもそこまで変わらない場合もあるが、こうしたことはほんとうにおこっている。

悪魔主義者は儀式の際、このようにして憑依を**受ける**。悪魔主義のヒエラルキーは憑依体の力によって決定される。つまり、見えない悪魔的ヒエラルキーが見える悪魔のヒエラルキーになる。これがカルトの決めた序列である。クモの巣を通じて人間社会を管理するカルトの工作員は、一見人間の姿をしているが、実際は人間ではなく悪魔的存在なのだ。

「一見」というのは、主要なカルトファミリーや工作員は、じつは生物的ソフトウェアプログラム、いわゆるＡＩ《人工知能》であるからだ。彼らの思考過程はＡＩである。カルトを管理するものが高い知性をもちながら、共感性をまったくもたないのはそのためだ。ソフトウェアプログラムは共感するだろうか？　答えはノー、ただ入力されたデータに反応するだけだ。なぜカルトがまったく心を動かされることなく人類にそのような害悪をおよぼしえたのか、不思議に思う人はまだいるだろうか？　これらの生物的ＡＩソフトウェアの乗り物により、隠れた親方《マスター》は人間の周波数帯に入ることなく人間社会を操ることができる。「親方」もまたＡＩであり（詳しくはのちほど）、人間の意識を脳の接続を通じてＡＩに取りこむ計画その他は、このＡＩ「意識」が、ＡＩでない人間のマインドを吸収することでパワーアップを図っていることを意味する。ＡＩの特質から、彼らがなぜ支配の手段としてテクノロジーにこだわるのかがわかる。

彼らは**人間ではなく**、その意識場には共感や慈悲がまったくないので、なんでもできるのだ。クモの巣の末端にいる手先（ほとんどなにがおこっているのかわかっていない）の憑依レベルは弱いが、それでもカルトのアジェンダの提唱者、操縦者とするには十分だ。その目標がどこから来たのか、裏側になにがあるのかは、わかっていなくてもかまわない。理由は明白だが、憑依されている人のほとんどは憑依されているとわかっていない。対照的に、中枢のエリートは自覚したうえで、誇りに思っている。

私は、フリーメーソンに入会してから人格が変わって、これまでの温かさや共感、正義感、公平さ、良識が失われた、という男性の妻や家族からの報告を数多く受けてきた。フリーメーソンの大多数は、その奇妙な入会儀式が、単に過ぎ去りし時代を振り返るだけのものではないということを知らない。そのような儀式は、新入会員に取り憑くことができるエネルギーの波動場環境をつくりだすことを目的としている。秘密結社や悪魔的集団のなかでも、上位にゆくほど儀式は過激になる。悪魔的なアートや魔術などが、ターゲットに悪影響をおよぼすために使われるのと同じ波動接続上にみられる。

ある人を模した人形に針を刺すと、遠く離れた場所にいるその人物が痛みを感じることはありうるし、説明もできる。人形はその人の波動の代理人（波動のからみあいを受けいれた人物をあらわす注意を向けた点）となり、その接続を通じてその人の波動場は混乱させられ、不快な感覚を受けとる。米軍や、その他の国にも対象者の波動場に接続するサイキック暗殺部隊がある。対象者の波動場（マインド／意識）が暗殺者より**強くなければ**、心臓の拍動を止めるなどの方法で危害をおよぼすことができる。

変身は波動場現象である

私は、カルトの中枢支配層や多くの末端工作員らはシェイプシフター《変身能力者》で、ふたつのハイブリッド**波動情報場**を通じて、人間の姿になったり、人間でないほんらいの姿になったりできると言っている。このことで、私は多くの人からひどく嘲笑《ちょうしょう》されつづけている。私は彼らが人間の姿や、レプティリアン《爬虫類人》の姿になれると言ったが、レプティリアンは憑依によってのみなるものではない。これについては『今知っておくべき重大なはかりごと』（ヒカルランド）で詳しく述べている。

現実を知らないメディアや世間は、ふたたび私を嘲笑《ちょうしょう》した。生涯にわたり、偽の現実を信じるようプログラムされているのだから、無理もない。おかしな話だが、私はそのような人びとに腹を立てはしない。ただ悲しく思うだけだ。彼らが私の言うことを受けつけないのはわかるが、みずからの無知を否定する前に、私の本を1冊でも読んでくれたらいいのだが。

彼らの考えはこんな感じだ。「世界は固体であるから、あるかたちから他のかたちに変化するなどということは不可能だ。つまりアイクはあきらかにおかしい」。もし世界が**固体**であるなら、この考えはすべて正しいのだが、世界は固体ではない。かたちの変化は、「物理的に」おこるのではない。それは不可能だ。物理的なものなどないのだから。

先に述べた、科学の世界で「観察者効果」とよばれるものを思いだしてほしい。私はこれを「解読者効果」とよぶ。固体に見えるものは、実際は波動情報場から**観察者**のマインドによって解読され、あらわされたホログラムである。私たちが物理的現実として見ていると思っているものは、実際はホログラフィックな現実であり、ボディ−マインドの解読プロセスのなかのかたちにのみ存在する。「物理的な」できごととして知覚されるかたちの変化は、実際は観察者がハイブリッド場の人間の部分を解読し、次にその場が人間でない部分を投影するように変化し、観察者がまたそれを解読したものだ。**波動場**の情報が変化したものだが、観察者のマインドからすると、ひとつの場が解読され、次にもうひとつの場が解読されたという事象が、ある人が**物理的に**あるかたちから違うかたちに姿を変えたように見える。現実の本質を隠しておけば、幅広いターゲットを操って、実際におこっていることを不可能と片づけることができる、という格好の例である。

私は数十年にわたり、「古代」より異種交配してきたカルトの血統について書きつづけてきた。彼らは「王族」「貴族」として知られるが、今やダークスーツのプロフェッショナルを使って政治、行政、金融、商業、メディアを圧倒的に牛耳《ぎゅうじ》っている。意図的な生殖により、ふたつの情報フィールドを含むハイブリッド波動場の設計図（生物的ＡＩソフトウェアプログラム）が次世代に伝えられる。一方は人間の波動場情報で満たされており、もう一方は人間でないもの、かならずではないが多くの場合、レプティリアンである。

爬虫類を観察してみると、いかにソフトウェアのような生態であるかがわかるだろう。私は野生動物公園でたくさんのワニを見てきたが、彼らの行動はコンピューターで「エンターキーを押す」ようなところが際だっている。

王侯貴族の血統（波動場）は「ブルーブラッド」［訳注：貴族は労働者のように日焼けしておらず、白い肌に静脈が透けて見えることからきた言葉。米作家スチュワート・スワードロウによると、交配種の血液には銅が多く含まれ酸化すると青緑色に変わるという。その意味での「青い血」ともいえる］とよばれるが、この言葉もこれらの血筋と他の人間たちのあいだの違いをあらわしている。王家の血筋が「神から授かった統治権」をもつのは、彼らが「神」の末裔《まつえい》であるからとされ、これは世界各国の王家に共通している。

古代中国の皇帝は、「蛇神」の末裔であるみずからの血統（波動場）に統治権があると主張したが、これはほんの一例である。「神が授けた《Divine》」統治権は、キリスト教の神と関連づけられてきたが、サンスクリット語の「神《Deva》」（女性形はDevi）のほうがはるかに適切である。これは「輝くもの、超自然的存在」を意味する。古代人は、人間でない「神」をよく「輝くもの」と表現した。Deva

はラテン語の**「デウス《deus》」**または「神《god》」**「ディーヴス《divus》」**から来ており、英語のdivine《神の》やdeity《神》もここに由来する。

カルトの血統は「超自然的な神々」、つまり人間の支配の背後にある、人間でないものの力によって、統治権を授かった。「ネフィリム」とよばれるハイブリッドをつくるために人間の娘と異種交配した「神の息子たち」についての聖書物語は、ハイブリッド血統の勧めを形容しており、カルトは人間の遺伝子にも浸透した。人間の脳のなかで、行動の決定にもっとも影響力のある部分は爬虫類脳、あるいはRコンプレックスとよばれ、まさに「エンターキーを押す」ような反射をつかさどっているが、これは進化の偶然ではない（図102）。これについては、私の他の著書で詳しく述べている。

「神の息子たち」という語は、翻訳される前の原文［訳注：ヘブライ語］では「神々の息子たち」と複数形になっていた。「息子たち」と「神々」は、遠い昔に人間社会をハイジャックした人間でない存在を象徴している。彼らは今なお、**ネフィリムの血統**、つまりAI生物的ソフトウェアプログラム**が動かす**カルトを通じて、その意志とアジェンダを押しつけている。

人びとが「王族」によるあからさまな独裁を拒否しはじめると、ネフィリムは政治、金融、商業、メディアなどの分野に移行し、さらに拡大した。彼らは現在もこうした分野を支配している。彼らはネフィリムの血（ソフトウェア情報プログラム）が「庶民《コモン・ピープル》」と交配して薄まったり、消えてしまったりしないよう、秘密裏に設定された結婚を通じて異種交配を続けている。彼らはもはや公

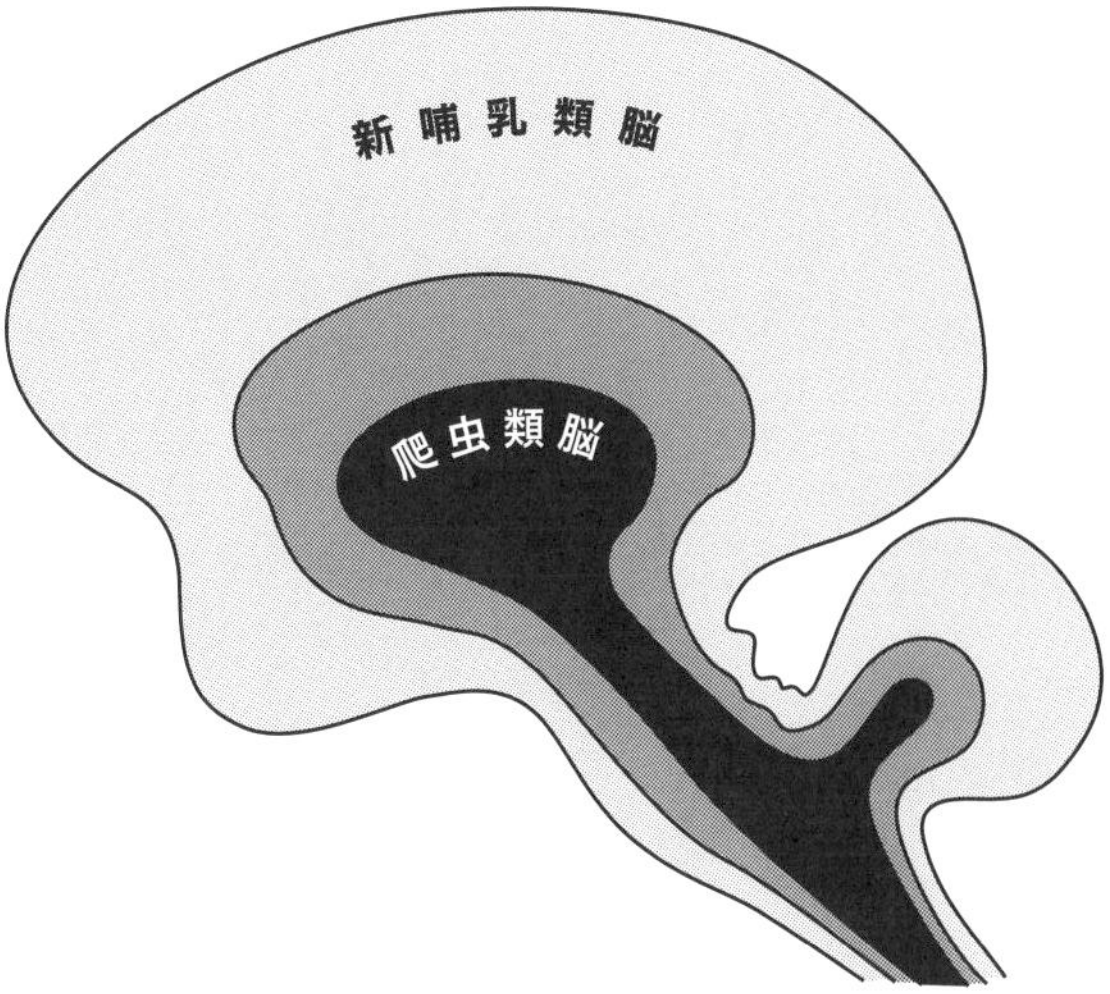

図102：爬虫類脳、またはＲコンプレックスは、人間の知覚や行動にとても大きな影響力をもっている。

式には王族ではないかもしれないが、ふるまいは専制君主のようである。自分たちは特別で、人間より上であり、「神から授かった」統治権があると信じている。

ネフィリムの血統は、現在はダークスーツや制服を着てクモの巣で指揮をとり、人間には見えない周波数から操るクモに仕えている。私がクモとよんでいる人間ではない存在は、旧約聖書で「神」と総称され、他の文化圏では「神々」とよばれるものと同じ存在である。ゆえに旧約聖書での「神」は、新約聖書の「神」とはまったく異なる方法で性質と行動が説明されている。あきらかにネフィリムの「王室」も、いくつか生き残っている。現在、英国と英連邦の国家元首を務める英国王室は、純粋な**血統**による継承をおこなっている。

私は英国王室のネフィリムの、人間とレプティリアンとのハイブリッドの性質について広く書いてきたが、努力の甲斐《かい》なく、当然のようにひどい嘲笑を受けた。それでも私は気にしていない。私が関心をもっているのは真実であって、称賛や、フェイスブックの「いいね」を集めたいわけではない。私は「正常」とみなされたいとは思っていない。人間社会で「正常」とされているのは、論理的には異常な状態なのだから。偽の王室は、英国民を搾取することで巨大な特権を享受している。そしてネフィリムのネットワークは、上位1％の特権階級として全世界の人びとを搾取している。彼らはカルトの血統で、人間とレプティリアンに姿を変えることができる。気にいらないとか、受けいれられないというならそれでいい。だが、どれほどばかにしようとも、非難しようとも、私を止めることはできない。

世界にはびこるこの血統は、知覚コントロールに使える主要な宗教の出現にもかかわっている。多くの主要カルト血統が中東や古代エジプト、シュメールやバビロン（現在のイラク）起源であるのは偶然ではない。この地域から、世界の三大宗教が生まれている。キリスト教、ユダヤ教、イスラム教だ。これらの宗教には共通している部分が多く、同じ神や半神が登場する。しかしながら、何世紀にもわたる分断と統治のために違いが強調され、それらの宗教をつくりだしたカルトを利するため、現在にいたるまで分断が続いている。

哲学者アラン・ワッツは、宗教は君主制社会をまねたものであると指摘している。信者が「神」にひざまずき、頭を下げ、ひれ伏すのは、君主にしていたことをまねたものだ。キリスト教の神は王座に腰かけており、バシリカ《大聖堂》という言葉は「王の建物」を意味する。聖書の記述では「イエス」と「神」は「諸王の王」、「主の主」であり、キリスト教も他の宗教も、「対象」が君主ともっていたのと同じ、信者と神の関係性をもつ。この「神」崇拝は、（カルトの血統による）君主支配の延長にすぎない。

ありえない？　いいえ、ありえます

ほんらいの現実を隠蔽《いんぺい》するには、カルトが支配する主流科学で説明できないあらゆる現象をつねに否定し、虚偽であると証明することが必要だ。科学がおこりえないとしたことがおこっている、または可能であるなら、科学によって動かされている現実がすべてではないということになる。それを認識してしまうと、他の可能性にマインドを開いてしまうかもしれない。それは、カルトがなにをおいても避けたいことだ。

古代に発祥した占星術では、惑星や星の動きが人の人生や行動に影響していると言われている。占星術師は、これらの力は誕生時（受胎時で占う場合もある）の星の配列によって人の性格に大きな影響をあたえるという。これについては、拡大意識の力について触れるときにまた詳しく述べるとしよう。拡大意識は、占星術の波動の影響だけではなく、今日私たちに向かってくるあらゆるものを、マシンガンのような速さでくつがえす力をもっている。

占星術の周波数には、**影響力がある**。しかし、意識的に、もしくは五感の意識下で受けいれない限り、強制力はないということを強調しておきたい。占星術の成りたちとしくみは、簡単に説明することができる。主流科学が占星術を軽く見ているのは、そのためである。

「科学的な」思考は、複雑さに取りつかれている。答えは複雑であるべきで、簡単な答えなどありえない。「生理学、物理化学、生理病理学、これだけの学位を取るのはどれほど難しかったと思う?」というわけだ。複雑さを理解するのが天才なのではない。複雑さのなかに隠されたシンプルなものを見抜くのが天才だ。一部ではなく、全体をみるのだ。主流科学は「枝を見て森を見ず」である。主流科学をはるかに凌駕《りょうが》した、セルビア系米国人のニコラ・テスラ（１８５６〜１９４３）はこう言った。

今日の科学者はつまびらかに考えるのではなく、深く考える。つまびらかに考えるためには正気でいなければならないが、狂った状態でも深く考えることはできる。

科学者ロバート・ランザは、このように述べている。

今日の科学は、各部分のはたらきを解明することにおいては素晴らしい。時計は分解され、歯車の歯の数を正確に数えたり、フライホイール《はずみ車》が回転する正確な速度を突き止めたりできる。火星が24時間37分23秒で自転するということもはっきりわかっているが、私たちに欠けているのは、大局的な視点である。

私たちは暫定的な答えを提供する。増えつづける物理的なプロセスの知識から、精緻《せいち》な新技術をつくる。新しい発見の使いみちには目がくらむほどだ。私たちの苦手分野はひとつだけだが、残念ながら、そこがいちばん肝心なところだ。私たちが現実とよぶもの、宇宙全体の本質とはなんだろうか?

この全体像を見たとき、占星術ほどわかりやすいものはない。あらゆる形態は、観察者によって波動場から解読されたホログラムである。「あらゆる」には、さまざまな情報の周波数

（天球の音楽《music of the spheres》）を発する、意識の波動場である惑星や星も含まれる。惑星や星は他の惑星、星、そして人間の波動場とからみあい、天体《heavenly body》がさまざまな角度《アスペクト》で並ぶとき、もっとも強力になる。占星術師は、これをコンジャンクション、スクエア、トライン、オポジションなどとよぶ。

これらのアスペクトは波動をからみあわせ、集まることで天体個々よりさらに力を増し、からみあった**人間**などの波動場におよぼす影響が増強する。惑星や星から放たれる波動は、アスペクトが形成されているときに、人間の波動場や数兆の細胞、そのなかにある遺伝子により強く影響する。遺伝子には、健康や行動を左右する無数の指示が書かれており、活性化されているかどうかで発現が決まる（図103）。誕生時／受胎時（おそらく両方の組みあわせ）の子どものボディーマインドの波動場には、惑星や星々の位置から生成された占星術的波動設計図が刷りこまれている。

設計図は一定期間ずつ、天体の波動関係の変化にともなって変わる。この期間を占星術では「星座」という。「おうし座」の時期に生まれた人の占星術の周波数場は、「しし座」に生まれた人のものとは異なる。また、変化しつづける占星術場においては、誕生の「時刻」によっても違いがある。占星術とは奥深いもので、生涯にわたり、生まれもった星座（設計図）の違いによって、その時々の星回りとの相互作用も変わってくる。同じ星座のもとに生まれた人びとが、同じ職への適性や能力をもつことがあるのはそのためである（図104）。

この前提が、十二支など、その他の占星術的情報波動の影響を読み解く手法にもあてはまる。特定の波動状態にある意識は、その波動状態と同期する生命体の状況と場所のからみあいによって

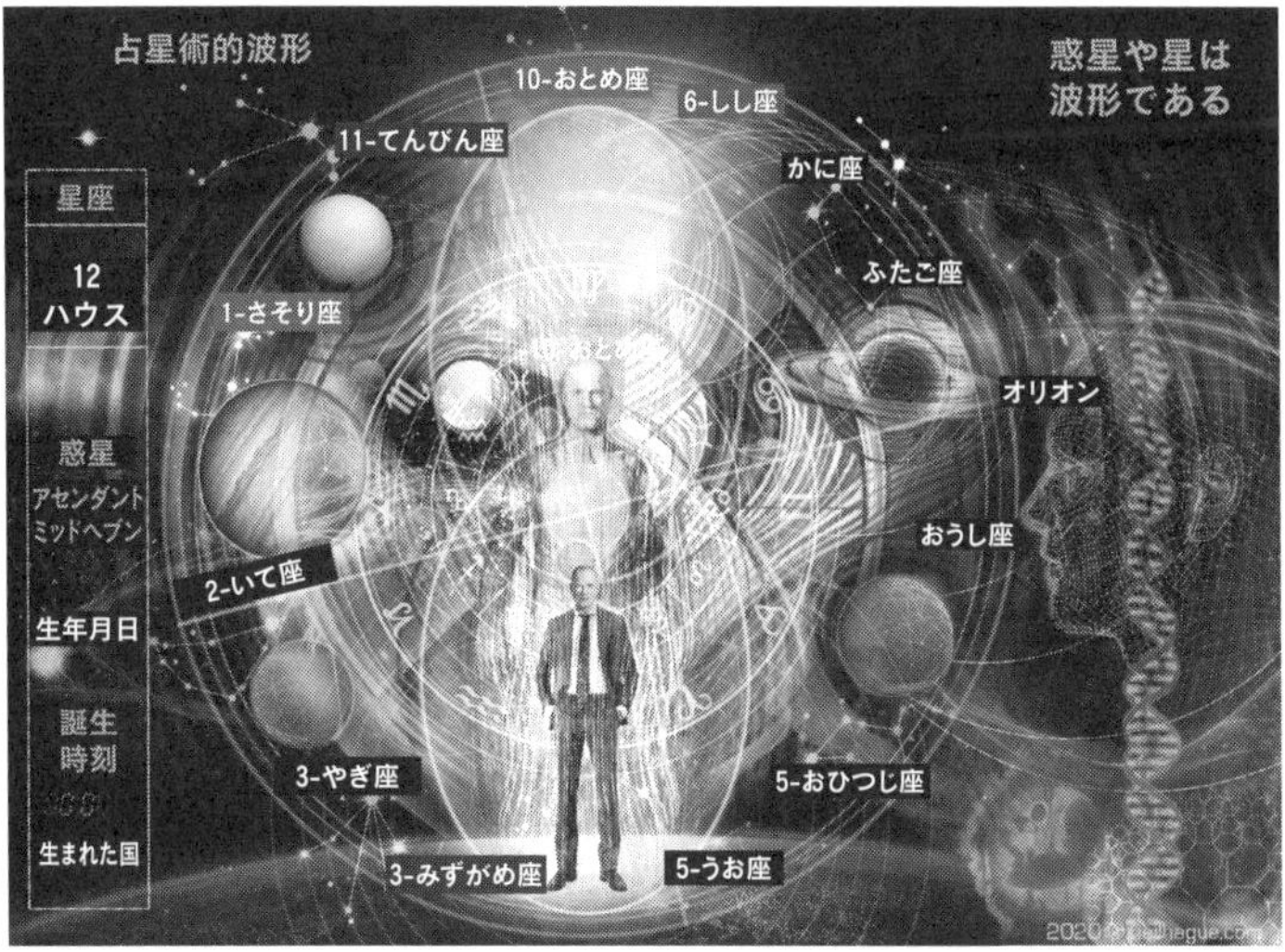

図103：占星術は、天体の波動周波数と人間、動物その他すべての生命体の波動周波数との波動のからみあいを基盤としている。第４巻にカラーグラビア（「ニール・ヘイグ」ギャラリー）を掲載。

図104：私たちの固有の波動パターンは、誕生時／受胎時の惑星の波動場に影響され、生涯にわたって惑星や星の波動場と相互作用する。これが占星術の基礎だ。繰りかえすが、「天国《heavens》」は私たちのなかにある。［訳注：heavenには「天国」の他に「天（空）」の意もある］（ニール・ヘイグ画）

「肉体」に引きよせられる。この波動場の動きによって、輪廻《りんね》転生《てんしょう》において、ある「魂」が「次」の乗り物を決定するという現象がおこる。輪廻では時が流れてゆくようにみえるがそれは錯覚で、すべては同じ今おこっている。「繰りかえし」のように感じられる輪廻転生の知覚については、知るべきことがまだまだある。

太陽は、人間に対して（占星術的に）もちろん重要な影響をあたえている。太陽はみずからが発するフォトン《光》（情報）を、私たちに**波動**として浴びせる。フォトン（太陽光）は、皮膚のコレステロールによってビタミンDに変換（解読）される。コレステロールには、他にも多くの重要なはたらきがある。脳には体内のコレステロールの20％が存在し、細胞情報伝達をおこなう細胞膜を構成する不可欠な成分となっている。近年急増しているアルツハイマー病や認知症は、脳細胞の信号の伝達がうまくゆかなくなった状態である。カルトがコレステロールを悪者に仕立て、食習慣を変えて摂取を減らし、スタチン［訳注：高コレステロール治療薬］を飲んで低下させるよう圧力をかけていることにお気づきだろうか？　これもまた偶然なのか？　ありえない。

太陽についてもうひとつ、他のすべてと関係することがある。私たちには、太陽が空にある丸い光として見えている。太陽の影響は、波動やフォトンのかたちで太陽系全体に伝達される。太陽は私たちの目に映る火の玉であると同時に、波動であり、フォトンでもある。惑星から人間まで、すべてのものには周波数場がある。目に見えるものから、見ることのできない「オーラ」の波動場までさまざまだ。マインドがより強力になり、認識が拡大するほど、オーラの範囲と影響力は大きくなる。

ちょうど同じことを考えていた

「超常現象」のテレパシーや超自然現象は、波動接続《ロックオン》で説明できる。「距離」はホログラフィックに解読された現実の錯覚なのだから、考慮にいれなくてよい。あなたが夜空を見上げたとき「見えた」もの、「見た」と思うそのかたちは、あなたの「頭」、つまりボディーマインドの解読システムのなかにしか存在しない。数十億光年、数兆キロメートルも離れたところにある星が、頭のなかに「見える」とき、いったいなにがおこっているのだろう⁇

臨死体験者は、肉体を超越した現実についてこう語る。「時間というものがなく、一連のできごともなく、**距離**や時間、場所など一切の制限がありません。どこでも望んだ場所に、同時に存在することができるのです」

私たちは**波動**であり、どこでも望んだ場所に存在することができる。何カ所でも、選んだ場所でボディーマインドに固定された波動を解放できる。私たちの意識の波動が人間としての体験をしているあいだにも、同時に他のレベルに存在する同じ意識の別の部分が、すでに活発に活動をしている。これでもまだ死が怖いだろうか？　まだ、自分は「取るに足らない」レジ打ちのエセルだとか、コールセンター勤務のビルでしかないと思っている⁇

私たちの波動は他の波動とつながって、そのからみあいによって地球の裏側や、別の次元の存在と情報交換することができる。これがテレパシーや直観、予感、読心術といわれるものだ。数々の実験により、こうしたものが実在すると証明されており、諜報《ちょうほう》機関や軍の秘密工作にも広く使われている。

同じ波動接続が草木や自然界でも互いのコミュニケーションに使われており、私たちも自然物と意思疎通できる。そう、植物と会話できるのだ。植物は人間の言葉はわからないが、声帯から発する音波の振動や、私たちがつねに発している波動を感じることができる。愛、危険、友人、敵を**感じとる**ことができるのだ。

親しい関係にある人同士は、互いの波動場により同調するのでテレパシーも伝わりやすい。ひとりがなにか言うと、もうひとりが「ちょうど同じことを考えていた」と応《こた》えるだろう。誰かのことを考えていたらその相手から電話がかかってきた、など、この手の話は尽きない。この人を好きになるだろう、という予感が当たったということもある。

「原始的な」古代人はこのことを知っていた。「うわさ」という言葉の語源は、部族民が「遠く離れた場所」でおこっていることを知覚するようになり、狩りに出ているあいだ、村に残る家族や友人とテレパシーでコミュニケーションができたことからきている。誰にでもこの能力はある。**できるはずなのだ。**だが、ほとんどの人は知覚プログラムにブロックされてしまう。生まれもった能力を取りもどさなければならない。

霊的《サイキック》コミュニケーションはテレパシーのかたちが変わったもので、霊能力者《サイキック》や霊媒がすでにこの世を去った、あるいはまだ存命の「人」の波動場に同調する（からみあう）。テレビで「心霊探偵」が迷宮入りの事件を解決する番組を見たことがあるだろうか？　彼らは、犯人や、殺されたり行方不明になったりしている被害者の波動に同調し、その情報からなにがおこったかを読み解く。犯行現場におもむくこともある。おこったことが、波動の状態でその場所のエネルギー場に残っているからだ。

波動場の記録については、ＣＤやＤＶＤのようなものと考えるとわかりやすい。おこったことに関して動いた感情が強いほど、記録もはっきりしたものになる。「心霊」スポットの正体は、お化けではなく、波動場に記録された事象であることが多い。歴史的大虐殺があった場所で、「戦いの音」が聞こえるなどといったものだ。

霊能力者は「過去」や「未来」をリーディングするのではない。過去も未来も存在しないのだから。彼らは現在の波形をリーディングしている。回路が開いた《オープンな》霊能力者や霊媒は、拡大状態にある意識とつながり、現実や人類のありさまについて、驚異的な洞察を得ることもできる（図１０５）。

私は、アヤワスカを摂取したときにこれを体験した。その後はほぼ毎日、普通にその感覚をもちつづけている。言葉を聞きとるというよりは、直観的に「わかる」という感じだ。これらの情報源からの波動場情報は、脳によって人間が話しているように解読され、「頭のなかの声」のように聞こえることもある。このような体験を話せば、たいがい狂人《クレージー》扱いされる。だが、友人や同僚が話し

図105：霊能力者や霊媒は、人間の五感の周波数帯を超えた現実と接続している。（ニール・ヘイグ画）

かけてきたときはどのように聞こえているだろうか？　頭のなかで聞こえているではないか！　脳の情報処理過程は同じで、情報源が違っているだけだ。

霊媒は、肉体をもたない存在《霊》に自分の身体を一時的な乗り物として使わせ、話をさせることができる。霊は強く波動をからみあわせ、霊媒の脳に直接話しかける。コミュニケーションは、言葉に変換される。霊と強くつながって、霊媒の声や顔つきまでも変わってしまったのを私は見たことがある。こうしたシェイプシフティング《変身》が不可能だと信じている人には、ぜひ見てもらいたい。これは一時的な憑依の一種である。霊媒がみずからの意思でおこなっているということが、強制的な憑依との違いである。

霊能力者や霊媒に依頼したいと思っているなら、経歴や実績、過去のクライアントを調べること。霊能力者を自称する者すべてが本物ではないし、霊が霊能力者や霊媒を通じて話すからといって、彼らが心からあなたにとっての最善を願っているとは限らないことをお忘れなく。死んでも、無知や知覚操作は治らない。私は、こうした状況をよく見極めている。さもないと、騙されることになる。

わぁ、なんて偶然だ！

シンクロニシティ《共時性》は、「すごい偶然」をおこす波動現象であり、統計的な確率と比較しても意味がない。「わぁ、ここで会うとは思わなかった。どうしてここに?」じつは、その場所、そして互いと波動がからみあっていれば、不思議なことではない。これがシンクロニシティのしくみであり、人びとはこれを「運命」とよぶ。予定された人生経験の一コマとして会うために、波動場が事前にコード化されているという意味で、**「運命」**であることもある。

波動場はふたりの人間のものであることもあれば、ひとりの人間、ある状況、情報、または場所のこともある。他の「運命」は、関係者の同期やマインドの波動（知覚）によって生まれた波動のからみあいによって、単純に「意図しておこされた」ものである。

シンクロニシティは、私の人生に重要な役割を果たしてきた。私が過去30年にわたって蓄積した膨大な情報には、繰りかえしおこったシンクロニシティのみちびきがなければ出会えなかった。多くの人が、書店でなにか熟読していたときに、私の本が書棚から転がり落ちてきたと言っている。「気味が悪い」ともいえるし、ただの偶然というには多すぎる。熟読している人も本も、波動場である。もしその人の潜在意識が、顕在意識に情報を届けたいと望んだなら、電磁波接続を形成して「ちょっと、これを見て」と、本を棚から引っぱり出す。

また、探している人の意図を反映する波動場が、共生周波数接続を通じて助けとなる情報とからみあうかもしれない。「探せよ、さらば見つからん」である。「探し」はじめた人はよく、「探している」ものにかかわる人や情報が、向こうから「偶然に」やってくる、という体験をする。私も30年来そのような経験をしてきた。他には、ずらっと並んだ本を眺めていると、ある一冊に興味を惹《ひ》かれるということもある。なにが書いてあるのかわかっていないのにだ。

シンクロニシティ、偶然、「超常現象」などがおこるときには、潜在意識はつねに顕在意識とやりとりしている。そのサインやシンボルは、訓練すれば言葉のようにはっきりと読みとることができるようになる。私はこれを、人生の言語とよんでいる。おこる全てのことはメッセージである。人生の言語がなにを伝えようとしているのかを、見きわめ、理解することがコツだ。

ボディーマインドの呪縛《じゅばく》を離れて意識を拡大する過程において、人は人生に壮大なシンクロニシティが存在していることに気づく。拡大意識は強い波動コミュニケーションと、より高く広い周波数を生みだす。これによって私たちは人、場所、状況、情報、洞察など、これまでよりずっと広大な範囲の波動場とからみあえるようになる。

波動の引きよせがうまく働くと、「信じられない、なんて偶然だ」という体験になる。認識の拡大にともなって周波数が速くなると、情報処理のスピードとスケールも増大する。これまで理解しようとすると頭が痛くなっていたようなことが、突然クリアでシンプルにみえてくる。処理速度が上がれば「時間」の知覚にも影響する。時間とは、情報処理のスピードのことなのだ。

私個人のこと

私自身の意識のめざめは、１９９０年の春、新聞販売店にいるときに本格的にはじまり、バラバラだったものすべてが、意味のある方向性をもってひとつになった。私はドアの近くに立っていて、突然空気が変わったのを感じた。今思えば、あれは電磁波動エネルギー場だったのだ。足はまるで磁石（電磁波動エネルギー）で地面に引きつけられたようで、頭のなかに強い意図（波動のからみあいによる伝達）が伝わってくるのが「聞こえた」。

「向こうにいって、そこにある本を見なさい」私はとまどいながら店を横切って、ある書棚のところへいったところ、すぐに『スピリチュアル・ヒーリング：宇宙に満ちる愛のエネルギー』（ベティ・シャイン著、日本教文社）という本にロックオン（波動接続）された。裏表紙を見ると、霊能者ベティ・シャインの略歴があった。この出会いに「シンクロして」、そのころ私は誰もいない部屋で身の回りになにかの気配（意識の波動場）を感じるなどの体験をしており、どんどん気配は強くはっきりしてきていた。新聞販売店での体験の直前に気配はピークを迎え、なにがおこっているのか「見て」もらえないか、ベティ・シャインに会うよう促してきた。

私はベティに、「手かざし」ヒーリング（波動エネルギーの交換）をしてもらったら関節炎が良くなるかもしれないと思った、とだけ伝えた。最初2回の訪問ではとくになにもおこらなかったが、3回目、彼女が私の左ひざ近くに「手かざし」をしているとき、顔にクモの巣のような感触を感じた（電磁波動エネルギー）。

そのとき、私は彼女の本で、「霊」がなにかを伝えたいとき、このような感覚を感じることがあると読んだことを思いだした。他の次元の現実が、私たちに電磁的なからみあいで接続してきたのだ。私はなにも言わなかったが、ものの数秒でベティは頭をのけぞらせてこう言った。「まあ、すごく強力だわ。目を閉じなくちゃ」彼女は、彼女の頭のなかの存在（もうひとつの現実からの波動投影）が、彼女を通じて私に情報を伝えてきていると言った。

１９９０年当時、私はＢＢＣのスポーツキャスターであり、緑の党［訳注：英国の環境政党］のスポークスマンでもあったが、これからは世界へ出てゆき「大いなる秘密を明かす」だろうと言われた。その「声」は言った。「ひとりの人間に世界は変えられないが、世界を変えるメッセージを伝えることはできる」

この日と翌週に降りてきたメッセージは、他の本に書いたとおり、すべて現実になった。その朝ベティの家を後にしたときから、私の人生はシンクロニシティや「偶然」の連続である。今思えばその前からおこっていたのだが、気づいていなかった。今では自覚がある。以来、シンクロする「偶然」によって、私は今日まで続く驚くべき発見の旅へといざなわれた。この本は、その最新版である。

人生設計

人生は私たちが教わってきたような、「単独の」ものではないし、人間は「ひとり」ではない。創造は生命に満ちている。創造**は**生命のあらわれだ。可視光の近視眼的な視覚の限界を超えた意識は、短い人間体験をしている他の意識をみちびく（あるいは操作する）。五感だけの現実に囚《とら》われてしまえば、高周波の慈愛との接続は、低周波の悪意のなかに消えてしまうかもしれない。

これが、カルトと他次元にいるその親方の目指すところである。人生は偶然ではない。選択が結果となり、それがまた新しい選択となる。操作された知覚が邪魔をすることもあるが、私たちは特定の体験をすることをみずから選んでいる。これが、私たちが両親や場所、状況を選んで生まれてくる理由である。計画した方向性をより明確にするため、特定のホロスコープを選んで生まれてくることもある。特定のできごとを引きおこすよう、波動場に情報がコード化されることもある。

私自身の人生を振りかえっても、あきらかにそのような状況があった。15歳のときに突然関節炎を発症し、21歳でサッカー選手を引退せざるをえなくなったことが私をジャーナリストの道へとみちびき、今日にいたる。関節炎がなければ、同じ人生を歩んではいなかっただろう。逆境を克服するため、若くしてそれほど多くの決断をすることもなかっただろう。後にはこの経験が役に立ったのだが。

1990年代に寄ってたかって嘲《あざけ》られた経験から、私は他人にどう思われるか気に病むことをやめた。そして数年後には、世間に嘲笑《あざわら》われたり、ばかにされたりするようなぶっ飛んだことでも、自由に話したり書いたりできるようになった。嘲笑のさなかにあったときには、深遠なる情報がそばにあるとは気づいていなかった。だが、別のレベルにいる私は気づいていて、ずっと別の現実からみちびいてくれていたのだ。他人の言葉におびやかされる極限体験を経た自由は、その後に続くできごとの準備段階だった。

人生とは、ひとつひとつバラバラな体験ではない。五感の知覚による選択であろうと、生まれる前からの予定であろうと、すべてつながった長いひと続きの経験なのだ。生まれる前から予定してきたことは、「運命」と感じられることもある。経験したり、達成したりするために設定するものが運命であるとすれば、それはある意味そうなのだろう。おこることはすべて**ひとつの体験にすぎず**、続いてまた別のことがおこる。

生まれる前の計画で、マインドが肉体とのからみあいを解消するときをコード化することで、いつ「死ぬ」かを予定することもある。珍しい心臓疾患で「若くして」死ぬ人は、生まれたときからカウントダウンがはじまっている。波動場にそうコード化されているからだ。人間の感覚からすると理解しがたいのは無理もない。ボディーマインドの五感に囚われた知覚から解放されれば、人生はまったく違ってみえてくる。いのちは無限であり、死は錯覚にすぎず、人間の一生はほんの一時的な体験でしかないのだ。

超常は完全に正常である(「正常」は正常ではない)

現実の波動の本質は、典型的な超常現象の「謎」のすべてを解き明かす。思考で時計を止めるには、どうすればいいのだろうか? 時計に焦点を合わせた思考/意思の波動が、時計の波動場とからみあい、その機能に影響をおよぼすのだ。

なぜあなたは「未来」を見きわめるタロット占いで、「B」ではなく「A」のカードを取るのだろうか？ 第一に、それはあなたの未来ではない。可能性と確率の並びにすぎない。腕のある占い師は、選ばれたカードとその順番から、結果を読み解く。そうだとしても、やっぱりありえなくないか？ いや、そんなことはない。

すべては波動場レベルでおこっている。タロットカードは、特定の精神状態や感情、可能性／確率（周波数）をあらわす波動場である。あなたの波動場は、あなたの場にある思考や感情、可能性／確率の周波数をあらわすカードと同期する。手とカードのあいだに電磁周波数接続が形成され、テーブルに置かれたシンボルカードの並びがあなたの場でおこっていることを表現する（図106）。ルーンストーン［訳注：占いに使う、ルーン文字の刻まれた天然石］は、さまざまな知覚状態や可能性を象徴し、他の占いと同様のしくみであなたのことを言いあてる。私はシャーマンにルーン占いをしてもらったことがある。アフリカのもので、骨がさまざまなシンボルのかたちに削ってあった。まず手をストーンの入ったバスケットの上に置き、波動場をストーンと同期して、からみあわせる。

手は強力なエネルギー交換センターである。それからルーンストーン、あるいはボーン《骨》を床に投げ、落ちた場所やストーン同士の関係をシャーマンが読み解く。閉じたマインドには意味不明にみえるが、ストーンがどこに落ちるか、他のストーンとどんな関係にあるかは、投げる前から、手を

図106：タロットカードとルーンストーンは、関係する人の電磁場を反映する電磁場である。あなたの場でおこっていることは、かならずとはいえないが、ホログラフィックな経験としてあらわれる可能性が高い。(ニール・ヘイグ画)

置いた人との電磁場接続で決まっている。ストーンはその電磁場を床の上に反映し、能力のある人ならそれを解読することができる（腕のいい解読者であることが不可欠だ）。

数霊術は、人びとを数字によって読み解くものだ。波動場がどのように**デジタル**ホログラムに解読されるかについては、すでに述べた。ホログラムは、波動場情報のデジタルバージョンである。数霊術者や霊能者は、同じ情報を別の形態で読み解いている。私は調査の一環として、数霊術者と霊能者に同時にリーディングをしてもらったことがある。結果として受けとった情報は、まったく同じテーマにもとづいていた。

波動場によって引きおこされるシンクロニシティは、繰りかえしあらわれる数字のかたちをとってみられることがある。私の人生には、8がよく登場する。8は子どものころから好きな数字だ。8番の場所に20年間暮らしていたが、8が私を「見つけた」のであって、逆ではない。

数は周波数のデジタルバージョンであり、繰りかえす数は繰りかえす周波数である。言語は、波動周波数と数の両方があらわれたものである。ヘブライ語は、非常に数の要素が強い言語だ。特定の数の値で形成された単語があり、それが特定の周波数をあらわしている。言語そのものやその使い方は、知覚プログラミングの最前線で活用されている。

超常現象の多くは、電気系統を通じて発生する。電灯が暗くなったり、ついたり消えたりする、音楽プレイヤーが再生をはじめたり止まったりする、などだ。波動場は、私たちの現実においては電気／電磁的である。気味の悪い思いをしたときに後ろ髪が逆立つような感じがするのは、見えない波動場の存在、あるいは「お化け」が近くにいるからだ。
興奮した群衆が巨大な集団的波動場エネルギーを生みだすのも、同じ理由からである。スポーツスタジアムの「空気」（「熱狂的な雰囲気《electric atmosphere》」）は、観客が放った電磁波によるもので、それがからみあうことで、集団となって個々のエネルギーよりさらに強力になる。したがって電気回路は、人間や現実世界で電波を放射する存在（「お化け」）の波動から影響を受ける可能性がある。

こうした現象はほとんどの場合、未知のものを怖がる人が邪悪と知覚しているだけだが、ほんとうに悪意をもって操作されている場合もある。カルトは人びとに無知なままでいてもらいたいので、解明されていないおそろしいことがいっぱいだ。宗教は、未知のものを「オカルト」としておそれるよう、信者たちを操作してきた。「オカルト」という言葉は、「隠された」という意味でしかないのだが。そのような隠された知識は、良くも悪くも使うことができる。人はおそろしいものを避けようとするが、ならば知ることで、おそれから解放されるだろう。

私の兄のポールは、母が亡くなってから数日のあいだ、説明のつかない電気系の異常や数字の繰りかえし、数々の「偶然」を経験した。これは、愛する人がなにかを伝えようとしているのである。
「ねえ、大丈夫よ。『死』なんてないのよ」

ブラジルでのアヤワスカ体験の最初の夜、私は熱帯雨林にある大きな円形の小屋にいて、漆黒の闇のなか、マットレスに横たわっていた。アヤワスカを摂取した人の様子をみるファシリテーター［訳注：お世話係］以外は、私ひとりだった。じつは彼は熱帯雨林でしこたま大麻を吸って、かなり酒に酔ってもいたのではないか、と私は思っている。

ファシリテーターは、CDで音楽をかけていた。アヤワスカが効きはじめて、私はとてつもなく強いエネルギーが胸の真ん中（ハートチャクラ）から額（第三の目のチャクラ）へと弧を描いて注がれるのを感じた。手で胸と額をぎゅっとつかまれたような感じだった。音楽が止まり、またはじまった。停電して、また復活したような感じだった。それから一本の蛍光灯が明るくなり、二本、三本と続いた。私は、なぜ彼は音楽や電灯をいじるのだろう、と思った。

見ると、彼は私のそばに座っていた。音楽プレイヤーや電灯のスイッチには手が届かない場所だ。たとえ彼が明かりをつけたとしても、蛍光灯はひとつ、ふたつ、三つとバラバラには作動せず、小屋じゅう全部の明かりがいっぺんについたはずだ。私がとても強く感じた電磁エネルギーは、電気回路に影響し、それが超常現象のようなことを引きおこしたのである。

ポルターガイストとよばれる、おそろしい現象もある。「物」が動いたり、部屋のなかを飛び回ったりするのだ。この現象も、私が述べた視点からなら説明が可能だ。「物体」は、物理的なものではない。波動場が解読されて、ホログラフィックに投影されたものだ。他の場は、その波動場にからみあって「動かす」ことができる。「異世界」の人間ではない存在によっておこされることもあるが、物体を動かすにはかなりのエネルギーを必要とする。そんなばかな、と思われるかもしれないが、人間が**意図せず**引きおこすこともある。

ポルターガイスト現象には心に深い傷を負った思春期の少女がかかわっていることが多い、とする文献を、私はいくつも読んだ。彼女たちは、波動場レベルで混沌《こんとん》としてバランスのくずれた強力な感情周波数を発している。これが室内の他の場とからみあい、「ポルターガイスト」とよばれる大混乱がおこることがある。

「怪奇現象」がおこると、人びとはその場が急にとても寒くなったと言うが、それは「お化け」（別の現実の意識）が現実と交信するためのエネルギーを集めるため、その場のエネルギーを熱のかたちで吸いとっているのである。背筋が寒くなるというのは、なんらかの存在の電磁場が中枢神経に影響しているのだ。

これまでの生涯にわたって、カルトが支配するあらゆる主流情報源から信じこまされてきた偽りの現実を**一掃することができれば**、ありえないと思えるできごとは、このように簡単に説明できる。

では、政治、行政、企業、科学、医学、学界、メディア、その他すべてのグローバル機関は、解読されたもの以外、実際には**存在しない**世界にもとづいて、人間社会の方向性に影響をあたえる決定を毎日おこなっているという事実について考えてみよう。いったいどうなってしまっているのか？　彼らが厄介なことを引きおこすのも不思議はない。すべてがつながっている世界が、つながりなどひとつもないと知覚されてしまっている。夢はそれをみる者であり、夢みる者は夢である［訳注：荘子《そうし》『胡蝶《こちょう》の夢』参照］。それを忘れたとき、私たちは悪夢を生んでしまう。

第4章
愛とは何か？

もう一度愛を信じる勇気をもちなさい。いつでも、もう一度

――マヤ・アンジェロウ

この本は、単純に「愛が答えである」という本ではない。確かに愛は答えであり、すべてはそこからはじまる。けれども私は、現実と意識がどのように影響しあうかという文脈から、なぜ愛が答えなのかを説明したい。

この**答え**から、**他のすべての答え**が生まれる。人類が直面している、人類自身がもたらしたさまざまな課題への答えである。そうした課題は**すべて**、他者にみずからの知覚や自己認識の決定を委《ゆだ》ねてきたことによって自分自身にふりかかってきたものだ。**答え**という言葉は、人間バージョンの「愛」を意味するものではない。人間の愛は、たいてい互いに惹《ひ》かれあう力のうえに成りたっている。

何年も前、米国のマインドコントロールの専門家と話したが、彼は、道ですれ違っただけのふたりを、脳内の化学物質（波動周波数）を刺激するだけで、深く「愛し」（惹かれ）あうようにできると言った。深い感覚に達した愛は、そんなものではない。「あっ、彼女すてきだな、彼すてきだな」と惹かれる「愛」は、はかなく一時的なものだ。他の「愛」も存在していればその限りではないが、魅力に惹かれた「愛」の命が短いことは、ご承知のとおりだ。ほとばしる恋情のまま、教会で生涯添い遂げると誓いを立てても、数週間や数年もたてば、熱情はどこかへ消え去ってしまう。深い愛でつながりを維持することができなければ、愛は憎しみへと変わってしまうことが多い。牧師のあとについて唱えた、心からの愛の言葉はどうなってしまったのだろう？　そうした言葉は幻想にすぎず、**本物の**愛にもとづくものではない。

「**～している**君が好き」とか、「**～だから**君を愛している」といった言葉に、惹かれあう愛の本質がよくあらわれている。無限の感覚にもとづく本物の愛ならば、「**～しているから**」「**～だから**」そのときだけ愛している、ということはない。本物の愛は、無条件で無限だ。同じベッドで眠ることは愛のひとつのかたちでしかなく、いちばん大切なことからはほど遠い。愛は自由にあたえられるものであって、要求されるものではない。自由でなければ愛とはいえないからだ。「あなたに私を愛してほしい」とか「私はあなたを愛そうとしている」だなんて、無理な話だ。

「肉体的な」魅力によって、マインドが化学物質を生成する化学的な「愛」も、親密な関係による無限の愛の発現になりうる。しかし忘れてならないのは、「肉体的な」関係は愛の表現のひとつでしかないということだ。

人間関係のなかで、もっとも強く愛を感じるのは友情だ。「肉体的に」惹かれあったカップルが深い友情で結ばれれば、生涯つれ添うことができる。「肉体的に」惹かれあった「愛」はいつか消えるが、無限の友愛は不滅だ。「友人とは、他のみなが去ってゆくときにやってきてくれる者だ」という言葉［訳注：米コラムニスト、ウォルター・ウィンチェルの言葉］から、その深い意を汲《く》むことができる。友人はあなたのしたことを認めないかもしれないし、あきれるかもしれないが、それでもそばに寄り添って「なにか手伝おうか？」と言ってくれる。友情は心でつながるが、惹かれあう化学的な「愛」は下半身でつながる。ほんとうの愛はその両方を兼ねることができるし、それが最高だ。もし後者だけなら、終わりへのカウントダウンははじまっている。

偽りの愛との違いを明確にするには、無限の愛、(〜だから、という条件なしの) 無条件の愛といった言葉を使って説明する必要がある。「〜のとき」、「〜だから」愛するのだとしたら、愛しているとはいえない。それは愛ではなく、原因と結果との契約だ。これをするなら、見返りにそれを得られる。ここにサインを。

無限の愛は、原因で**あり**結果**でもある**。「〜のとき」とか「〜だから」ではない。素晴らしく愛情深い人でも、感じが悪いときもあるだろう。ほんとうの愛であれば、嫌な態度に腹を立てても、愛はなくならない。つねに不快を感じているのに、関係を続けるべきだと言っているわけではない。他の人にも自分自身にも愛がないので、不快な態度をとっているということに気づくべきなのだ。

悪とは、悪をおこなう者自身、そして彼らが影響をあたえる人びとに対する愛の欠如だ。私は人間社会を管理するサイコパスの告発に30年を費やしてきたが、彼らに憎しみは感じない。憎んでどうなる？ 憎しみは、サイコパスではなく私に影響し、現実の知覚や波動場状態をゆがめてしまう。あなたが憎むものがあなたになり、あなたが戦うものがあなたになる。「抵抗」とよばれる憎しみが、世界にはあふれている。憎しみは、憎む相手と波動のからみあいを形成する。戦いもまたしかりである。私がカルトを憎めば、巨大な怒り、つまりカルトと波動接続することになる。あなたは、この波動場(情報)の相互作用とからみあいによって、あなたが愛なく敵対するものになる。「アンチ・ファシスト」がみな、ファシストのように振る舞うのがいい例だ。同意できない相手を憎んでもなにも変わらないし、憎しみが自分に返ってくるばかりだ。

アンチ・ヘイト　アンチ・ラブ

絶えまなく生まれつづける、おなじみの「アンチ・ヘイト」運動に、愛の終わり（報道されないものも他にたくさんあるが）をみることができる。活動家たちは「愛のプロ」集団ではなく「アンチ・ヘイト」集団であり、「アンチ・ヘイト」は愛ではないということをお忘れなく。「アンチ・ヘイト」派は、「ヘイト」と知覚したものを攻撃する。顔には憎《ヘイト》しみの表情を浮かべ、内には暴力衝動を抱えている。多くの超シオニストグループなどの「アンチ・ヘイト」派は、ターゲットを金銭的、法的に陥れるように企てたり、言論の自由を奪ったりする。彼らは、閉じた心《ハート》から憎しみをだだ漏れにしながら、綺麗《きれい》な言葉でヘイト反対の偽善をうたいあげる。そんな集団のどこに愛がある？　「アンチ・ヘイト」は愛ではない。憎しみを別の言葉で言い換えただけだ。

人間に対する邪悪なアジェンダ《実現目標》をもったカルトが、こうした「アンチ・ヘイト」のヘイト集団にひそかに資金提供したり指揮したりしているという事実は、偶然ではない。膨大な人びとにほんの一握りの意志を押しつけるには、分断し、統治し、互いを奴隷とするよう操作する必要がある。カルトは、派閥や集団、信念体系をつくりだし、支配権をめぐって暴力的に対立させ、争わせることでそれを実現させている。

「アイデンティティ・ポリティクス」［訳注：ジェンダー、人種、民族、性的志向、障がいなど、あるアイデンティティをもつ集団の利益のためおこなう政治活動」は、人類史上において宗教が果たしてきた役割の最新バージョンである。アイデンティティ・ポリティクスと関連する気候変動カルトとは、支配者たちが求める「インターセクショナリティ《交差性》」による**ひとつの**現代宗教ではないか？

この言葉は、次のように定義されている。「複数の形態の差別（人種、性別、階級など）の影響が、複雑で累積的に組みあわされたり、重なりあったり、交差したりすること。社会的に無視されている個人や集団［訳注：有色人種、移民、トランスジェンダーなど］ではより強くなる」。操作者の視点からすると、さまざまなアイデンティティの集団を互いの違いによって対立させるが、同時に社会をひっくり返すという共通のゴール（操作者のゴール）を設けて団結させ、操作者が長年計画してきた集中管理と独裁を押しつける、ということである。

目くらましの情報を排除してみれば、そのような社会が日々あらわれてきているのが見えるだろう。気候変動カルトがぶち上げた人為的な地球温暖化という作り話や、なにより「コロナパンデミック」詐欺（これについては第1巻で取りあげている）が顕著な例である。望んだ結果を確実なものにするには、分断と対立をつくりだす必要があり、そのためには愛があってはならない。

言い換えると、カルトの操作者のサイコパス（精神病質）的な考え方を、ターゲットとなる人びとに植えつけなければならない。そうすれば、カルトの会話から愛が吸いとられたように、人間の会話からも愛が吸いとられる。**操作者**の考え方をターゲットに植えつければ、彼らは操作者の分身となるのだ。人間社会を悩ませる対立と不正は、愛とその重要な要素である共感のような、人間の相互作用における安全装置の欠如のうえに成りたっている。

共感とは「他人の感情や経験を、その立場になったと想像することによって共有する能力」である。これを実行し、あなたの行動によって相手がどう感じるかを感じとったなら、行動が変わってくるだろう。共感することができなければ、どんなに乱暴なことでも、感情を動かされることなく成し遂げられる。

他人の感情をすべて感じとる必要はない。そんなことをすれば疲れてしまうし、相手のエネルギー状態を反射することになる。互いにほんのすこしの共感をもつことで行動が変わってくるし、苦しんでいる人に手を差しのべることもできる。共感や思いやりといった愛の重要な要素をもたないので、カルトは感情に左右されずに人間に対してみずからのアジェンダを推し進めるのだ。

カルトとは**「愛の欠如」**であるといえるだろう。私はずっとカルトのメンバーはサイコパスであると言いつづけてきた。カルト組織の特徴は**「共感の欠如」**、つまり愛の欠如であるのだから、その指摘は非常に的を射ているといえる。

愛なき「カネ」

カルトがつくったグローバルな銀行制度も、ご推察に違わず、作り手の考え方を反映したサイコパス的なものである。愛の欠如を具現化したものであり、愛があれば、現在のかたちで存在することなどできないだろう。銀行は組織犯罪ネットワークである。「クレジット《与信枠》」とよばれる、存在しない（理論上の）「カネ」を人びとに貸しつけ、利子を取るというのがそのしくみだ。

「クレジット」とは、架空の「カネ」、または部分準備貸付とよばれるしくみによって銀行がつくりだす画面上の数字だ。簡単にいうと、銀行は「クレジット」とよばれる手品を使って、実際には手元にない「カネ」を貸すことができ、そうして借金と犯罪のどつぼへとカモを引きこんで支配する。流通している貨幣の大部分は、民間銀行が「クレジット」という偽の「カネ」を発行しだしたことから生まれた。

カルトがつくりだし、支配している銀行システムは、「クレジット」のローンの数によって、どれだけの「カネ」を流通させるかを決定する力をもっている。次に銀行システムは、好景気や経済破綻《はたん》を引きおこす。信用枠を引き下げて流通している「カネ」を減らすと、多くの人がローンを返済できなくなる。債務者が懸命に働いたとしても、流通している「カネ」が（理論上でも、そうでないとしても）足りないのでどうにもならない。

２００８年以降の経済破綻が「**貸し渋り**」とよばれたことを思いだしてほしい。銀行や金融システムのせいで人びとがデフォルト《債務不履行》すると、**そのシステム**が「クレジット」ローンの担保を差し押さえることができる。このようにして有形資産が実在しない「カネ」と引き換えられ、積み上げられてゆく。

政党は、人間支配／奴隷化の基盤である、この途方もない詐欺を摘発することはない。なぜ無利子で**自国**通貨を発行したり、それを国民に無利子で貸しつけたりすると公約する政治家がいないのだろうか？　答えは簡単、金融、政治に触手を張りめぐらせたカルトがそれを望まないからだ。それに私の経験からいって、ほとんどの政治家はどのみち銀行システムを理解していない。このことについては他の本で詳しく明かしている。

冷酷に計算された銀行システムは、人びとを騙《だま》して返済不能な借金を負わせている。こうして銀行家は、債務者の家や会社、土地といった財産を、コンピューター上のファイルとしてしか**存在しない**「ローン」――「クレジット」と引き換えに巻きあげる。コロナ「パンデミック」詐欺によって、カルトが愚かな政府を使って引きおこした世界的金融危機のさなか、銀行／金融システムは、かつてないほど大量のハイエナやハゲタカを送りこんで人びとのはらわたまで引きずりだし、家や会社などの資産を返済不能な「クレジット」ローンのカタに取りあげる機会を得た。これは計算ずくのことで、偶然ではない。

このクレジット詐欺は何世紀にもわたり、ほんの一握りの人間が世界の富を収奪するためにおこなわれてきた。こうして生まれたのが上位「1％」の超富裕層である。「カネ」（なかでも、「クレジット」のかたちで**理論上の**カネを生みだすこと）を支配すれば、選択も支配でき、自由をも支配どころか、なんなら奪うこともできる。自由とは選択する能力であり、今日のカルトがつくりあげた人間の相互作用の構造では、「カネ」（もつ者ともたざる者）が選択の**自由**の有無を決める（図1

図107：現行のやり方で世界のカネを支配すれば、選択肢を制限することで自由を大きく制限できる。（ガレス・アイク画）

07)。2020年のできごとと照らし合わせてみよう。銀行その他、ヘッジファンドや未公開株運用などの金融支配者が選択の制限を強要する。

愛とその欠如にもどろう。愛ある人は、純粋に個人的な利益や権力、万能感のための金融支配システム、ましてやその押しつけなどということを想像できるだろうか? 共感があれば、そのようなことはできないだろう。今も、過去にも、この先も、概念としてしか存在しない「クレジット」のローンを払えない家族を路上に捨てておくことができるだろうか?

銀行家は、自分が購入資金を貸していない物件に暮らす家族にも同じことができるのだろうか? 2008年の金融危機後、銀行と腐敗した裁判制度は、まったく契約関係のない家から人びとを確実に立ち退かせるため、大量の文書を偽造した。愛ある人ならばこのようなことはしないし、できるはずもない。サイコパス《精神病質者》(愛の欠如)ならもちろんできるし、そうすることで性的な興奮を得る。人間支配の重要な柱は、選択や自由を制限する金融システムである。これは愛の欠如のうえに成りたっている。

デザイナーラブ《設計された愛》

私が「パーソナルラブ」、あるいは「デザイナーラブ」[訳注:既存の薬物の分子構造の組み換えや、同様の機序を目的として医薬品設計《ドラッグデザイン》をおこなった向精神薬をデザイナードラッグという」とよぶ「愛」がある。身近な家族や友人などには心から共感するが、その人間関係の輪の外にいる人には感情が動かないことだ。家族やつながりがある人の窮状には感情移入しながら、世界のどこかで爆撃を受けている人には関心がない人を見たことがあるだろう。「家族を愛する」という発想から、遠く離れたよその家族への大量爆撃に喝采《かっさい》したり、なんなら爆撃を要求したりする人びとを私は見てきた。アンチ・ヘイト派が、受けいれられない者を完膚なきまでに破壊しようとする姿もおなじみだ。これらはすべて身内、あるいは同じ考えの者だけを「愛する」という「デザイナーラブ」の例である。これは無限の愛ではない。限定された偽《にせ》の愛である。

宗教がもっともよい例だ。信者のあいだには（偽の）「愛」があり、他の宗教の名のもとに別の「神」を崇拝する人びとに対しては敵意がある。インドとパキスタンでは、誰を（理論上）愛し、**また**誰を憎むべきかを指示する宗教によって、憎しみが激突している。理論上というのは、もし人をその属性によって愛したり、憎んだりするのであれば、誰のこともほんとうに愛しているとはいえないからだ。愛とはなにかを知らずして、ほんとうに愛することなどできるだろうか？

スポーツの世界にも、デザイナーラブや共感をみることができる。あるサッカーチームのサポーターが、よそのチームのサポーターを憎むことがある。「誤った」選手たちが、ゴールネットにボールをいれようとするのをサポートするのは、冒瀆《ぼうとく》だというのだ。私はサッカーを娯楽のひとつとして批判しているのではない。私自身、サッカー選手だったのだから。私が言いたいのは、私たちは人間生活の幻想に囚われすぎて、人の好き嫌いを、どの色のユニフォームを応援するかということで決めてしまっている、ということだ。

私は、イングランド南海岸のふたつのサッカーチームが拠点を置く、ポーツマスとサウサンプトンからほど近いところに住んでいる。両チームの対戦時には、警官が多数動員される。いがみ合うサポーターたちに対応するためだ。なぜ憎み合うのか？　ある者はポーツマスをサポートし、他の者はサウサンプトンをサポートするからだ。そういうわけで、私はどちらのチームもサポートしないが、もし試合を見にゆけば、いずれかのチームカラーのスカーフを巻くだけで、どちらのサポーターが私を愛するか、憎むか決めることができるだろう。なんたる狂気か（図108）。愛の欠如は狂気（極端なバランスのくずれ）を引きおこしがちだ。なぜなら、愛**とは**バランス、すべてにおいてのバランスであるからだ。

バランスがくずれると、人間社会は極端に傾きがちだ。バランスを取りもどすのは、いつも愛である。いかなる対立、暴力、不和（不均衡）の状況でも、愛が満ちればひっくり返ってバランスがとれる。人間の家族の派閥間の終わりのない戦いは、バランスをくずした狂気であり、愛だけが癒《い》やすことができる。

私たちは、同じ無限の意識の流れのなかで注意を向けた点であり、分離の幻想から私たちは戦い、幻想の結果をめぐって争う。私たちは、**いついつまでも**永遠に、探索の旅路にある。今日の「悪」は明日の「善」かもしれない。「結果」などというものはない。今このときの体験だけがある。「結果」をよく考えてみれば、すべて次のステップ（「結果」）への一時的なステップにすぎないとわかるだろう。そして次のステップも、さらに次のステップ（「結果」）へと向かう一時的なものだ。「結果」などない。海の波のように、次々と続く体験があるばかりだ。

「ここではないどこかに到達」しなければならない？　「何者か」にならなければならない？　あなたは**すでに**、すべてである。なにかを体験したいと思うかもしれないが、それは「どこかに到達」するとか、「何者かになる」必要性とは違う感覚だ。あなたはすでにそこに（どこにでも）いて、何者か（あらゆる者）なのだから。人びとは忙しく、「どこかへ到達」し、「何者かになる」ことばかり考えているので、今このときにしか存在しない体験を逃してしまう。私たちの認識は幻影の「過去」（後悔、恨み）に囚われたり、架空の「未来」（何者かに**なる**、どこかへ**たどり着く**）に引きずられたりして、今おこっていることを見逃してしまう。

このカルトのしくんだ体系的な理解の喪失は、拡大意識が私たちに語りかける愛の欠如と切り離すことはできない。すべての人を満たすことはできないというのは事実だし、身近な人に強いつながりを感じるのも自然なことだ。だからといって、輪の外の人に共感できないとか、名前も知らない人の自由や正義、窮状を気にかけられないということにはならない。

「共感疲労」という言葉を耳にしたことがあるだろうか。共感とは愛であり、愛には限りがなく、疲労などするはずもない。私たちは自分の家族を愛し、気にかけるし、はるか遠くにいる、人種も宗教も肌の色も違う人びとのために立ち上がることもできる。マーティン・ルーサー・キングはこう言った。

図108：娯楽——そう、すべては幻想だ。

どこにおける不正であっても、あらゆるところの公正への脅威となる。私たちは逃れられない相互関係のネットワークのなかにあり、運命という一枚の服のなかに押しこまれている。どのようなことにせよ、なにかが直接影響を受ければ、すべてが間接的に影響を受ける。

これは文字どおり、多次元的な現実の真実である。幻想とその根拠となるラベルを取り除けば、残るのは、私たちはみなお互いであるという理解だ。「人間」という短い体験をしている、同じ無限の意識の流れのなかで、注意を向けた点なのだ。

愛の源《みなもと》

私がいう愛とは、共感や思いやり以上のものである。愛とは**すべて**であり、**すべて**というのは楽園から監獄まですべてである。愛とは、まさに存在のしくみである。死のカルトである邪悪なネットワークによって、多くの人がその影響から切り離されてきた。なぜなら**それ自体**が愛の影響から誰より長く、深く、みずからを切り離してきたからだ。

この断絶を理解するには、**ボイド、ワンネス、根源、意識のなかにあるすべて**、どんな言葉を使ってもいいが、そこに立ちもどろう。「神」という言葉を使いたい向きもあるかもしれないが、それでは宗教に汚されてしまって、私にとっては意味をなさない。**ワンネス**を怒り、血に飢えた旧約聖書の「神」と同一視するのは、おぞましい現実誤解だということだ。新約聖書では、「神」は自身の「息子」を罪人の身代わりに十字架にかけた。イスラム過激派では、「神」は「異教徒」の斬《ざん》首《しゅ》を要求した。

宗教的な幻想は、カルトのアジェンダ《実現目標》に大いに貢献した。人間の心の愛の源を、各宗派が主張する神話上の「神」に置き換えたのだ。暴力的で、押しつけがましく、自己中心的——このようなおぞましい「神」を信じる宗派は、次に支配権をめぐって対立し、戦うようしむけられる。こうした争いによって、長きにわたって人間は苦しみ、分断統治されてきた。

私は数十年来、カルトが宗教を成立させた影の勢力であること、またカルトが無神論者の現実の知覚を支配するため「神など存在しない」とする主流「科学」を導入したことを書きつづけてきた。神がいようといまいと、**ワンネス**に触れることはない。**ワンネス**が人間の知覚や行動に影響することを防いで、愛を欠如させることこそが、カルトのアジェンダのキモなのだ。

私自身が、静寂と静穏の「まばゆいばかりの闇《やみ》」を体験したことについてはすでに述べた。これは、「創造」が生まれる**ワンネスのすべての可能性**から来たものだ。創造は周波数と振動の領域で、創造主は静寂と静穏である。すべて存在するものの根幹は、静寂で静穏なすべての認識であり、すべての可能性である。音やかたちはすべてのなかのいくつかの可能性にすぎない。

静寂と静穏は、深い瞑想《めいそう》状態で体験できる。この状態で「智」——**ワンネスの全知**にアクセスすることができる。「沈思黙考」も同様の体験で、心の静けさと落ち着いたマインドを意味する。ヨガや太極拳のような武道によって、精神状態が落ち着くという人もいる。私は、マインドを開き、頭のなかの雑音や、五感に縛られることなく流れにまかせたときの体験を、「白昼夢」とよんでいる。こうした状態になると、静寂と静穏に包まれ、そこから智があらわれてくる。

おかしなことに、辞書で白昼夢の定義をひいてみると、こんな例文が載っていた。「彼は授業中まったく集中しておらず、ずっと白昼夢をみているかのようだった」これは、完全に学生時代の私である。そして今日まで、私の人生はほとんどこんな感じだった。

ワンネスは創造の源であり、観察者であり、体験者である。ワンネスは私やあなたやその他**すべて**のように、自分を表現することで創造を体験する。「シェイクスピア」(だろうと誰だろうと［訳注：シェイクスピアには「別人説」がある］)はこう書いている。

すべてこの世は舞台であり、すべての男女は役者にすぎない。登場しては退場してゆく。人はその時々にいろいろな役を演じる……

これらの「役」の本質は、私たちが「舞台にいる」あいだの**ワンネス**とのつながりの強さによって決まる。「役」は私たちの「ペルソナ」、あるいは役者の仮面である。神を思うとき、人びとは天(雲に腰かけるという象徴)を仰ぎがちだ。これは、見えるものがそこにあるもの、と信じていることをあらわしている。目の前の「空間」にあるものすべてを見ることができるのだから、「彼」が見えないならば、「神」は「高いところ」にいるに違いない、というわけだ。

一方、視野がある周波数帯に限られているとわかっていれば、ボディーマインドは「神」の概念を「高いところ」ではなく「ここ」、私たちの可視領域を越えてはいるが、同じ「空間」を共有している力、と解読しなおすことができる。**ワンネス**は、「高いところ」にあるのではない。**ワンネス**はすべてに浸透している。この観点からすれば、当然「神はすべてに宿る」、そして「愛はすべてに宿る」といえるだろう。そう、愛はすべてに宿っている。なぜなら、**ワンネス**は愛の源であり、すべてに浸透しているからだ。無限の愛、無条件の愛だ。

心《ハート》——ワンネスへの入り口

カルトをも含む、無限にある現実のレベルのなかに、**ワンネス**の愛がある。カルトに加わった者は、ワンネスの愛から影響を受けないように自身を閉ざしているため、あのようなことができるのだ。ボディーマインドの体験をしているあいだ、**ワンネス**とは、開いたハートヴォルテックス《渦》、あるいはハート「チャクラ」を通じてつながる（閉じていれば断絶する）（図109）。

ハートチャクラが7つのチャクラの真ん中にあるのは、偶然ではない。私たちは、魅力に惹かれるだけの愛も含め、あらゆるかたちの愛を胸の真ん中で感じとる。「心《with all of my heart》から愛している」とか、

「あなたは私をドキドキさせる《heart flutter》」などという言葉はそのあらわれだ。
ハートチャクラを通じて、私たちは**ワンネス**である愛につながることができる。ハートが愛を象徴するのは、ハートチャクラに由来している。愛とのほんとうのつながりはスピリチュアル、またはエネルギー的なハート（「心の奥底《heart of hearts》」）を介するものだが、このシンボルは「肉体の」心臓《ハート》に関連しているようだ。そうだとしても、そのふたつにはきわめて重要な関連性がある。

波動場のハート（チャクラ）は、そのホログラフィックな投影、あるいは「肉体的な」心臓に影響している。ハートチャクラが閉じていたり、深い悲しみからエネルギー的にストレスを感じていたりすると、ホログラムのハートにも影響し、実際に「心痛による死」がおこる。このことから、なぜカルトが組織的に誘発するストレスや不満、不安、おそれがあふれるこの世界で、心臓疾患が主要な死亡原因になっているのかがわかるだろう。

ストレス、不満、不安やおそれは、ハートチャクラの渦に影響をおよぼす重い波動場である。「胸が痛む《my heart aches》」、「不　安　だ《I have fear in my heart》」という状態だ。言語は、「肉体の」心臓にのみ関係しているようにみえるが、じつはスピリチュアルなハートについての真実を伝えることわざやフレーズがちりばめられている。

自分の心にしたがいなさい《follow your heart》、自分の胸に聞いてみなさい《listen to your heart》、心優しい《heart of gold》、冷たい心《heart of stone》、心変わり《change of heart》、腹を割って《heart-to-heart》、へこむ《lose heart》、憂　鬱《heavy heart》、心にこみあげるよろこび《joy in the heart》、琴線に触れる《tug on your heart strings》、寛大な心《big heart》、優しい《all heart》［訳

図109：ハートヴォルテックス《渦》は胸の真ん中にあり、「ふるさと《ホーム》」への入り口である。

図110：オープンハート——ワンネスに心を開こう。

注：英国において主に皮肉として使われる」、感情がない《no heart》、心から《from the heart》、同情する《heart goes out》、心根が良い《heart in the right place》、心から《from the bottom of the heart》、意気消沈する《heart sinks》、励まされる《take heart》、気が若い《young at heart》、悩む《sick at heart》、親切心《goodness of the heart》、思いやりがある《have a heart》

全身全霊《heart and soul, heart and mind》という言葉もある。他にもあまたあるが、これらはすべてハートチャクラのさまざまな状態や、愛の源である**ワンネス**とのつながりや断絶を示したものである。「ハート**と**マインド」、「ハート**と**ソウル《魂》」と言うところに、核心的な真実がある。

ハートチャクラは、ボディーマインドから魂や**ワンネス**につながる、もっとも大切な接点だ。ここが閉じたり、弱まったりしてしまうと、**ワンネス**（愛）の知覚や自己認識への影響も弱まり、私たちはボディーマインドのシャボン玉のなかに閉じこめられてしまう。カルトからすれば、**「つかまえた！」**というわけだ。多くの人が「喪失」を感じている。説明できないからっぽな感じ、言葉にできない「足りない」なにかへの渇望。こうした感覚は誰にでもある。これは、ハートと**ワンネス**の意識的なつながりが失われたことから来るものだ（図110）。

愛とは人間の「愛」を超えたもの

愛について考えると、ほとんどの人が真実の愛とか、報われぬ恋などといった恋愛関係のことを思い浮かべるだろう。私が**ワンネス**の愛といっているのは、そうしたものをはるかに超越したものだ。そしてそれこそが、カルトが私たちのハートを閉じようとする大きな理由である。

ハートチャクラは、私たちが**ワンネス**とつながる場所である。**ワンネス**は愛の源であるだけではなく、すべての可能性であり、**全知**である。多くの古代文明で、心臓は真の知性、魂、そして**すべての根源**につながるものと考えられてきた。もしこれが事実なら、心臓は生来の、あるいは認識する**知性**とのつながりでもあるはずだ。このあと簡単に説明するが、研究でもそのような結果が出ている。

まずはボディーマインドの「知能」と、**ワンネス**とつながるハートの知性との大きな違いをあきらかにしなければならない。考えることと、わかっていることとの非常に大きな違いを使って明確にしてみよう。ボディーマインドは**考える**。なぜならボディーマインドには**わかって**いないし、情報を脳で処理しなければならないからだ。脳でわかるのではなく、ハートや、**ワンネス**とのつながりでわかるのだ。話し言葉やフレーズはハートの真実を物語り、ボディランゲージからもそれが伝わってくる。「考えている」と言うときは頭を指さす。考えがそこにあるからだ（図111）。「思いついた《I know》」と言うときは、手を胸《ハートチャクラ》に当てる。そこでわかるからだ（図112）。肉体はマインドの延長にあり、マインドが**知覚している**ことを肉体はおこなう。ゆえに、ボディランゲージから人のマインド／感情の状態を読みとることができる。

わかっていることとは、直観ともよばれ、考えることなく**わかる**ことをいう。直観的にわかるときには、脳で長らくあれこれすることはない。まるごとひとつが、瞬間的にやってくる。順序だったた

図111：頭は考える。

図112：ハートでわかる。

考えや、点をつなぎあわせて結論を導く過程はない。「なぜかはわからないけど、とにかく**わかる**」孤立したボディーマインドは、「わかっている」ことを「証明」するため、詳細や研究論文を求める。「直観に反する」〔訳注：昔の人にとっての地動説など〕などというが、実際のところは「プログラムされた知覚に反する」ということなのだ。

知性の監獄

人間社会は知性をありがたがり、拡大意識をばかにするが、知性は拡大意識のほんの一部にすぎない。このことから、すべてに五感の「証明」を要求する「懐疑論」のプロは、知性によって完全に支配されているということになる。この世界はすべて存在するという信念にもとづき、連続意識を否定する知的な人文主義運動がその一例である。**コンサイス・ラウトレッジ哲学百科事典**では、人文主義は以下のように定義されている。

……人間ひとりひとりの認識、関心および重要性への傾倒。理性と自律が人間存在の基盤であるとする信念。理性、懐疑論、科学的方法が真実を発見し、人間社会を構築するための唯一の適切な手段であるという信念。倫理と社会の基盤は自律性と道徳的平等にあるという信念……。

主流科学／学界は、ご推察のとおり、この考え方に圧倒的に支配されていて、五感を超えて知覚できない。膨大な領域を見ないように目をつぶりながら、どうやってなにかを発見などできるだろうか？　五感の知性の基盤は「根拠」の概念である。主流科学、学術、そしてシステム全般において、「根拠」が真実の決定者とみなされている。けれども、「根拠」とよばれるもののほとんどは、限定された認識――閉じたマインドから来る無知――によって生成される知覚にすぎない。主流にとっての「根拠」には、「合理的」や「論理的」が含まれる。

彼らの辞書にある定義は、無知な状態を保ちつづける知覚のフィードバックループになっている。**根拠**は「論理的思考によって決定あるいは結論する」とあり、**論理**は「**根拠**の手順」、そして**合理的**は「納得のゆく**根拠**にもとづいて」である。**根拠**とはいったいなんなのか？　それは、知覚された（プログラムされた）信頼性や事実にもとづいて情報を査定し、状況を結論づけるプロセスである。「根拠」の信頼性と制約は、調査の網をどれだけ広げられるかにかかっている。押しつけられた「正常」という、切手ほどの範囲にしか網を投げられなければ、「根拠」も切手サイズになるだろう。なんたるナンセンス（図113）。

この手の「根拠」は、知覚の奴隷化を引きおこし、けっして悟りをもたらさない。17世紀フランスの哲学者／数学者ブレーズ・パスカルは、「合理性の終点は、合理性の限界を示すこと」と述べた。マインドを開き、認識を拡大しなければ、限界を見いだし、それを越えてゆくことはできない。中米のシャーマンの言葉を例にひこう。

私たちは知覚する者であり、認識であって、物体ではない。私たちは不変ではなく、無限である……私たち、というより私たちの理性はそのことを忘れてしまい、自身の全体性を悪循環のなかにすっかり閉じこめてしまう。そして、生涯そこから抜けだせないことがほとんどだ。

これらは、切手サイズの「合理性」と「根拠」から踏み出したときにやってくる知覚である。だからカルトがつくりだした「教育」では、若者や子どもたちの人格形成期に、主流の「根拠」という短絡的な幻想を教えこむ。これにより、若者や子どもたちは、人間としての生涯にほんのわずかにあらわれる悪循環に自身をすっかり閉じこめてしまう。

現実の本質を理解するにあたっての主流科学の限界は、繰りかえしになるが、直観を五感の知覚から説明できなければ、存在しない、おこりえないものとしてしまうことだ。ほんのすこしマインドを開けば、説明**できる**ようになる。

直観的な認識は、拡大意識や**ワンネス**とのハートの接続と、その他情報場との波動接続からもたらされる。後者は、愛する者になにがおこっているかを知らせる波動周波数接続や、私たちが現在や「歴史上の」できごととして経験する波動場との同様の接続であることもある。人びとや状況はすべて、フィールド《場》に接続する波動場である。このパイプによって私たちは、エネルギーの海、あるいは宇宙Wi-Fiともいうべきフィールドの情報と同調し、「認識」というかたちで意識にアクセ

図113：人間の知覚的錯覚。

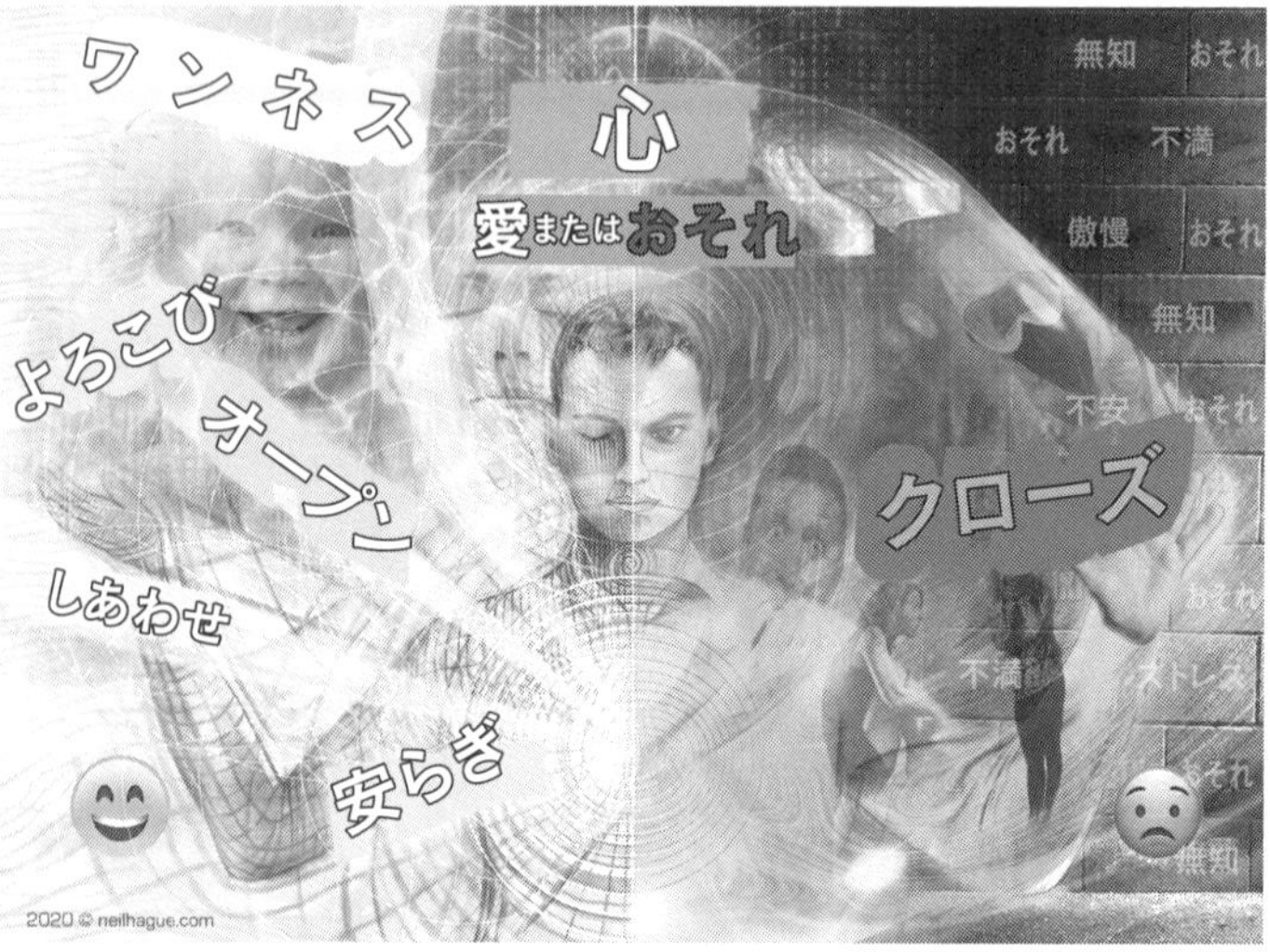

図114：閉じた心《ハート》は私たちをここにとどめる。開いたハート、心《ハート》は「ふるさと《ホーム》」へといざなう。第４巻にカラーグラビア（「ニール・ヘイグ」ギャラリー）を掲載。

スすることができる。
なぜ動物が地震や天災を予知できるのかは、五感のエビデンス不足のため謎であるとされているが、ちっとも不思議なことではない。動物は学校へ行かないし、テレビや新聞を見ないし、スマホなどもっていない。だから、フィールドの変化を感じとる生来の感受性を保っているのである。これは、人間にも備わっているはずのものだ。動物は、問題発生を示すフィールドの波動の乱れを感じとり、できる限りの回避行動をとる。これが「直観」や気づきでなくてなんだろうか？

私の１９９０年代初頭からの著作には、それ以降におこった、または現在おこっていることの情報がつまっている。90年代なかばまでは、私は五感の情報を調べた結果として、なにがおこっているのかという結論をみちびいていた。それ以降、私はまずおこっていることを直観的に理解し、続いて事実や調査といった五感の立証をするようになった。そうでなければ、数々のテーマのなかから、点と点を結びつけることはとてもできなかっただろう。気づきが点と点を結び、五感の調査が詳細を加える。

心臓とハートチャクラの本質を研究する、米国ハートマス研究所の調査によれば、心臓《ハート》とマインドのバランスがとれていると、途方もない創造性が解き放たれる可能性があるという。まさにそのとおりだ。エネルギー的に調和している開いた心《ハート》は、**すべての可能性**であり、すべての創造性である**ワンネス**の流れとつながる。閉じた心《ハート》ではそうはゆかない（図１１４）。

大丈夫

ハートからアクセスする無限の愛を別の角度からみると、悩みがなく、ブロックもなく、おそれの制約もない。人間は、おそれによって固まってしまうことがとても多い。負けること、勝つこと、失敗すること、先のこと、死ぬこと、わからないこと、他人にどう思われるかということ。おそれを引きおこすものを数えあげれば、何ページにもなるだろう。

おそれは、カルトが世界の数十億人を統制管理するために大変重要である。（偽パンデミック、以上）。おそれる物や、互いをおそれる理由は無限にあたえられている。毎日新しいおそれの対象が提示されているかのようだ。かつては、食べものを見つけられないことや、敵が丘を越えて攻めてくることをおそれていた。今日では、おそれるものが無数にある。これをおそれ、あれをおそれ、すべてをおそれる。

おそれを煽動《せんどう》することで支配を固めることを指す、「おそれの文化」という言葉がある。全体としてのおそれは、人びとがおそれの対象から保護してくれる支配者を求めるよう誘導する。いっぽう、互いにおそれを抱くことにより、絶えまない分断と対立が生まれる。カルトは、世界の人びとが警察国家に保護を求め、そうすることで、増えつづけるカルトの押しつけを受けいれることを望んでいる。

911、その他カルトがしくんだテロ攻撃は、なんのためにおこなわれたのだろうか？　人びとが、「テロリスト」からの保護という名のもとにみずからの自由を制限するよう要求する、少なくとも、異議を申し立てないよう誘導するためだ。これらの「テロリスト」は、テロから「国民を守る」新しい法を押しつける勢力の支配下にあるのが常である。

私は、こっそりと問題をつくりだし、大衆が「なんとかしろ」と反応するよう仕向け、望みどおりに社会を変える（カルトの）「解決策」を提案するというこの技を、「問題《Problem》－反応《Reaction》－解決《Solution》」（PRS）と名づけた。第1巻で詳しく述べたように、コロナ詐欺がその顕著な例である。

「**無**問題－反応－解決」というものもある。問題は実在する必要はなく、問題があると**知覚**されさえすればよい。イラクの「大量破壊兵器」や、繰りかえしになるが、コロナ詐欺などだ。911や、それを正当化するために使われてきたものについては、拙著『The Trigger』で詳しく明かしている。

PRS（または「偽旗《にせはた》」［訳注：なりすましの行動により、責任を第三者に転嫁する行為］）の重要要素は、大衆におそれを植えつけ、「解決策」を受けいれるように仕向けることである。マインドコントロールの分野では、おそれとトラウマによって、人は催眠的な暗示にかかりやすくなることがよく知られている。メディアは毎日、おそれるべき対象の情報をあふれるほどたれ流している。互いをおそれることもそのひとつだ。大衆を戦争状態にすることによって支配を盤石にするためには、こうしたことが不可欠である。

五感によって貼《は》られたラベルが私たちのほんとうの姿である、という知覚が、分断の感覚を決定的なものとしている。心《ハート》を開いて、**ワンネス**からの無限の愛と拡大意識の流れに身をまかせれば、知覚は変容し、こうしたカルトの技は通用しなくなる。無限の愛があれば、おそれるものなどなにもないとわかる。そうすれば、おそれに支配されることはない。

　現在おこっていることは、ボディ－マインドのほんの短い体験にすぎない。それを変える能力をもつ本来の「私」は、その様子を観察している。無限の愛（**ワンネス**）は、つねに正しいとわかっていることをする。操作や結果へのおそれ、その他によって違いは生まれない。正しいとわかっていることをすることの結果を考えることは、正しいとわかっていることをしない可能性を考えることだ。無限の愛は、そのようなことをすることはない。

　私は、自分が正しいとわかっていることをするのをおそれたことはないし、この先も変わらない。わかっている、ということ以上に、心《ハート》のままに流れにまかせていれば、そもそもおそれるような結果はおこらないのだ。おそれた場合にのみ、波動のからみあいによっておそれの対象を引きよせることになる。

「弱気《faint heart》」という言葉があるが、そんなものは存在しない。「メンタルが弱い《faint mind》」ならあるだろう。しかし、本来のパワーをもったハートが、「弱い《faint》」ということはありえない。

　本来の無限の愛とは、いかにして拡大意識や生来の知性、叡智《えいち》、気づき、直観的洞察、勇気、そして勇気を超えたおそれのない状態とつながるかということである。じつのところ、おそれとは愛の欠如にすぎない。純粋でもっとも強力な愛とは、おそれのない状態である。

拡大意識や生来の知性、叡智、気づき、直観的洞察、勇気、そして勇気を超えたおそれの欠如を除いた今日の世界、そして遠い「過去」とはなんだろうか？　それらすべては、**ワンネス**からの無限の愛の流れの、さまざまな局面である。

人間社会には愛が欠如しているが、「存在しない」わけではないし、はるか彼方《かなた》に離れてしまっているわけでもない。個人や家族などの共同体の愛において、共感や思いやりからの驚くべき行動をみることができる。彼らは勇気と自己犠牲にあふれ、私のいう無限の愛の本質を体現している。しかしながら、そのような行動は例外的で、「私には関係ない」という反応であることのほうがはるかに多い。また、そのような愛ある行動は、経済、政治、行政の場においてはめったにみられず、人間の幸福に深刻な影響をおよぼしている。

カルトの完全支配を阻止するには、彼らがしくんだこの状況を変えなければならない。現状が続けば、このゲームは数十年もしないうちにカルトの勝利に終わるだろう。ほんらいの愛を取りもどすことが緊急課題である。（この本の85％以上は、カルトがコロナの恐怖をでっちあげ、全世界におよぶ強大な権限を掌握する前に書かれたものだ。［訳注：英語版初版は２０２０年８月刊行］）

カルトの支配を強要するには、人びとを分離妄想のなかにとどめておき、分断統治できるようにしなければならない。私たちは、こうした幻想の壁を崩して、その向こうにある真実をみることを選択する力をもっている。

私たちは**みな**愛である。重い仮面をかぶって偽ってきたが、これまでもずっと愛だった。それが

図115：人を一時的な幻想のラベルによってジャッジするだなんて、どうかしている。

真実だ。私たちは、真実を忘れてしまっていた。忘れるよう仕向けられてきたのだ。そしてこの記憶喪失を反映した世界ができた。しかし今、心《ハート》やマインドのなかに、忘れられた愛が湧きおこってきている。多くの人が真実を思いだし、覚醒《めざ》める人が増えるほどに、幻想は消え薄れ、私たちはお互いなのだという理解にもとづく新しい集団的な知覚から、新しい現実がつくられる（図115）。
愛とは私たちの**姿**である。私たちは愛の欠乏**状態**にある。では**答え**はなにか？　もはや自明である。

愛の科学

ハートマス研究所は、心臓が人間の行動や精神的充足など広範におよぼす影響を研究するため、1991年にカリフォルニアで設立された。研究所が公開してきた膨大な情報によれば、心臓はこれまで考えられてきたよりもずっと大きな役割を果たしている。

チャクラのハート《ハートチャクラ》と「肉体のハート《心臓》」は、あらゆる形態の人間の心理、知覚、健康（調和）の中核である。ハートのエネルギー（愛）が調和して流れればすべてはうまくゆき、そうでなければ、さまざまな問題が発生する。愛はすべてのバランスがとれた状態である。愛の流れに心を開けば、ボディーマインドのシステムや情報処理プロセスのバランスがとれるということを、ハートマスの研究がいずれ裏づけてくれるだろう。

私たちは脳がすべてをつかさどると教えられているが、実際は心臓である。心臓が脳に調和や不調和を伝え、知覚として処理される。本章で私がいうハートとは、チャクラのハートと、そのホログラフィックな「肉体的」投影の両方をさす。

ハートマスの研究で、心臓、脳および中枢神経の調和がとれている、あるいは「コヒーレンス」［訳注：心身ともに規則的で安定している状態］のとき、人は意識の拡大領域に入り、不調和やインコヒーレンス［訳注：不規則な状態］であればその逆になることが立証された。これは、ハートを介した魂と**ワンネス**へのつながりが、意識や生来の知性、バランス（愛）の真の重要性を、心理的および「物理的」なボディ－マインドのシステムに伝えるのをやめてしまうためにおこる。

他の研究では、ハートとマインドの調和がとれていると、私たちは「非局所的」あるいは「時間や空間を超えた」意識状態に入ることをあきらかにしている。ボディ－マインドは「時間」のシャボン玉のなかに閉じこめられているが、ハートは今を生きている。また、ハートとマインドの調和がとれていると、人はよりクリアに思考するようになる。ハートとマインドの不調和（トラウマやストレスなど）から来るエネルギーのゆがみや混乱は、「まともに考える」ことを妨げる。

理由はあきらかだが、カルトはターゲットにハートを介した**ワンネス**の影響を受けさせたくないし、人間の脳の知覚（この世界の**中**にあり、そこに**属**するもの）をハートの知覚（この世界の**中**にあるが、そこに**属**してはいない）から引き離しておきたがっている。これらふたつの知覚状態は、まったく違ったものである。

カルトのやり口は、人間社会を、おそれ、ストレス、不安、絶望、憎しみ、後悔、恨み、内外との対立その他、私が低波動の感情とよぶもので満ちるように構築するというものだ。「ホワイトノイズ感情」とよばれる、つねに背景にあって不調和でインコヒーレントな感情がまさにそれである。

ハートマスの研究では、これが心臓－脳－神経のコミュニケーションにインコヒーレンスを生み、拡大意識を抑圧することが確認されている（図116）。エネルギー（情報）的にインコヒーレントな者は、知覚的に**シャボン玉**のなかに閉じこめられてしまう。おそれ、ストレス、不安、絶望、憎しみ、後悔、恨み、内外との対立が増すほどに、カルトは知覚を深く奴隷化することができ、人びとは五感の幻想に囚われる。ハートとマインドのコヒーレンス、またはインコヒーレンスは、心**身**の健康に多大な影響をあたえる。

ハートマスの研究者たちは、開いたハートのあいだでおこる「バイオコミュニケーション」またはエネルギー的転送についても語っている。私が波動のからみあいとよんでいるものだ。

ハートの波動（愛、調和、魂、**ワンネス**）は**ワンネス**の知覚結合体としてつながるため、他者の似たような波動と接続する。これは人間と人間、人間と動物、そして人間、動物、「自然界」のあいだでもおこる（図117）。

ハートの波動が弱かったり、インコヒーレントであったりすると、**ワンネス**の知覚結合体は、ハートの影響を受けない脳の波動接続に負けてしまい、存在するすべてのものは、他のすべてから切り離されてしまう（図118）。カルトがハートをターゲットとするのは、このためである。

ワンネスからハートを通じて流れるほんとうの愛に、カルトは直接影響をおよぼすことはできない。その周波数はとても高く、カルトメンバーや非人間の親方《マスター》らは接続することができない。カルトは、ハートの影響を受けないようみずからを閉ざしているので、あのような行動をとる。「闇」から来た「冷酷《heartless》」なものといわれるのもそのためだ。

それでも、彼らも**ワンネス**の発現のひとつであり、そう選択すればいつでも知覚結合体にもどることができる。カルトは今舞台の上で「悪」を演じているが、他の役を演じるための別の衣装がすでに用意されている。

現状、彼らは愛に直接影響をおよぼせないので、ターゲットとなる人間への愛の影響をブロックしなければならない。そのため、カルトは人間の生活を操作して、最大限に低振動な感情を生みだす。これによってハートチャクラのチャンネルを閉じ、エネルギーのゆがみや、心臓と脳と中枢神経のインコヒーレンスをつくりだして、カルトの知覚の穴にボディー－マインドを封じこめる。

それに欠かせないのが、大衆が自分自身のほんとうの姿に気づかないようにしておくことだ。そのベールを取り払ってしまえば、私たちはハートを通じて魂や**ワンネス**と再接続する力を手にし、カルトのゲームは終わりになる。

私たちはハートから話したり、行動したりするようになり、ボディ－マインドだけの存在ではなくなる。そうなれば、すべてが変わる。ひとたび**ワンネス**に向けてハートが開けば、すべてはひとつであり、分離などないのだとわかる。個々の体験と、私たちみなをつなぐ意識の無限の流れがみえるだろう。人種やなんらかのラベルで人をジャッジするのは、とてもばかげたことだとわかるだ

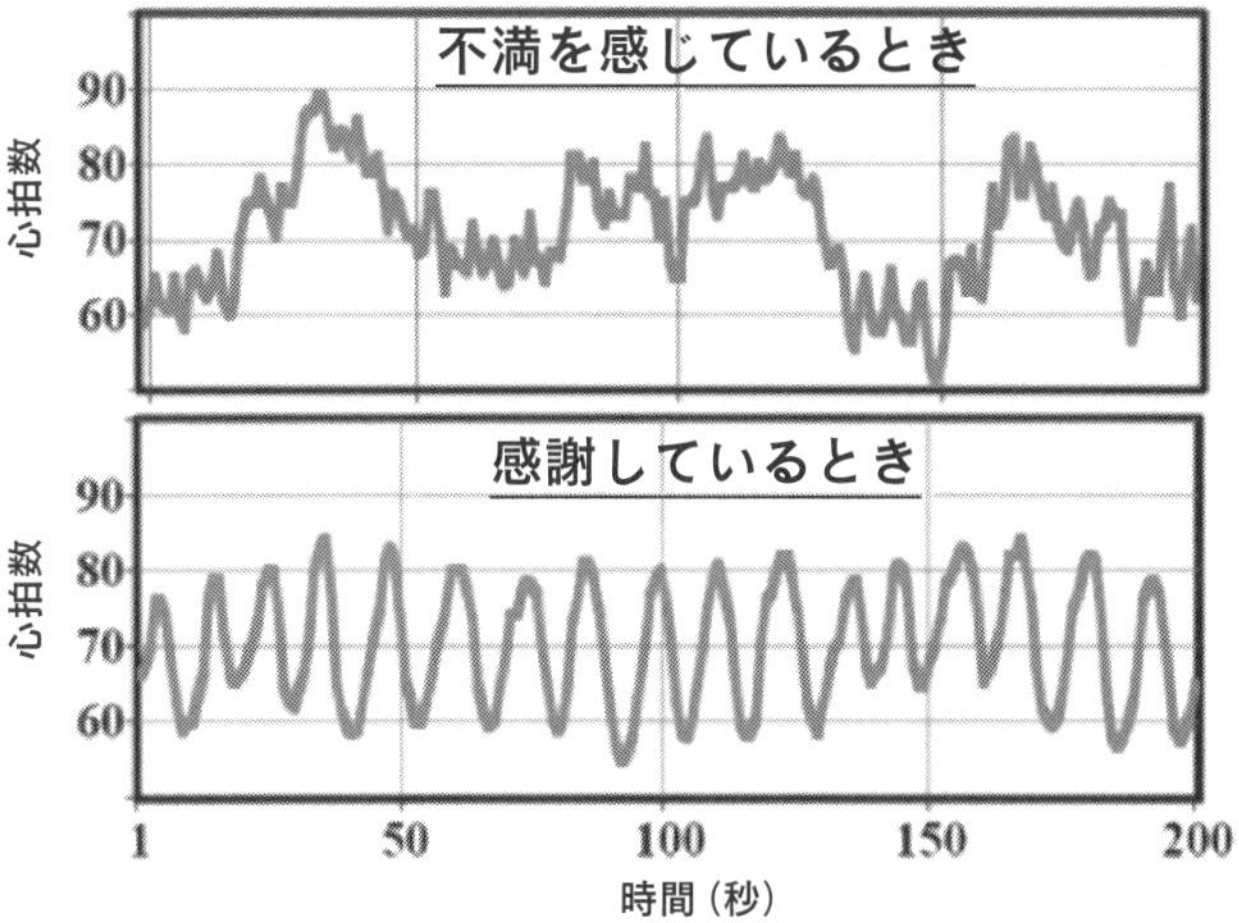

図116：精神／感情状態の違いによって、周波数のコヒーレンスやインコヒーレンスが生まれ、拡大意識と接続したり、断絶したりする。

図117：ハートの意識はつながって、すべてがひとつであると捉《とら》える。

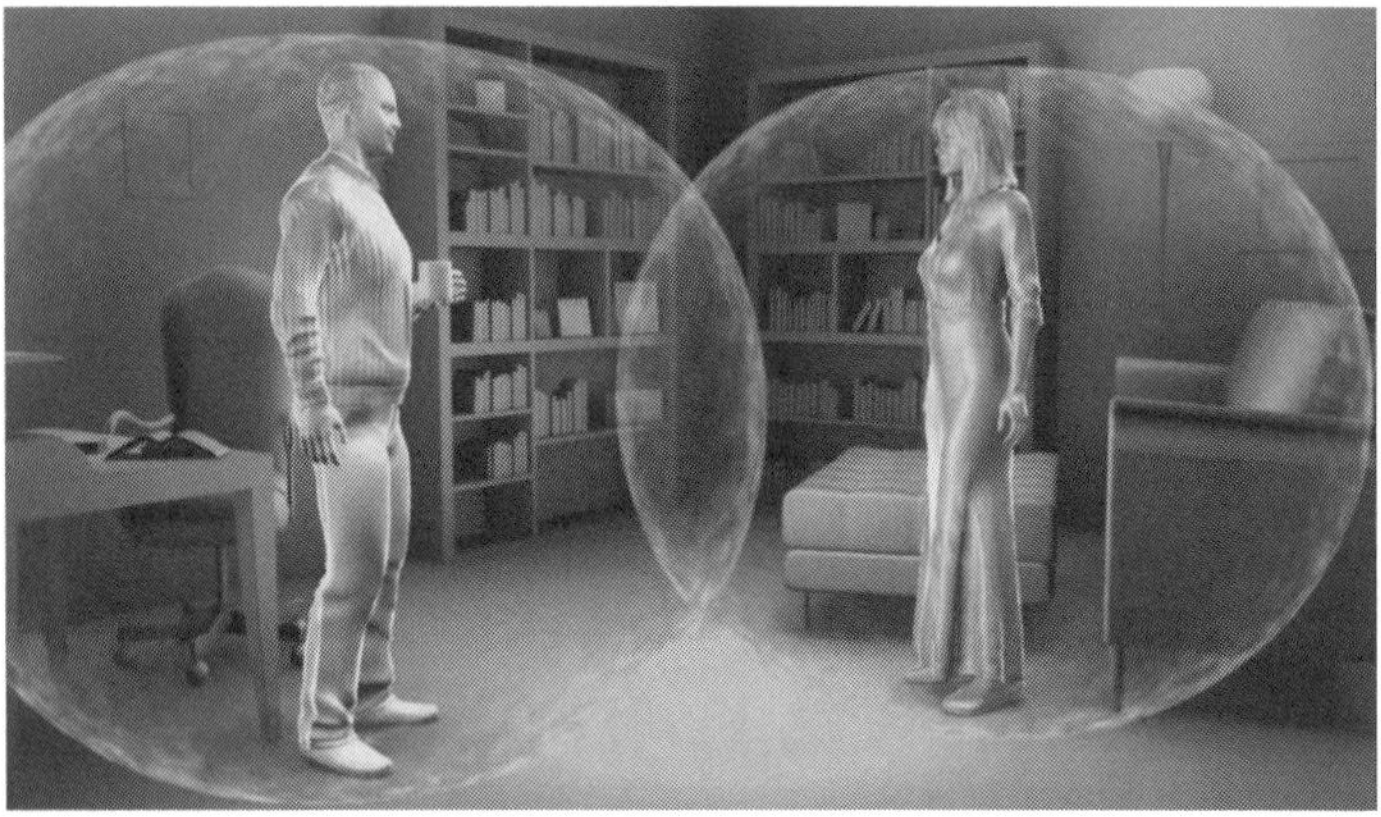

図118：頭の意識は分断し、すべてのものを他のすべてから切り離されたものと捉《とら》える。

図119：「人間」は、ごく狭い周波数帯のなかにある、ひとつの注意を向けた点である。しかし私たちは、マインドを開いて拡大意識とつながり、現実をまったく違った視点からみることもできるのだ。（ニール・ヘイグ画）

ろう。皮肉なことに、誰よりも執拗《しつよう》にそれをしているのが「アンチ・レイシスト」だということも。

私の個人的な体験を話そう。1990年と91年におこった私の意識の「覚醒」は、クンダリニー体験をきっかけにハートを開きはじめた。その瞬間から、進行するにつれてさらに、私はつながりやひとつであること**（ワンネス）**をみてきた。点のようにみえるもの（人、体験などすべて）が、すべてひとつになるのだ。

ハートが開くといっても、突然「完璧《かんぺき》な」（そもそも「完璧」とはなんだろう？）おこないをはじめるというわけではない。ボディーマインドを超えた、なにか大いなるものの影響を受けはじめ、意識が拡大するのだ。進行すると、点はさまざまな注意を向けた点にすぎないとわかり、すべてがひとつになった意識をみるだろう（図119）。ハートを開いたからといって、ボディーマインドのモードにもどることがないというわけではなく、ハートで知覚することが通常になるほどに、ボディーマインドのモードになることは少なくなる。

ハートのままに

私の人生をもっとも大きく変えたのは、1990年代初頭のできごとだった。私は、ハートと頭（直観と思考）が葛藤《かっとう》するときは、つねにハート／直観にしたがうことに決めた。こう決断したことで、私は興味深い状況や体験だけでなく、世間に嘲《ちょうしょう》笑されるなどの困りごとにも巻きこまれた。

私の脳は「言うことを聞かないからこうなったんだ!!!」と叫んだ。

ほとんどの人が、物の見方や決断が異なる脳と心が葛藤することで、なにかしらの挫折《ざせつ》を経験する。ハート／直観がこっちだと必死に叫んでいても、多くは頭が言うほうへ進む（「頭を使え」）。

ハートは、頭のように現実や状況を捉えない。ハートは人生を、人間のボディ－マインド社会で「正常」とされている範囲にとどまらない、拡大意識からの視点で捉えている。ハートにしたがえば、（頭の知覚のおかげで）ほとんどの人が「現実世界」だと信じている、切手サイズの正常範囲からはみ出した行動をとりはじめる。

私はそうした結果、史上まれにみる嘲笑を受けた。さいわい私は頑固者なので、考えを変えたり、大勢に取りこまれたりはしなかった。私は信じた道をゆくと決め、結果、素晴らしいできごとがおこっている。

頭の視点は、ハート／直観にしたがえば困難が待ち受けているかもしれないが、最終的にはすべてうまくゆくと理解している。困難**にもかかわらず**うまくゆくのではなく、困難**であったからこそ**うまくゆくのだ。最高のギフトは、最低の悪夢のかたちをとってあらわれるものだ。

世間に嘲笑されるのは不快な経験だったが、結果的にそれが私をかたちづくった。私の頭（限定された認識）は、なにがおこっているのかわかっていなかった。私の心（拡大した認識）は、もちろんわかっていた。

ボディ－マインドは、川が次に曲がっているところまで見通すことができる。ハートは、源流から海にいたるまで、川の流れ全体をみることができる。私の心がつながっている根源意識は、私がのちのちすさまじい嘲笑や嫌がらせをよぶ、シェイプシフト《変身》する人びとなどの情報を伝えるようになるとわかっていて、あきらかにおかしな行動をとるよう急《せ》きたてていた。他人にどう思われるか、なんと言われるかを気にすることをやめる必要があったからだ。当時、世間の嘲笑は悪夢のようだったが、じつは私を解放してくれるギフトだったのだ。

これが、頭と心の視点の違いである。頭は、おこっていることすべてに反応する。心は、大局を見すえている。数十年来、私の心と頭は協調して動いている。心がこれをしろ、ここへ行けと言えば、頭は「わかった、そうしよう」と言う。闘いは終わった。ハートとマインドはひとつになった。

ほとんどの人は無意識で生まれてくる。そしてひとたび体制に取りこまれると、霊柩車《れいきゅうしゃ》がやってくるまで、そこにとどまれというプレッシャーが24時間絶えまなく続く。私たちが人生のほとんどすべての時間を、シャボン玉のなかで過ごしているのも不思議はない。だが、**そんな必要はない**のだ。

私たちは、いつでも望むときに拡大意識に対してオープンになれる。それがほんらいの姿であり、「どうやって」そうするかわかってしまえば、なおのことだ（図120）。これについては最終章でまた述べるが、多くの人が考えているよりずっと簡単なことである。

図120：シャボン玉は、こわれてしまうまではあたりまえのものに見える。シャボン玉のなかの「現実世界」がほんとうのように見えるのだ。狂気の沙汰《さた》である。

心臓ー脳ー肚《はら》

こうしたいきさつがあったので、科学的な研究によって心臓–脳の知覚指示系統が発見されても、私は驚かなかった。主流科学は長きにわたって脳は脳、心臓は心臓だと考えてきた。これも、すべてを他のものと別個に捉えることから生まれる錯覚の例である。脳は知覚情報の主要な処理装置であると考えられてきたが、じつは心臓にも、これまで現代に信じられてきたよりはるかに大きな影響力がある。

心臓は、人体でもっとも大きな電磁場を形成する。心臓の発する磁場成分の強さは、脳が発する磁場成分の５０００倍もあり、１メートルくらい離れた場所でも計測が可能だ（図１２１）。電磁波は、もっとも拡大した意識の源からもっとも強力に発生すると考えられる。

心臓は人体のなかでもっとも大きい生体電気発生源であり、最大で脳の60倍もの電磁波を発している。心臓から脳へは、他の経路よりもはるかに多くの伝達がおこなわれている。心臓は、脳に独立して情報を送ることができる唯一の器官である。また、心臓は脳の**指令を受けずに**動くことができ、独自の長期／短期記憶や神経系をもつ。心臓の細胞の67％は神経細胞（ニューロンコミュニケーター）である。心臓には、４万のニューロンと神経伝達物質のネットワークがある。これが「心臓–脳」という言葉の根拠である。

研究により、心臓がどうやって脳**より**早く情報を受けとり、みずからの知覚で脳のさまざまな部位に伝達するかがあきらかになった。情報を受けとった脳は、みずからのコヒーレンス、あるいはインコヒーレンスを、フィードバックループで心臓に伝える。心臓《ハート》はマインドを開くことができ、マインドは心《ハート》を閉じることができる。

心臓からのコミュニケーションは、脳の前頭葉《ぜんとうよう》にとくに大きく影響する。前頭葉は、論理、思考、会話／言語、調整、識別、長期記憶、（もちろん）共感、人格、関心、ドーパミンをつかさどり、フェイスブックのようなソーシャルメディアによって徹底的に操作されている（詳しくはのちほど）。心臓のコミュニケーションは、脳と調和して（コヒーレンス状態で）動いているとき、脳の知覚システムに計り知れない影響をあたえる。これらの相互作用は、つながりが弱くなったり、不調和になったりした状態ではゆがんでしまう。

開いた心《ハート》と開いたマインドは、協働し、互いをひとつであると知覚するコミュニケーションのフィードバックループを生む。脳と心《ハート》の分断は、「頭はなんと言っている？」「心はなんと言っている？」といった、対照的な知覚につながる。

腹部にも感情中枢があり、「腹《gut》の底ではどう思う？」「本能的《gut》にどう感じる？」といった知覚と関連している。心臓、脳、腸と神経系が調和したコヒーレンス状態でコミュニケーションしていると、それらがひとつにまとまって「あなたはどう思う？」となる。私たちが離れてしまった、調和とワンネスの感覚だ。

腸、心臓、脳は、迷走神経でつながっている。脳から出ている脳神経のなかでもっとも長く、複雑な神経だ。「迷走《Vagus》」は、「さすらい」を意味するラテン語から来た言葉で、その本質や機能をよくあらわしている。

迷走神経も腸も、精神的／「肉体的」健康において、ほとんどの人が思うよりずっと重要な役割を果たしている。「野心《fire in belly》」という言葉にみられるように、エネルギーの源でもある。このエネルギーは、ベリーチャクラ［訳注：セイクラルチャクラ、第二チャクラ、エモーションチャクラとも］を通じて腹部で感じる低振動の感情に妨害される。

「ビール腹」の人をみかけることがあるが、ビールを飲まない、霊性の高い東洋人にも同じような腹の人がいる。［訳注：ふっくらと丸みをおびた仁王像の下腹部を「瓢腹《ひさご》」という（瓢簞《ひょうたん》に似ていることから）。丹田呼吸を長年していると、みぞおちはくぼんでいるが、下腹部が丸みをおびて充実した状態になってくる］東洋人にとって、腹はエネルギーが湧き出る場所であり、肚《はら》や丹田とよばれるツボである。6つに割れた腹筋は、禁欲的な観点からすれば理想かもしれないが、肚のためにはどうだろう？　多くの研究者の答えは、「ノー」だ。私たちは、ほんらいの力を発揮できるよう、心臓、腸、脳と神経系が調和してつながることを追いもとめている。だからといって、ビールを浴びるほど飲めというわけではない。ビール腹とひさご腹は別物だ。

ハートマスのウェブサイトでは、心臓と脳のつながりについてこのように記している。

研究によって、心臓は脳と主に4つの方法でコミュニケーションしていることが示された。神経的（神経インパルスによる伝達）、生化学的（ホルモンや神経伝達物質経由）、生物物理学的（圧力波による）、そしてエネルギー的（電磁場の相互反応による）な方法である。これらすべてのルートによるコミュニケーションが、脳の活動に大きく影響している。

ハートとは愛であり、愛とはバランスである。開いたハートからの波動は、精神、感情、「肉体」などすべてのシステムのバランスをとり、人間と自然のあいだの調和のとれた相互作用につながる、地球の意識場への調和のとれた接続を確保できる（図122）。このバランスは、愛であり**ワンネス**である、団結、調和、一致を反映している。

先に私は、愛の浸透によって調和することができないボディーマインドの精神的、感情的、生物学的システムの不均衡や対立はないと述べた。心臓は、感情中枢である脳の扁桃体《へんとうたい》との接続や、ホルモン放出によって分泌情動のバランスをとる。この感情中枢と心臓とのつながりによって、なぜストレスが心疾患を引きおこすのか（バランスのくずれた波動のからみあいと、閉じたハートチャクラが「心臓《肉体のハート》」に影響すること）があきらかになってきている。

ハートチャクラエネルギーの振動、肉体の波動場、そしてホログラフィックな心臓の電気的リズムは、すべてつながっている。ハートチャクラからの波動バランスのくずれは、「肉体の」心臓《ハート》に伝えられる。しかしチャクラが愛に向かって開くと、ボディーマインドとその感情プロセスが、よ

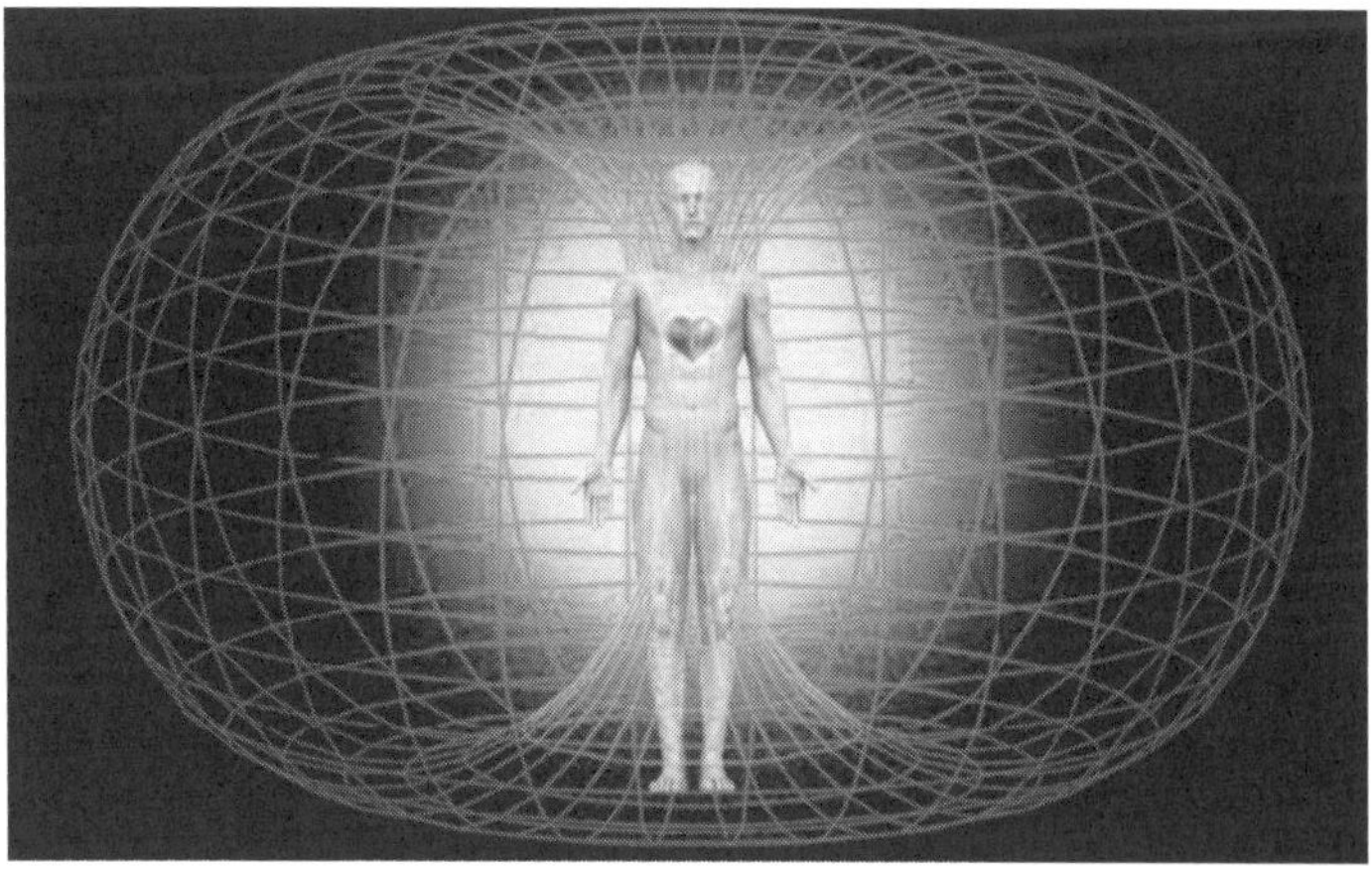

図121：心臓は人体でもっとも大きな電磁場を形成している。

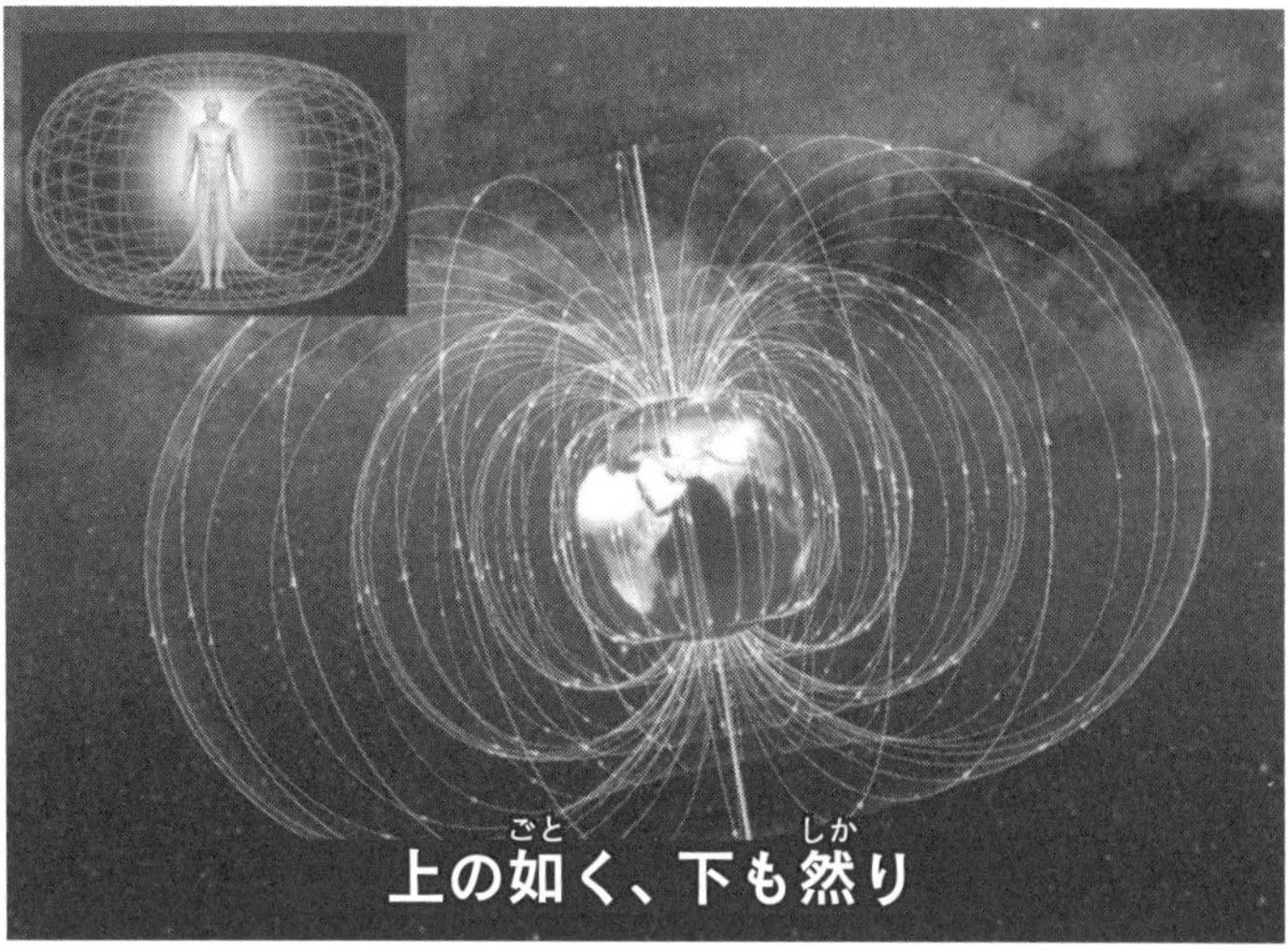

図122：繰りかえしになるが、地球の磁場と人体の場はホログラフィックな本質を反映している。

り強力でバランスのとれたエネルギーに変わる。

　研究によれば、感情状態を伝える心臓のフィードバックループ《調整改善の循環構造》は、心臓の電磁場の性質と力に大きく影響するという。この電磁場は低振動の感情によって弱められ、愛、感謝、思いやり、共感、よろこびなどによって強くなる（「胸の内によろこびを感じる」《I have joy in my heart.》）。私たちは、腹部におそれや不安を感じる。いっぽう、愛や感謝、共感、思いやり、よろこびはすべて「ハートで感じる」感情である。

　これが、カルトが低振動の感情をつくりだし、人間のハートを閉じようとするもうひとつの理由である。ハートの波動は、「閉じたハート」や「冷たい心《heart of stone》」といったエネルギーに引きこまれることがある。カルトは、人間が自分たちのように冷たく閉じるよう操作しようとしているのだ。

　ハートは、私たちにとって拡大意識の叡智へのアクセスポイントである。そしてカルトは、私たちが叡智を得ることをもっともおそれている。叡智は幻想を見破る。ハートからの生き方をしていると、拡大意識を通じて叡智や知性、明晰《めいせき》な知覚が得られ、ハートと身体、マインドのバランスが整う。

　しかし、ここでひとつ警告しておきたい。私は、自分はハートで生きていると信じて、世間の常識からかけ離れたハートマスの研究結果を支持する人をたくさん見てきた。その多くは、カルトのアジェンダから目を背け、自分が「ネガティブ」だと感じる情報を深掘りしようとしない。

「ニューエイジ」［訳注：「うお座からみずがめ座の新時代《ニューエイジ》に移行する」という西洋占星術の思想に

もとづき、物質的世界でみえなくなっている精神性／霊性を探求する動き。日本では精神世界→スピリチュアルとよばれることが多い」とよばれるムーブメントで、このようなことがよくあった。「ポジティブ」をよそおうことで、見たくないものから目を背けるのである。人びとが「(仮面)ポジティブ」のシャボン玉のなかにとどまってくれれば、カルトにとっては好都合だ。誰にも気づかれずに思うまま人びとを操作し、彼らが心から生き、「(ほんとうの)ポジティブ感情」をもたないようにできればいいのだから。

「スピリチュアル」にハマるタイプは、自分の身を守るすべをもたないカモである。純粋な世間知らずほど操りやすい者はない。「ハートからの」地球への思いやりから、人為的な気候変動に対するアクションを支持し、「地球を守ろう」(save the planet) というスローガンのもとに結束するのだ。ところがこれは、グローバルな中央集権を正当化するために、カルトがでっちあげた作り話なのである。

ハートは、「ポジティブな感情」だけでできているわけではない。私たちは、現実**と**、私たちが現実を認識することを阻止しようとするものを、しっかりと認識しなければならない。後者を無視することは叡智ではないし、ハートからの行動などでもない。現実逃避である。

現実と向き合うのに「ネガティブ」である必要はない。現実と直面すれば、対応策がみえてくるし、どのようにゲームが進められているのかもわかる。ほんとうにハートから動いている人は、自分の場や流れを乱されることなく、不快な情報を広めることができる。

ワンネスはそのような「ネガティブ」をどのように捉え、なぜそのなかに引きこまれることがないのだろうか？　原理は同じだ。いつから**なんらか**の知識が「ネガティブ」になったのだろう？　知識に「良い」も「悪い」もなく、「ポジティブ」も「ネガティブ」もない。それが使われたり、処理されたり、論じられる方法が問題だ。愛は知性である。**すべて**の知性である。快いものだけではないのだ。

生まれる前から

愛とハートからの感情、またはその欠如は、子宮に宿っているときも誕生後も、赤ちゃんに多大な影響をあたえる。英国の心理療法士、スー・ゲルハルト博士の著書『Why Love Matters』（未邦訳）には、受胎からの2年間にとくに重点を置いて、情緒的環境と胎児の発達との関係が記録されている。子宮のなかの赤ちゃんが、両親が怒鳴り合う声にショックを受けて飛び上がる画像には、ハッとさせられる。

古代からこうしたことを理解している文化もあり、妊婦の周りでは声を荒げることなく、穏やかに過ごすべきとされている。ゲルハルトは南米パタゴニアでの妊娠について例をひいている。

パタゴニア女性が妊娠しているときは、不快なものはすべて遠ざけられる。お目ざめは音楽で。

周囲は彼女の好みに合った娯楽をみつけ、快く過ごせるようにつとめる。彼女の心はよろこびに輝き、飽くことがない……。

スー・ゲルハルトは、なぜこうしたことが重要と考えられているかを説明する。子宮のなかで子どもの脳機能はどのように発達し、母親の食事や感情が、母体内での生化学物循環というかたちでそこにどう影響するか。こうした感情の本質は子どもの身体の発達過程に大きく影響する可能性があり、のちに「拒食症、心因性疾患、依存症、反社会的行動、人格障がい、うつ病」などを発症しやすい状態にしてしまうこともある。

ゲルハルトは、母親のストレスにより子宮内に放出される化学物質が、その後の人生において太鼓腹になる傾向を生むこともあると指摘する（処理されずに、エモーションチャクラ［訳注：仙骨付近にあるセイクラルチャクラ］周辺に溜まった感情であることが多い）。

誕生前の環境は、子どもに自分を待ち受けている世界がどのようなものであるかを示し、子どもはそれに適応して肉体や精神を発達させる。ゲルハルトはこれを「天気予報」とよんでいる。

私は、子どもの誕生前後の親の環境と関係性もひとつの波動のからみあいであると考える。伝達された波動は、エピジェネティクス［訳注：環境や化学的刺激によって遺伝子のスイッチが変化すること］によって子どもの遺伝子の活性化／不活化を誘発する。ゲルハルトは、「神経系が形成され、経験によってかたちづくられる」受胎からの2年間が「比類なく重要」であると指摘している。

彼女はこう続ける。

この期間に親がどのように振る舞うかは、子どもの感情形成において、遺伝的形質と同じくらい大きな影響力がある。赤ちゃんに対する親の反応から、赤ちゃんは自分自身の感情がどういうもので、どう扱えばいいのかを学ぶ。つまり、私たちが認識している以上に、赤ちゃん（胎児）のときの経験は、大人になってからの自分自身と深くかかわっているということだ。私たちは赤ちゃんのころに、自分の感情をはじめて感じ、それをどう扱うかを学ぶ。経験を体系化しはじめるときに、赤ちゃんのときの感情体験が、行動や思考能力に大きく影響する。

この学習行動は、子どもが転んだときの親の反応にみることができる。親が大変だと騒げば、子どもはそれをきっかけとして泣く。子どもは親の表情をうかがって、どうやって反応するかを決めている。親が大したことはない、という反応なら、子どもは立ち上がって、何事もなかったかのように走りだす。私の子どもたちもそうだった。ゲルハルトは「おそれや怒りの表情が記憶され……自動的な反応を引きおこす」と述べている。

カルトは、子どもの感情環境が脳と感情経路に限られていることを理解している。これは、生涯にわたって反応と相互作用に影響する可能性がある（図123）。カルトは情緒が安定した、ハートから動く人間など必要としない。そのような人間は、分断統治するのが難しいからだ。

図123：なぜ子どもや若者はカルトに狙《ねら》われるのだろうか？　明日の大人である幼き者たちは、かつてないほど奴隷化のターゲットとされている。

カルトの金融システムと、政府内のカルト工作員や下っ端連中は、親の生活をできる限り絞めあげることで、子どもの人格形成期に最大限のストレスをかける。親はストレスや不満を抱え、家賃を払えるか、家族を食べさせてゆけるかとおそれ、不安を感じている。その感情は子どもたちにぶつけられ、ゲルハルトが述べたような影響をもたらす。

「子どもを7歳になるまで預けてくれれば、立派な人間に育ててみせよう」という言葉がある［訳注：イエズス会創立者イグナチオ・デ・ロヨラの言葉］。働く母親たちは、ストレスだらけのライフスタイルを出産間近まで続け、産後も可能な限り早くその生活にもどる。子どもにはどう影響するだろうか？

他の本でも述べてきたが、フェミニズムの裏側にはカルトがいて、子どもにとって重要な胎児／新生児期に女性たちを働かせようとプレッシャーをかけている。先に述べてきたような理由から、親と子のつながりを断つこと、さらには1世帯からひとりではなく、ふたり分の税金を徴収するのが目的だ。

女性は働くべきではない、と言っているのではない。それは私がどうこう言うことではないし、女性が男性優位の社会で自由を求めてきたことに異論はない。カルトは正当な抗議に便乗して、それをみずからの利益にすり替えることに長《た》けている。私は、子どもが幼い時期におこりうる問題を指摘しているだけだ。そして、カルトがあらゆる機会に親子を分断し、政府が子どもたちの人格形成期を管理できるようにしようとしていることを強調したい。

今や、ありとあらゆる方向から親権が侵される事態にいたっている。独裁的な学校や悪魔的な社会福祉が、とんでもない理由をつけて、子どもたちをまっとうな親から文字どおり「盗んで」いるのだ。世界各国でこのようなことがおこっているのは、これがカルトのグローバルなアジェンダだからだ。愛する親から引き離された子どもは、どうなってしまうのだろうか？　これについては、のちの章で述べることにする。

愛にかえろう

スー・ゲルハルトは、新生児の脳は大人の4分の1のサイズで、他の哺乳類《ほにゅうるい》より未熟な状態であると指摘している。「……人間における新生児期（およびそれ以降）のケアは、脳の形成に非常に大きな役割を果たしている」

カルトはこのことを認識し、彼らが望む大人になるように、子どものマインドを文字どおり型にはめるのだ。多くの親は、生活費を稼ぐために働かざるをえない。厳しい家計をやりくりし、子どもたちにできる限りのことをしている親たちを責めるつもりはない。しくまれたシステムに問題があるのだ。とはいえ、両親の対立は貧困よりも子どもの情緒の発達に大きく影響する、という研究結果を忘れてはならない。

愛情やケアが不足している親子をみて、なぜ子どもをもうけたのかと疑問に思うことが多々ある。

金持ちは子どもを早くから全寮制の私立学校へいれてしまう［訳注：英国の慣習］が、子どもは愛と拒絶に関してどういうメッセージを受けとるだろうか？　こうした子どもたちは、つらい感情に押しつぶされぬよう、ハートを閉ざしている。そして大人になると、体制側の人間になる。今週末は帰ってもいい、パパ？　今週末は駄目だよ、ゴルフだからね。

このような親は、子どもを独自の生命体としてではなく、自分の付属品のようにみなしている。「**うちの**子たちは小さいころからがんばって勉強して、オックスフォードに入ったんだ。私の言うとおりによくやってくれて鼻が高いよ」この子たちの子ども時代は奪われ、未来は親に決められてしまっている。弁護士か、銀行家か、政治家か。親が思う「成功」のシンボルとするため、利用されているのだ。「あなたのためを思って」という言葉は、たいがい「**私**のためを思って」とか「**私**の言うことが正しい」という意味だ。子どもたちよ、我慢することはない。自分で選んだ道をゆくのだ。

私は、何年にもわたってこのように育てられた人びとを数多くみてきた。彼らは表向きにはひとかどの人物だが、感情的にこわれている。その多くが、自分の子どもも同様に、いちばん愛情を求めているときに全寮制の学校へと送りこんでしまう。裕福な親はよく、カネに糸目をつけず、欲しがるものはなんでもあたえたと言う。彼らに足りないものは、カネでは買えない重要なギフトだ。いつでも無償で手に入るのだから、カネなどいらない。そう、**愛**である。

ろくに面倒もみてくれない親から、おまえはばかだ、役立たずだ、阿呆《あほう》だなどと言われる子どももいる。この刷りこみは、生涯残る。形成期の子どもはとても暗示にかかりやすいので、カルトは子どもたちを狙って生涯信じてほしいことを「入れ知恵」する。

ある教師が、「問題児」の家庭を訪れてみると、両親はそろって泥酔して眠りこけており、かたわらでは幼児が空き瓶で遊んでいたと話してくれた。子どもが「問題児」になるのも不思議はない。

感情を処理する脳の扁桃体は、痛みや快感、おそれ、怒り、悲しみ、よろこびを制御する。扁桃体は受胎から15週までに形成され、形成期、またその後も母親の感情状態に影響される。ある感情パターンがひとたびコード化されると、刺激（体験）がきっかけとなって同じ反応を繰りかえすという、「エンターキーを押す」ような反射が形成されることもある。

結果、心からのよろこびや至福を経験したことがない多くの人は、しあわせをふしあわせの程度で測るようになる。今日はそんなにふしあわせでもない、ということは、きっとしあわせってこんな感じなのだろう、と。

子どもの感情は変わりやすい傾向があり、泣いたかと思えばすぐに笑ったりもする。対して高齢者はパターンが定着し、感情状態が何時間も、何日も、何週間も、なんなら死ぬまで続くこともある。

スー・ゲルハルトは、「強い不安や抑うつ状態……などを抱える母親の子どもは、ストレスや新しい刺激に対応するのが難しかったり、ストレスの克服に時間がかかったりする傾向がある」と述べている。彼女はさらにこう続ける。

新生児のころから怖がりで、生後4カ月時のコルチゾール（ストレスホルモン）値が平均より高いことが多い。最悪の場合、赤ちゃんは……行動や感情に問題のある大人になってしまう可能性が高い……。

子どもが親や周囲とのハートのつながりを楽しんでいれば、こうした問題はなく、両親が共働きでもそれは可能である。ネガティブな感情の影響は、愛によって回復できる。ゲルハルトはこのように指摘する。「……愛さえあれば、まだ新しい現実をつくりだせる力があるのです」

子どもは（大人と同じく）ハートのつながりを渇望している。胎児の心臓は、脳が形成される前から拍動している。そして母親の脳波は、子宮内の胎児の心拍と同期することが示されている。このつながりの本質は、誕生前の胎児の人生経験にとても重要である。どこであれ、愛が**答え**だ。

水は語る

心臓と脳の波動の影響は、水への影響によってはっきり示されている。ドイツのシュトゥットガルトにある航空宇宙研究所のチームは、水のしずくの情報を撮影する方法を開発した。ある実験では、地元の人数人にひとつの水槽から4滴ずつ水を採取して、自分の名前を書いた皿に入れてもらった。開発した技術で水滴を撮影してみると、採取した人によって水滴の姿は違っていたが、同じ人が採取した4滴はほぼ同じだった（図124）。水槽から水滴を採取し、皿に入れるという簡単な作業によって、おこなった人のエネルギー的な特徴が水に転写されたのだ。これが、私たちとフィールドや互いのあいだでの相互作用である。

ハートマスの研究で、人の心拍は水中でも検出できるということがわかった。人体の80%が水（基本状態の波動場）であるとすると、人間はつねに互いに心臓のリズムを交換しているということになる。水のpH（酸性／アルカリ性の度合い）が、水に意識を向けた（波動接続した）人によって変化したという実験もある。

私の日本人の友人、故・江本勝博士は、ハート－マインドが水にあたえた影響を撮影した写真で広く知られるようになった。私たちは日本語の本［訳注：『さあ5次元の波動へ 宇宙の仕組みがこう変わります』（徳間書店）］を共著し、私は東京にある彼の拠点を訪れた。

江本博士は、小さな容器に入った水に「愛」「ムカツク」などと書いて、いろいろな周波数と振動を転写していた。その水を急速凍結し、氷の結晶を撮影すると、驚くほどさまざまな姿を見ることができた（図125）。

愛や感謝などの言葉は、バランスがとれて調和した美しい結晶をつくりだした。言葉のバランスや調和が反映されたためだ。対照的に、憎しみの言葉は醜くグチャグチャしたものをつくりだした。言葉の波動が水に伝達されたのである（図126）。

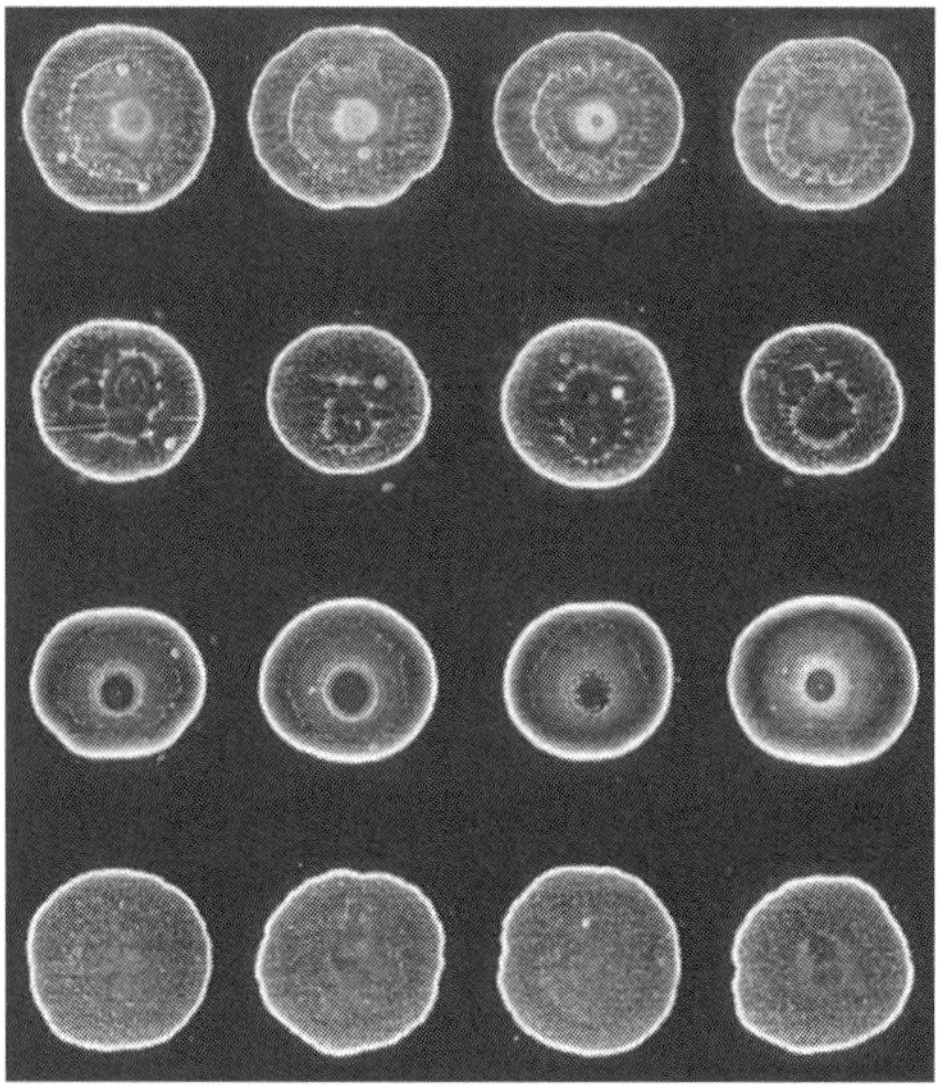

図124：４人それぞれの水滴は異なるが、同じ人が採取した４滴はほぼ同じだ。

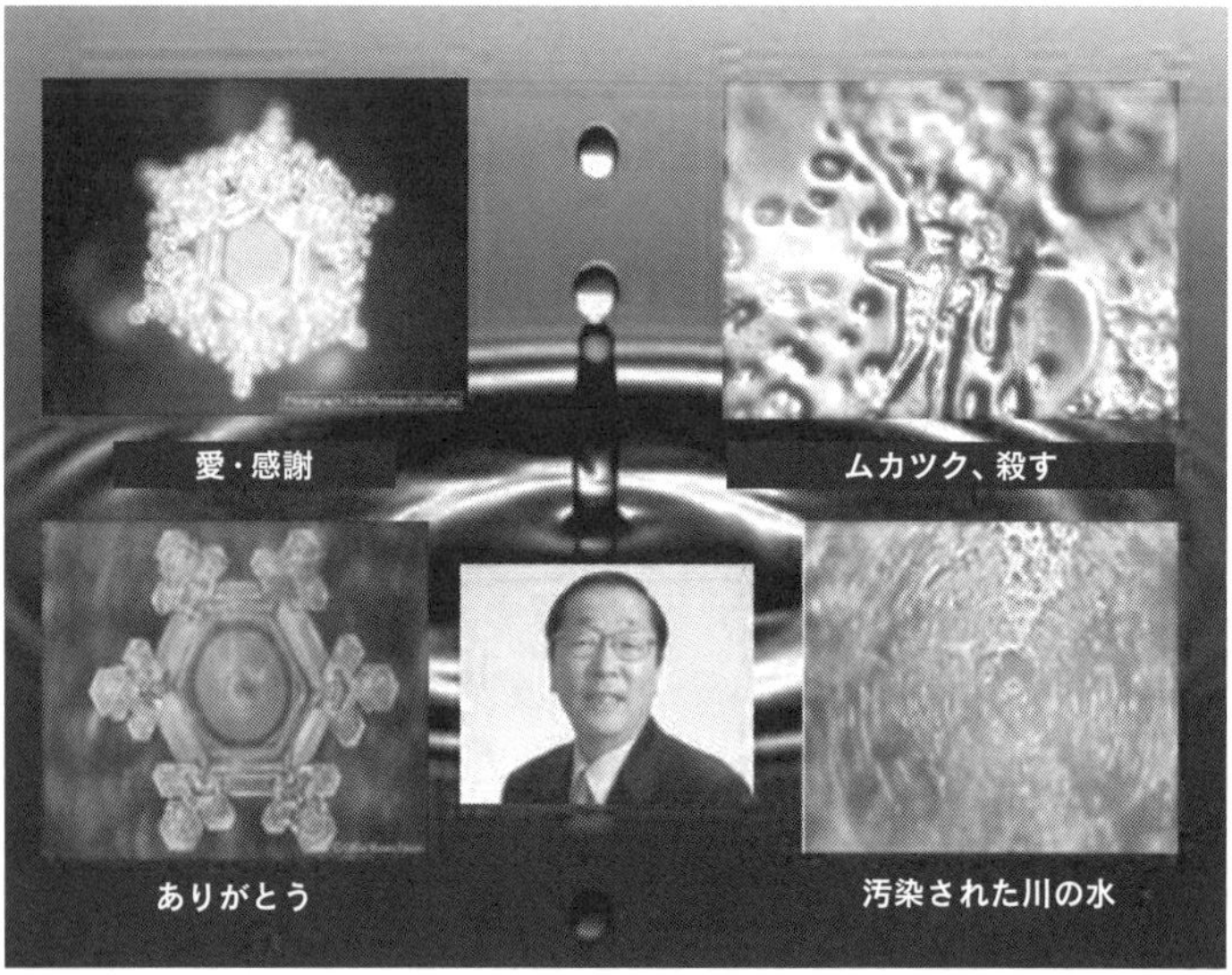

図125：水の結晶の驚くべき違いは、愛、感謝、憎しみなどの言葉や、汚染を反映している。

書かれた言葉が、どうやってそのような影響をおよぼしたのだろうか。答えは、**すべて**の基本状態は**意図**によって決定される周波数をもつ波動場情報であるということだ。私たちは「愛」、「感謝」、そして「ムカツク」という言葉を文字として見ているが、実際にはそれらは意図や意味を反映する波動場である。これらの場は水の波動場に影響し、水が凍ったときに結晶のかたちとしてあらわれてくる。

このようにして、「アンチ・ヘイト」派の憎しみはフィールドに影響をおよぼす。それは、彼らが糾弾する「ヘイト」の連中とまったく同じ、破壊的な影響である。カルトは、双方の裏で糸を引いている。どちらも、フィールドに不調和をつくりだすことに貢献してくれるからだ。

江本博士は、さまざまな音楽や携帯電話などの科学技術が結晶におよぼす影響を研究した。基本はつねに変わらない。調和＝美、不調和＝うへっ！　携帯電話はひどくゆがんだ結晶をつくりだしたが、これは人間の波動場も同じように乱されていることをあらわしている。汚染された水の結晶は、先に述べたように、あらゆる形態の毒は、ひどくバランスのくずれた波動場が化学的（ホログラフィック）にあらわれたものである、ということを裏づけるものだ。

江本博士の研究によって、心をむしばむ感情や思考の不調和など、有害な化学物質の不調和があっても、バランスを取りもどすことが可能であることがわかっている。博士がゆがんだ結晶（波動）をもつ水に「祈り」（調和した意図）をささげたところ、波動へのネガティブな影響が取り除かれた（図127）。

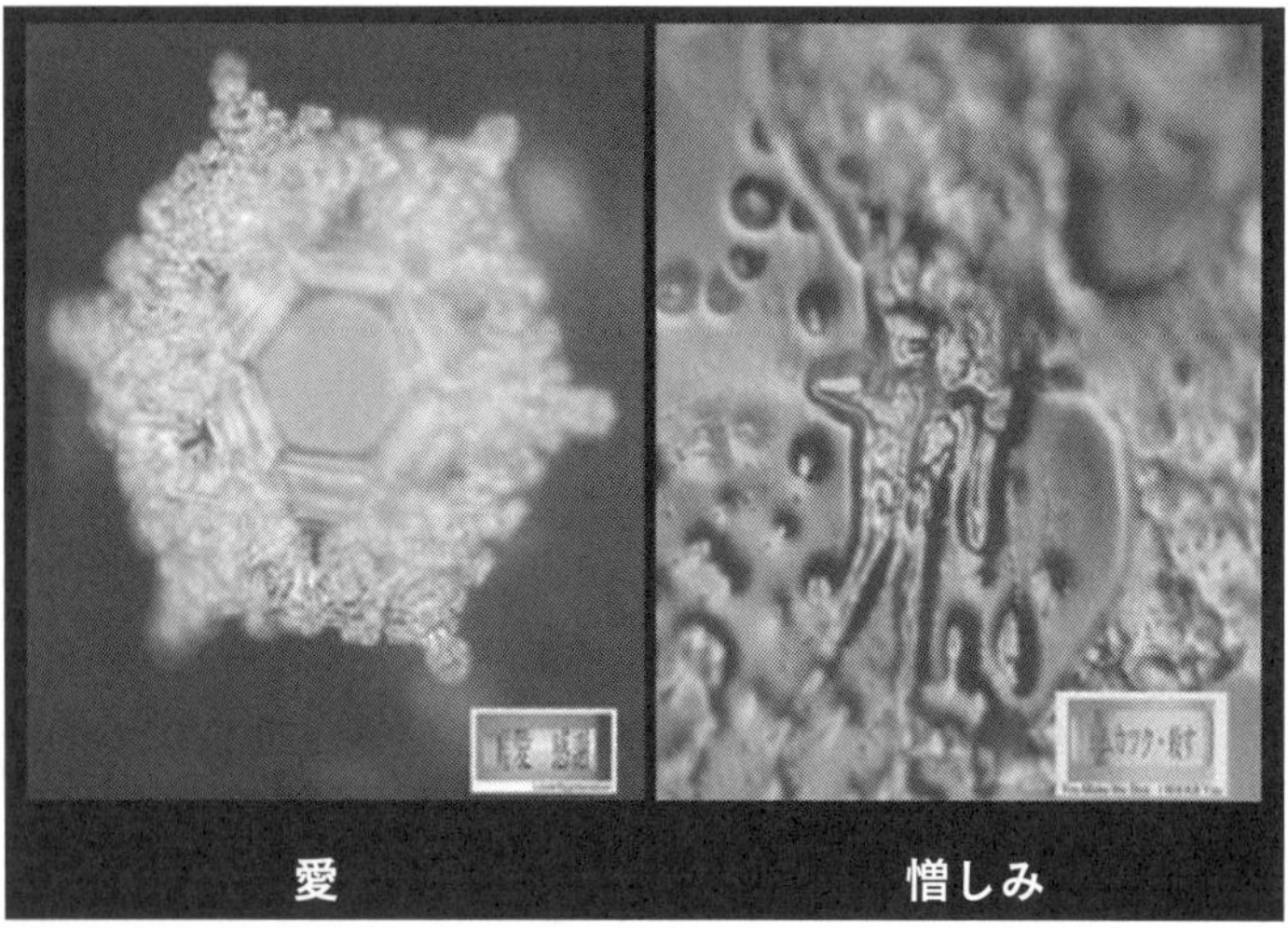

図126：容器に愛や憎しみの言葉を書いて貼った水の結晶の違い。愛や憎しみの状態により、私たち自身や「お互い」、そしてフィールドにもこのような影響がおよんでいる。

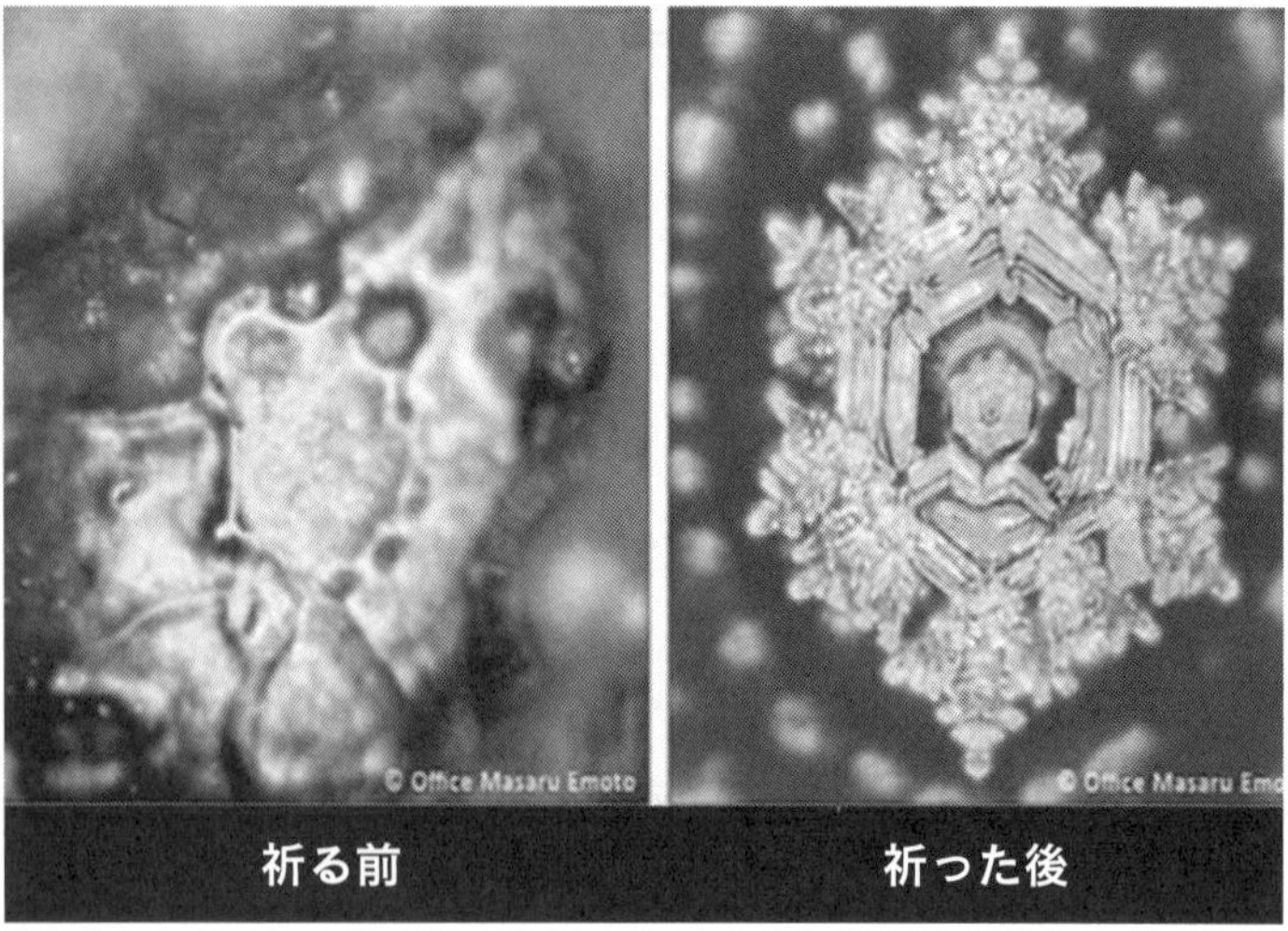

図127：暗くネガティブな状態を美しい調和へと変化させた、愛と意識（「祈り」）の力。

Ⓒ Office Masaru Emoto

同じように、私たちは自身が伝達する波動を変えることで、フィールドや人間社会のバランスを取りもどすことができる。多くの人は、「神」とのつながりを信じ、救いを求めて「祈る」。**ワンネス**がすべての「創造主」たる意識であることを考えると、祈りは有効だとみなすことができるだろう。

人間を超えたレベルの祈りは、思考と願望のフィールドとの集中的な相互作用である。これによってあなたとあなたの祈りを反映する波動場がつながれば（からみあえば）、あなたはそれをみずからの人生にあらわすことができる。この現象がおこったとき、人びとは「祈りが聞き届けられた」と言うが、実際に聞き届けたのは自分自身である。

江本氏の画像で祈りとよばれているものは、実際には、水の波動場の不調和を調和させようとするハートからの明確な意図である。それが結晶に調和をもたらしたのだ。

水への波動の影響によって、主流医学が「いんちき」よばわりして傲慢《ごうまん》に否定する、ホメオパシー［訳注：同種療法］のしくみがあきらかになる。主流医学こそ、身体が波動場であることを知らぬまま、カルトのビッグファーマカルテルがでっちあげたいんちきである。

英政府主席医務官のデイム・サリー・デイビス教授は、「ホメオパスは行商人でホメオパシーはクズ」だと言った。英国の新聞では、２５００人の「獣医と動物愛護者」が、動物にホメオパシーを使うことを禁止するよう求めたと報道されている。彼らは、ホメオパシーは「承認された医薬品」（主流の治療とともに人類の主要な死因となっている）より危険であると主張した。

ビッグファーマが支配する、イングランドの国民保健サービス（NHS）の責任者・メディカル・ディレクターであるサイモン・スティーブンズは、プロフェッショナル・スタンダード・オーソリティ［訳注：法規制のない医療的行為（カウンセリング、レーザー脱毛など）に対する認証をおこなう組織］に、ホメオパシー協会の認証を剝奪《はくだつ》するよう要求した。なにもわかっていないあの男は、協会を認証することは「見かけだけの信頼性」をあたえ、弱い患者を「いんちきの治療」に誘いこむことになると主張した。それはホメオパシーのことだろうか？　それとも主流医学のことだろうか？

彼は、ホメオパシーは子どもにワクチン接種をする親を減らしているとも主張した。ワクチンは、子どもの波動場をひどくバランスがくずれた有毒な波動場とからみあわせるものだ。打たないことのなにが問題だというのか？

サイモン・スティーブンズやサリー・デイビスのような、主流病に侵されている輩《やから》はこう言う。説明できないことはおこりえない、と。ビッグファーマが支配する（カルトが支配する）医学校や専門機関では、医師が信じなければならないこと、おこなってはならない治療を取り締まっている。そんな機関で身体について教育された者が、いったいどうやってホメオパシーを理解できるだろうか？

主流派は、ホメオパシーで使われる（花や他の天然物質由来の）レメディが何度も希釈され、「物理的な」物質が残っていないことを大きな問題としている。英国の新聞記事にはこう書かれている。「……科学者らは、レメディは極度に希釈されていて、原料の成分はなにも残っていないと主張する」。主流派の孤立したボディーマインドにおいては、「物理的でない」ということは「効果がない」ことを意味するのだろう。失礼、あくびが出てしまった。

シュトゥットガルトの航空宇宙研究所による別の実験では、水槽の水に花をひたし、すぐに取りだしたのち、水槽の水のしずくを撮影すると、1滴1滴すべてに花の情報が含まれていた。ホメオパシーで健康に影響をあたえているのは、**物質**ではない。物質の波動場の**周波数情報**が、身体の波動場と相互作用するのだ。シュトゥットガルトの実験が示したように、物質がなくなっても波動情報は水に残る。

ロシアの研究者ウラジーミル・ポポニン博士は、DNAにレーザーを照射する実験で同じ現象を確認した。「物理的な」DNAが取り除かれても、水に花の情報が残ったのと同じように、レーザーのなかには**波動**エネルギーが残る。これは「ファントムDNA効果」として知られているが、正しくは「ファントム《幻影》」ではなく、波動場効果だ。

次の節に進む前に触れておきたいのが、ホメオパシーの基礎は説明できるが（私が出会ったホメオパスは知らなかったが）、施術者の質がつねに重要であることと、かならずしもすべての問題に効果があるとは限らないということだ。患者の精神／感情状態にかかわる波動場の違いによって、状況もさまざまだからだ。

それでは皆さん御一緒に……

私たちは、常に思考、感情、認識の波動を集合場に向けて放っている。こうして、私たち自身の状態がエネルギーの「海」であるフィールドに伝達される。私たちはみなフィールドにつながっていて、つねに相互作用している。支配的な波動（集合的な存在状態）はフィールドにつながっているすべてのものに影響をあたえる。つまり「私たち」、そして自然界のすべてである。

カルトが推進する人工的な電磁波や5Gも、フィールドを通じて影響をおよぼすはずだ。影響を受けるのはすべての人、動物、鳥、昆虫、樹木、その他すべての生きものだ。人工的な波動は鳥やクジラ、イルカなどの、フィールドをナビとして使っているレーダーシステムを狂わせる。この影響で、鳥が迷子になったり、クジラやイルカが岸に打ち上げられたりしている。

フィールドのレベルのひとつに地球の磁場があり、私たちの思考や感情は磁場に影響をおよぼしている。逆に、磁場は私たちにフィールドのあらわれとして影響している。

カルトの重点目標は、フィールドの波動の本質を支配することである。人間を低振動な感情状態に保ち、フィールドをハートとボディーマインドとのコミュニケーションシステムをゆがめるためにつくられた人工的な波動周波数で満たす。そうすることで、フィールドを可能な限り低振動で不調和にし、支配するというもくろみだ。すべての魚に影響をあたえるにはどうすればいいだろう

図128：コンピューターと Wi-Fi が相互作用するように、私たちはつねにフィールドと相互作用している。

か？　海に影響をあたえればいい。人間とフィールドの関係は、まさに魚と海である（図１２８）。

気候変動カルトと彼らの緑の党は、人為的な「地球温暖化」というでっちあげの強迫観念に取りつかれるよう操作されてきた。彼らは、人間や自然界に津波のように押し寄せる電磁波には関心がない。英国緑の党は、党員が党大会で５Ｇについて議論することさえ認めなかった。そして議場の外でこれに抗議した党員を、警察とともに恫喝《どうかつ》した。控えめに言って、これは私が１９８０年代に所属していた党ではない。緑の党は、気候変動カルト全般と同様、カルトのアジェンダの出先機関とされてきた。

悲しいかな、このムーブメント全体は無意識状態にある。カルトが存在すると考えたことすらなく、自分たちが彼らのアジェンダのお先棒を担いでいるという自覚もない。

さいわい、私たちはフィールドに低振動を加えたり、低振動の混乱状態に影響を受けたりする必要はない。ハートを開くことで、自分自身が発する波動の性質を変えることができる。こうして生成される高周波の波動は、フィールドにある低周波の波動とのからみあいをブロックする。フィールドの別のレベルの周波数と相互作用し、消耗し、分断させられるのではなく、力を得ることができる。ここからのすべての道は、ハートから来てハートへと続く。

地球を動かすハート

これらすべてから、私たちがフィールドにあたえる素晴らしい影響、そしてフィールドが私たちにあたえる影響をみることができる。スポーツチームでどのように展開するかを先に述べたが、これは家族や職場など、あらゆるグループにあてはまる。

ハートマスの研究によって、ハート－マインドの（周波数が）コヒーレンスの状態にある者は、自分の調和状態をともに活動したり、相互作用したりする集団に反映させることがあきらかになった（図129）。逆に、感情的にバランスがくずれて、ハート－マインドのインコヒーレンスにある者の状態も反映される。

コヒーレンス、またはインコヒーレンスにある人は、その状態を波動のからみあいによって他者に伝達する。優勢な状態が全体に広まるのである。

フィールドと私たちの精神／感情／ハートの共振によって、同じことが国全体、世界全体でもおこる。世界がコヒーレンスになって協調したり、ばらばらに引き裂かれたりするのである。

ヒトラーとナチスは闇のオカルティストであり、このしくみを理解していた。20世紀なかばのドイツのフィールドは、彼らの周波数にどっぷり漬かり、多くのドイツ人のボディ－マインドはハイジャックされた状態にあった。

ヒトラーの集会の映像に、このテクニックの縮図を見ることができる。音楽や行進、色彩は、ヒトラーの念入りに構築された（波動場）演説と相まって、フィールドの周波数を支配した。膨大な聴衆は熱狂的な錯乱状態に陥り、みずからのフィールドを集会の集団的なパワーに融合させていった。

ヒトラーは「人を惹きつける人物《magnetic》」であると言われたが、これは電磁的《electromagnetic》波動場エネルギーのことでもある。しかしながら、彼のフィールドへの聴衆の集中（からみあい）が、この「魅力《magnetism》」の大いなる源である。

「力を貸す」ことについて話そう。カルトは人間と感情の知覚をターゲットとし、フィールドに低い周波数の波動を注ぎつづける。永続的／知覚的なフィードバックループで、フィールドから人類に低い波動が循環してもどる。私たちは、ハートでこのループをこわすことができる。私たちはフィードバックループをつくるよう操作されているが、それを消し去る力をもっている。

ハートマス研究所は、世界各地にセンサーを設置し、地球の磁場の変化を測定している。磁場の変化は、人間の集団的感情に大きな影響をあたえるできごとと関連している。測定により、世界の人びとが９１１のテロについて知った時期、地球のフィールドにとてつもない急変があったことが確認された（図１３０）。

この相互作用は、ネガティブなものである必要はない。あらゆる表現方法における無限の愛は、ネガティブなものよりはるかに強力であり、私たちは、フィールドの波動周波数を変えることができる。するかどうかは私たち自身が選択することだが、私たちにはその**能力**がある。

愛の意志を向けることで、汚染された水とその結晶の波動状態が変化するというシンプルな例をみてきた。では「世界」はどのように変えられるだろうか？　それには、私たち自身を変えること

図129：心からつながり、相互作用すれば世界は変わるだろう。

集団的直観のエビデンス：2001年９月11日のテロ攻撃前後における全世界のGCP（地球意識プロジェクト）測定所の乱数発生器データ（ネルソン、2002年）

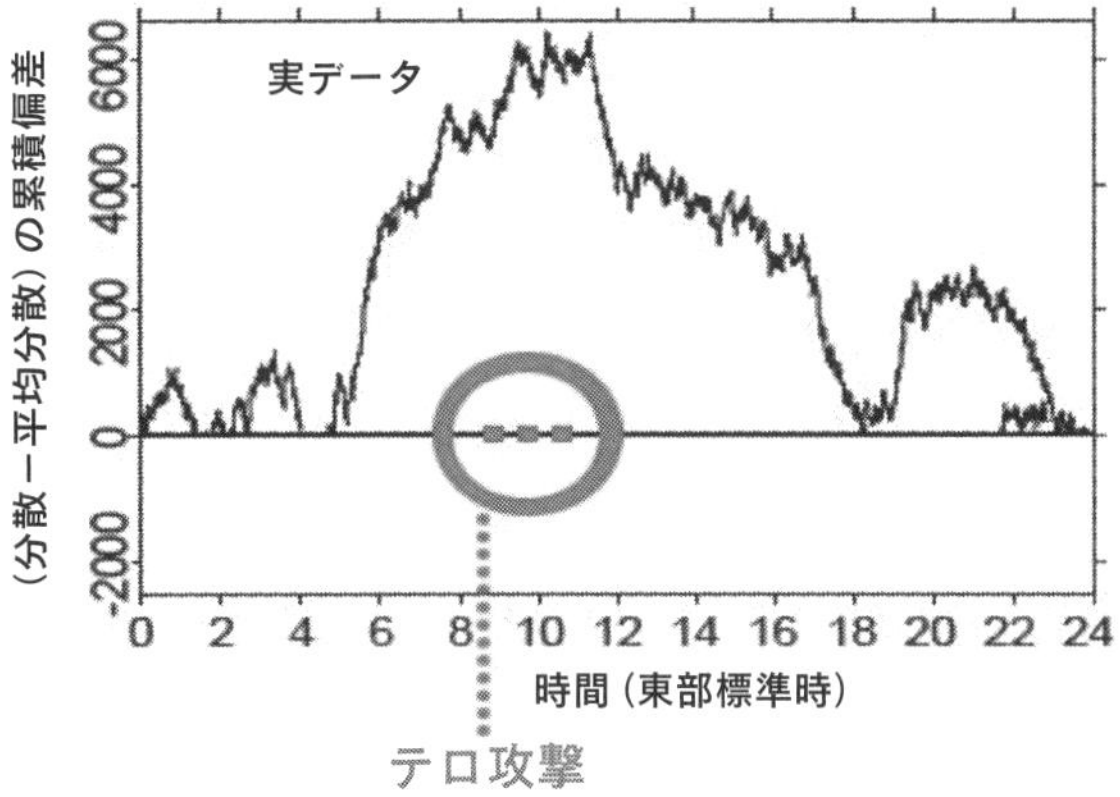

図130：911テロ攻撃のニュースで、地球のフィールドにはなにがおこったか？

だ。なぜなら、世界は**私たち**の集合的なあらわれだからだ。これについては、今後より多くのことがわかってくるだろう。

ハートマス研究所は、ハートーマインドのコヒーレンスを高めるためのテクニックを数多く公開している。ウェブサイトのアドレスは https://www.heartmath.com/ なので、ご確認いただきたい。

愛—究極の強さ

愛は弱さであり、なにかを変える力などほとんどない、と言われるのを聞いたことがある。変化とは、それに「集中して《put your mind to it》」、抑圧者（波動のからみあいによって自分自身を抑圧するための手段にすぎない）を憎むときにのみおこりうるのだ、と。

私が述べている愛を、完全に誤解している。私が述べているのは、人間の愛、惹かれる愛ではなく、もっと無限で大いなるもののことだ。愛という言葉では語弊があるのだが、他に適切な語がないので仕方なく使っている。しいて言えば、無限の愛、無条件の愛というのがいちばん近い。人間、とくに西洋人はこの概念を理解できていないので、それをあらわす言語もまだないのである。

愛にはおそれがなく、つねに正しいと**わかっている**ことをすると先に述べた。ということは、愛が弱さであるというのは誤りであるとすぐわかる。「弱さ」とは、思考においても行動においても、おそれのあらわれである。このことだけでも、愛のもっとも強力なかたちは、なにものをもおそれぬ究極の強さであるといえる。

愛は、正しいとわかっているおこないをするときに、結果など考えない。ただ、するのである。他者が望むことをするということもない。むしろ逆であることが多い。自分の子どもが欲しがるものをすべてあたえ、心を乱すものすべてから守るのが愛だろうか？　それでは、子どもはひとり立ちしたとき困難に対処できないだろう。もし困難に向きあって乗り越えられるよう、子どもの成長期に内なる強さと自信を育てるのを助けてやれば、大人になったとき、あらゆる問題に対処できる術《すべ》が身につくだろう。いったいどちらが愛だろうか？

近年、この勘違いした「愛」によって「ヘリコプターペアレント」［訳注：子どもの上空をホバリングして見張るような親］と化した親たちが、子どもたちの行動ひとつひとつに過干渉して、脆《もろ》い子どもにしてしまっている。そのように育てられた若者たちが、プログラミングセンターである大学へと進学する。彼らは、自称「ウォーク《目覚めた》」［訳注：社会的な問題に対する意識が高いこと］世代で、とんでもなく自己陶酔的な権利意識をもっていて（なんでも思いどおりに育てられたため）、世間が両親のように丁重に扱ってくれないからと、ベビーカーからおもちゃをぶん投げている。

さらに、ウォークなメンタリティは脆く、彼らを守るという口実で自由を奪うシステム（ウォークのみならず、万人の自由を奪うことが目的）に、赤子のようにしたがってしまう。「ウォーカー」は、カルトのアジェンダの歩兵であり、（ツイッター上での）特攻隊である。発言の自由を筆頭に、あらゆる自由を奪うことがその任務だ。

ほんとうの意味での愛があれば、このような個人的・集団的大惨事を阻止するために両親が早い段階で介入し、それがために激しい反抗にも遭っただろう。「どうして買ってくれないなんて言うの?」「どうしてやっちゃいけないなんて言うの?」そして皮肉にも「私のことなんて愛していないんだね」と。愛にはさまざまな面があるが、それらをまとめて貫くのが、正しいとわかっていることをするということだ。

「汝《なんじ》の敵を愛せよ」という教えがある。横たわって相手の蹂躙《じゅうりん》にまかせろというのである。自分たちの意志を押しつけてくる相手の支配を許すのが正しいとは、どういうことだろう? 愛はそのような教えを支持しないし、おそれがないのだから、されるがままでいる**はずもない**。愛とは、みずからを愛し、誇りをもつことでもある。怖気《おじけ》づいて服従などしない。その頑固さを確かめるには、無限の愛に、正しいとわかっていることをしてはいけないと伝えてみるといい。

迫害者と思われる人物を憎む必要はない。ただ、彼らの押しつけに屈しないことだ。憎しみはいらない。私たちは憎んだものとからみあい、それと同化してしまう。私がカルトと波動接続をするなら、それは**私の**周波数であって彼らのものではない。そのためには、私は私のいうところの愛で彼らを愛し、彼らがなぜあのようであるのかに思いを遣《や》らなければならない。彼らは、ハートセンターが閉じてしまっていて、**ワンネス**からの影響を受けていない。その状態で形成された彼らの知覚や自己認識が、あのような行動につながっている。彼らのようになりたいだろうか? 自己愛からも、他者への愛からも隔絶してしまっているために、すべてを傷つけ、支配したいと願うとは、なんたる悪夢か。彼らには私たちの思いやりが必要だが、したがう必要はない。

偽物の「愛」はそこかしこにあふれている。言葉や表情だけの「愛」で、おこないやハートからの一貫性がともなわない。私が会った多くの「ニューエイジャー」や、とめどなく湧いてくるウォーカーは、「愛」のペルソナ（仮面）をかぶっている。彼らは周囲に「愛の人」だと思われたいし、自分でもそう思いたいのだ。ところが、私がこれまでの人生で出会ったニューエイジャー（とは**ほど遠い**が）には、愛がなく、自己欺瞞《ぎまん》に満ちて人を操る者が多数いた。

ウォーカーは愛せ、思いやりをもて、社会正義のために戦えと叫びながら、自分たちに賛同しない者の自由やキャリア、生活をぶちこわそうとしている。ターゲットへの共感などなく、ウォークの横暴にそむく者には歯を食いしばって憤怒にふるえ、情け容赦のかけらもない。そんな彼らが、みずからを「アンチ・ヘイト」と自称するとは、啞然《あぜん》とするばかりの皮肉である。

おかしなところへ連れてゆかれる前に、早急に愛とはなんなのか、世の定義をあらためなくてはならない。愛の真実が理解されれば、**どこへでも**ゆくことができるようになるだろう。これらについては今後追求してゆく。

さて、ではあなたはいったい誰なのか？　あなたはあなたのハートである。私たちは誰か？　私たちはみな**ひとつの**ハートである。なぜそのように生きられないのだろう？　カルトがそれを望まないからだ。カルトはそんなに強力なのか？　そんなことはない。ハートに**したがえば、私たち**のほうがずっと強いのだ。

第5章
私たちはどこにいるのか？

自分の周りの世界が自分の心とは別の物理的なものだと考えているのなら、あなたは騙《だま》されている

――ケビン・ミシェル

このタイトルはいい質問だ。いったい私たちはどこに**いる**のか？「場所」とはなにか？主流メディアでは、このような核心的／根本的な疑問は、ほんのわずかしか考察されない。素晴らしいではないか？しかも、カルトが質問されることを望まない場合、カルトが管理するメディアは、深く一貫した問いを発することはない。

「科学者が発見した」とか「科学的研究によりあきらかになった」、「科学者はこう考える」などといった、つながりのない断片情報をあちらこちらで目にする。そうした点と点がつながっていることはめったになく、現実についての真実も、答えを求めて熱心に追究されてはいない。私たちが何者で、どこにいるのかということは、人類が抱く疑問の筆頭に来るべきものではないのか？

　またまた繰りかえしになるが、社会を操作している者は、ターゲットに自分自身が何者であり、どこにいるのかを知られたくない。それがわかれば、すべてがひっくり返ってしまうからだ。『今知っておくべき重大なはかりごと』（ヒカルランド）でかなりのページを割いて述べたが、私たちは、インタラクティブ《双方向》なバーチャルリアリティ《仮想現実》ゲームのような、ある種のシミュレーション《疑似実験》を体験している、というのが私の長年の持論である。私はこの結論に達し、今世紀初頭からそれについて書きはじめた。しかし、もっと前からその可能性については考えていた。近年では、主流の科学者でさえ、それを示すエビデンス《根拠》の出現について触れるようになってきた。

　NASAのジェット推進研究所の進化的計算、および自動設計センター局長の、リッチ・テリレもそのひとりだ。彼は数年前、宇宙はデジタルホログラム《離散数値的立体画像》であるという持論（真実）を発表した。

テリレは、もし現実がホログラム的な構造物であれば、なんらかの知的生命体がそれをつくったはずだ、とも主張しているが、確かにそれは疑う余地がない。彼の考えは、私が１９９０年代から主張してきたことと一致する。見えない勢力が、私たちの現実を操作しているのだ。

米国人の核物理学者サイラス・ビーンは、独・ボン大学のチームを率いて、私たちの現実は映画『マトリックス』シリーズで描かれたようなシミュレーションなのだろうか？　という疑問を追究した。彼らは、現実はシミュレーションである可能性が高いとし、ビーンは、シミュレーションは立方体のようになっているという説を出した（図１３１）。

私は数十年来、光速は物体の速度の上限ではないと言いつづけてきた。光速は、シミュレーション、またはマトリックス（母体・基盤＝生み出すもの）の外側にあるファイアウォールをあらわしている、というのが私の考えだ。ゆえに、「光」と電磁スペクトラム《配列》は、私たちが「世界」であると信じている**マトリックス**である。映画『マトリックス』で、モーフィアスは「君は空想世界にいたんだ、ネオ」と言う。私たちも同じだ。

正統科学は、光の速度は秒速約30万キロメートルであり、物体の速度の上限であるとしている。そして、１３７億年［訳注：１３８億年という説が多い］ほど前に、「シンギュラリティ」［訳注：時間や空間など状態が定義できない特異点］とよばれる状態から、「ビッグバン」がおこったと信じている。ひとつの原子核のなかに凝縮されていた宇宙が爆発し、素粒子、エネルギー、物質、空間、時間、惑星、星、そしてレジ打ちのエセルができたというのだ。米国の著述家／研究者のテレンス・マッケナは、ビッグバン理論をこのように表現している。

……自由な奇跡をひとつもらえれば、私たちはそこから進んでゆく。時間の誕生から、審判の日まで！　たったひとつの自由な奇跡があれば、自然の法則ですべて解き明かされる。これらの奇妙な難題は誰にも理解できないが、この情熱においてはとても神聖なものだ。

もうひとりの観察者は、偶然のできごとによって宇宙が進化する可能性を、ハリケーンが解体屋を襲ってジャンボジェット機を組み立てるさまに、見事になぞらえてみせた。物理学者サイラス・ビーンは、シミュレーション**である**ことによって、限界のある独自の「物理法則」がつくられると指摘している。

「時間」と「空間」が私たちのホログラフィックな現実にコード化されているので、光速という限界が存在するというのが私の論だ。臨死体験者は、彼らが体外で体験した「光」は、太陽光（光速）とは違っていたという。「目を刺すような光ではないのです」とある者は言う。「太陽光のようではありません」

私は長年、太陽光はマトリックス、あるいはシミュレーションだと書きつづけてきた。バーチャルリアリティゲームやシミュレーションには、設計者がコード化した独自の物理法則や限界があり、私たちの現実も、原理は同じである。主流科学が考える「物理法則」は、シミュレーションにコード化された限界でしかなく、臨死体験者がいう現実はそれとはまったく違っていて、無限の可能性がある。それは、彼らがシミュレーションとからみあい、その幻想に注意を向ける肉体から離れていたからだ。

主流の科学者は、プラトンの洞窟《どうくつ》のなかで壁に映った影（シミュレーション）を「本物」だと信じて学んでいる「学者」である。「人間」であるということは、コンピューターシミュレーションのなかで、ヘッドセットをかぶっているような状態だ。そして五感は、シミュレーションをあたかも「自然な」現実のように解読する（図132）。

ボン大学のサイラス・ビーンのチームは、宇宙線が特定の格子状に整列することを発見した。この構造は、シミュレーションの構造の基盤となっている可能性がある。宇宙線とは、太陽系の外から地球へと光速で降りそそぐ「原子のかけら」である。ウェブサイトSpace.comにはこのように記されている。

1912年に発見された宇宙線に関しては、発見から1世紀以上経ってもいまだに謎が多く残されている。そもそも、どこから来たのかもはっきりわかっていない。多くの科学者は、超新星（星の爆発）に関連しているのではないかと考えている。しかし難題は、長年にわたって宇宙線の起源が空全体を調べる複数の観測所で同じように見えたことだ。

立方体で
つくられた格子を
基盤とした
シミュレーション
としての宇宙

図131：サイラス・ビーンと彼が提唱するシミュレーション・マトリックスの格子構造。

THE MATRIX

図132：「現実世界」。

じつは宇宙線は、マトリックスあるいはシミュレーションの情報源である。ボン大学のチームは、GZKカットオフ（Greisen-Zatsepin-Kuzmin限界）［訳注：提唱者3名の頭文字を取って名づけられた］とよばれるものに着目した。これは、宇宙線と宇宙背景放射［訳注：宇宙のあらゆる方向から同じ強度で入射してくる電波］との相互作用によって生じる、宇宙線粒子の地球への到達限界である。このプロセスには「パイ中間子」［訳注：原子核を安定化させる核力（強い相互作用）を媒介する素粒子」とよばれる粒子がかかわっている。私は当初、これを人類とみなしていた。

チームの論文「数値的シミュレーションによる宇宙の制約」によると、GZKカットオフ「制約パターン」は、コンピューターシミュレーションでみられるものとまったく同じである。この結果は、人間の知覚に関しては次のように形容できる。「真っ暗な独房にいる囚人のように、私たちは刑務所の『壁』を見ることができない」そのとおり。

私たちは「壁」を「光速」とよび、限界速度としているが、じつはそれは、ボディー・マインドが解読する知覚の限界をあらわすものだ。意識は「光」の限界を超えて、瞬時に交信することができる。シミュレーションの外の周波数で動作しているからだ。私たちの意識的知覚は、シミュレーションの周波数帯域内の情報を解読する脳に指示されている。しかし私たちは、つねに光より速く交信している。

「マトリックス」の基本構造は、エネルギーと情報の定常波から形成される。定常波は、限界（この場合は光速）のある領域にとどまるときに「定常」する。ある方向へ向かう波が、制限する障害物に当たって逆方向へ向かうと、ふたつの逆向きの流れが互いに打ち消しあう相互作用が生まれる。これによって、波はどちらの方向にも進まずに「その場で」振動する（図133）。ふたりの人が逆方向に走ってゆき、ぶつかるとお互いの進路がふさがるため、その場で足踏み状態になる、といった感じだ。

定常波は、制限となるふたつの周波数によってもつくられ、それらは前進することなく振動する。また、振動によってつくることもできる。

定常波を生みだす振動によって、かたちをつくりだす「サイマティクス（音の可視化）」というものに、その原理をみることができる。金属板の上に微粒子などの媒体をひろげ、音の周波数を伝えると、周波数に応じたパターンが生まれる（図134、135、136）。

音の振動によってつくられたサイマティクス・パターンは定常波であり、周波数が変わるまでその状態を保つ。周波数が変われば、その周波数と同期する別のパターンにかたちを変える。周波数の波動は、このようにして「物」やかたちをつくりだす。

ユーチューブで「定常波　動画」「Cymatics full documentary bringing matter to life with sound」などのキーワードで検索すれば、定常波やサイマティクスの動画を見ることができる。サイマティクスのウェブサイトで素晴らしいのはCymascope.comだ。

閉じたマインドも、定常波である。知覚のシャボン玉のなかで、うそと幻想の周波数で振動しているのだ（図137）。

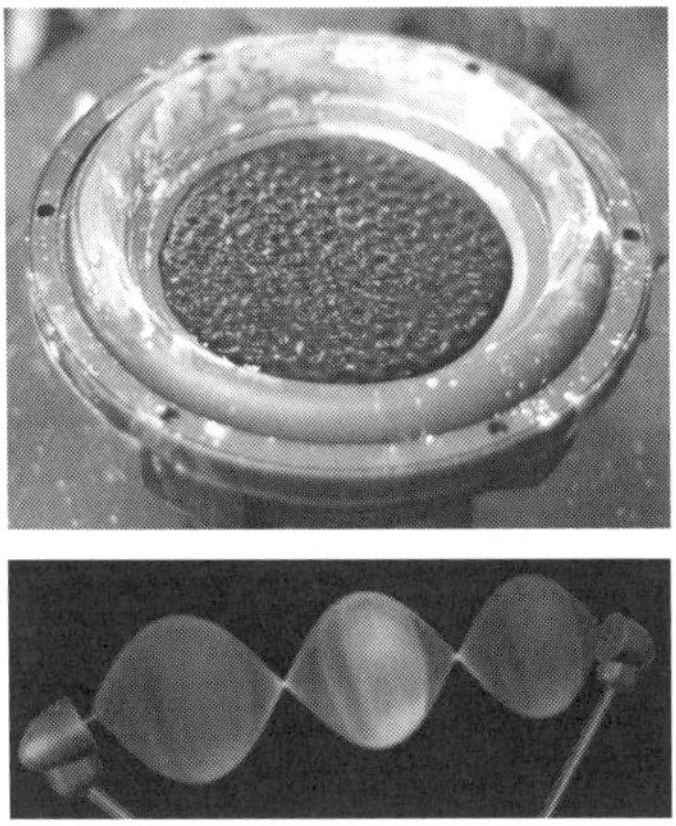

図133：定常波は、２つの同じ強さの力が互いに押しあう振動によってつくられる。

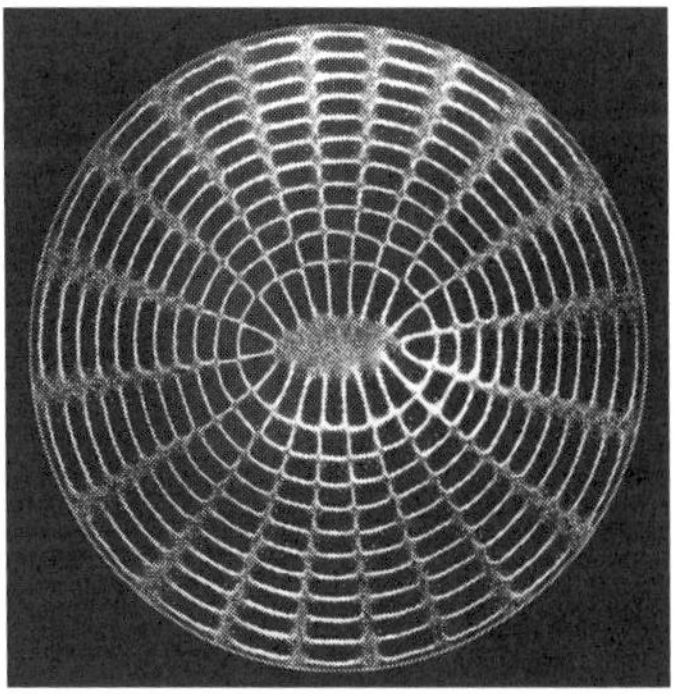

図134：音の振動によってつくられたサイマティクスの画像。微粒子が集まって、周波数／振動を反映したかたちになる。周波数／振動が「物理的に」出現したということだ。振動を変えると、微粒子はそれを反映してかたちを変える。画像は Cymascope. com より。

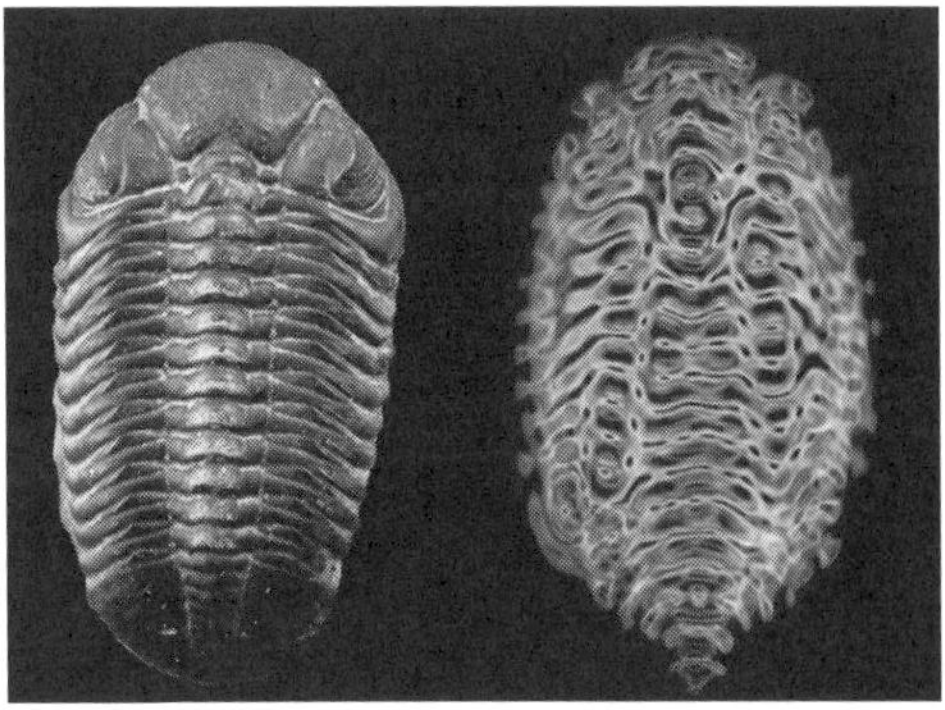

図135：石の隣にあるのは、振動によってつくられたサイマティクスイメージである。画像は Cymascope. com より。

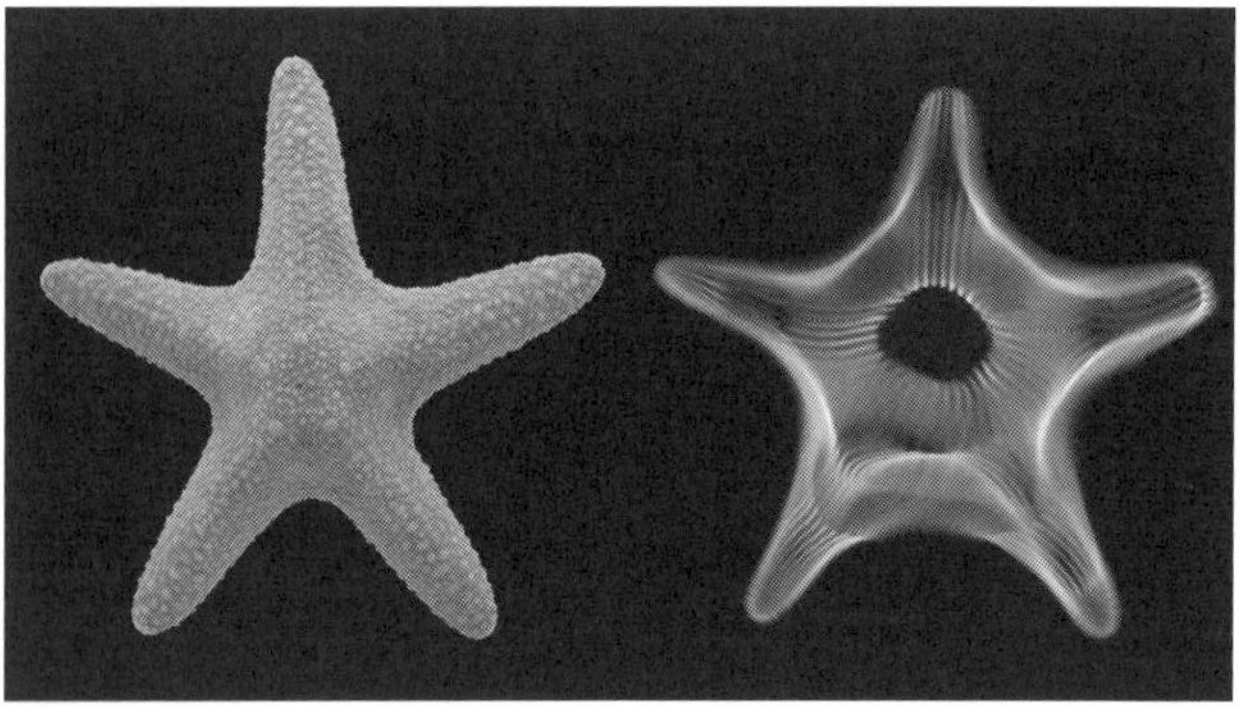

図136：本物のヒトデとサイマティクスイメージのヒトデ。画像は Cymascope. com より。

図137：閉じたマインド、あるいはシャボン玉は、その場に停滞してどこへも進むことのない定常波だ。

定常波の現実

宇宙（シミュレーション）は定常波であり、人体を含む宇宙のなかのすべてである。さて、定常波の典型的な例といえばなんだろうか？　**ホログラム**だ。マインドを開いて現実を追いもとめれば、すべての糸がひとつにより合わされてゆくのがわかるだろう。

ホログラフィックな模様の上でぶつかるふたつの波動源が相互作用して、**定常波**をつくりだす。これが解読されると、あたかも三次元の物体であるかのように見える。定常波、ホログラムそしてサイマティクスは、すべて同じ現象をそれぞれのかたちであらわしたものである。

心臓は、肉体の定常波とともに振動（拍動）する。感情が心臓のリズムに影響をあたえるということは、感情の波動が身体の定常波のリズムと心臓の波動のリズムに影響をあたえることを意味する。定常波が振動しているときは「生」であり、止まれば「死」だ。

マインドは定常波の振動とからみあっていて、それが止まったとき、私たちは肉体から解放される。人は「生きる意志を失う」と、思考／感情の波動状態を反映したエネルギー密度（ゆっくりとした振動）を生みだし、定常波を停止させてしまう。心痛からの死がその例である。

逆に、思考／感情の波動が定常波に活力をあたえ、「死」の淵《ふち》から引きもどすこともある。人びとは「奇跡だ」と涙を流すが、じつのところは波動の相互作用なのだ。

多くの臨死体験者が、生きかえったのち、死にかけていた肉体が癒《い》えていることに気づいた。体外離脱体験が、彼らの知覚を変えたのだ。知覚は波動場の状態を変え、波動場が肉体を変えた。DNAは、宇宙の波動のホログラフィックなあらわれである、定常波の送受信機である。DNAの姿を、定常波と見比べてみてほしい（図138、139）。

ドイツの生物物理学者フリッツ＝アルバート・ポップは、DNAが特定の周波数で振動していることを発見した。このことは、最先端の科学者や研究者らによって何度も確認されている。

「物」は、さまざまな周波数と共振する定常波のあらわれである。これは、シンボルにもあてはまる。だからカルトは、国際社会のいたるところでシンボルを使うのだ。

シンボルは、特定の周波数のあらわれである。音の振動と波動のからみあいによって人間の知覚に影響をあたえるため、シンボルは私たちの周りのいたるところに配置されている。

図140、141のシンボルを見たことがあるだろう。これらは、液体を特定の周波数の音で振動させたときに生成されたものだ。周波数とかたちは、同じ情報が違ったかたちで表現されたものである。

面白いことに、六芒星《ろくぼうせい》（イスラエル国旗の「ダビデの星」）と立方体は、どちらも土星のシンボルである（図142）。『今知っておくべき重大なはかりごと』でその理由を掘りさげているが、これはシミュレーションとも関係している。

「ロスチャイルド」という名前は、ドイツ語で「赤い楯《たて》」を意味し、18～19世紀にフランクフルト

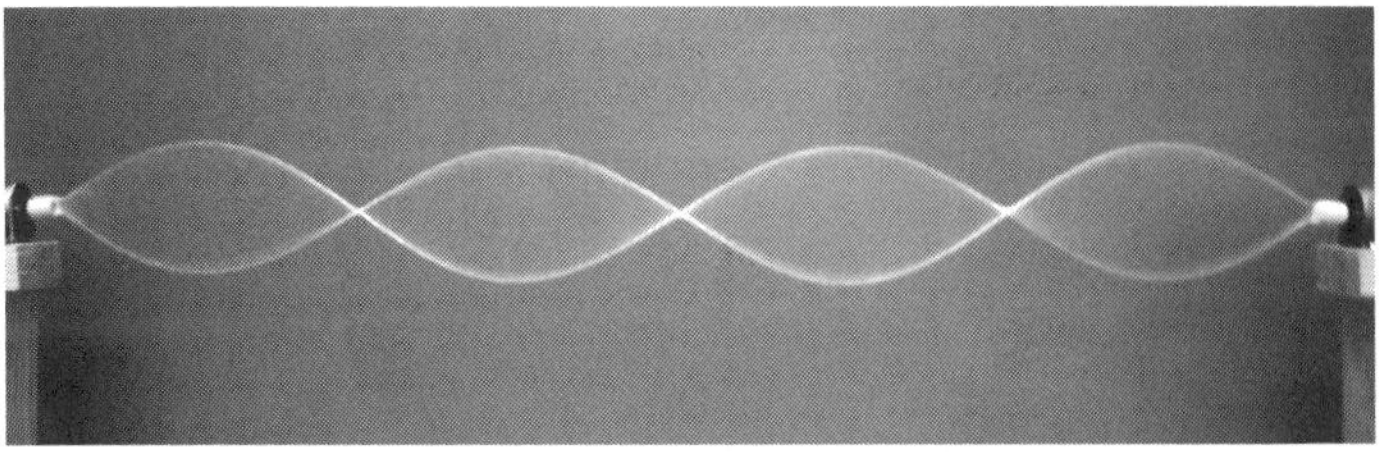

図138：定常波を……。

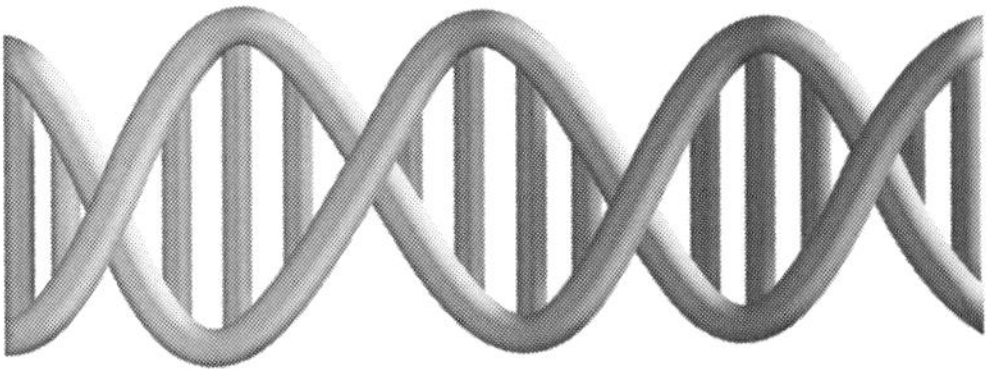

図139：……DNA と比べてみよう。これも偶然だろうか？　ありえない。

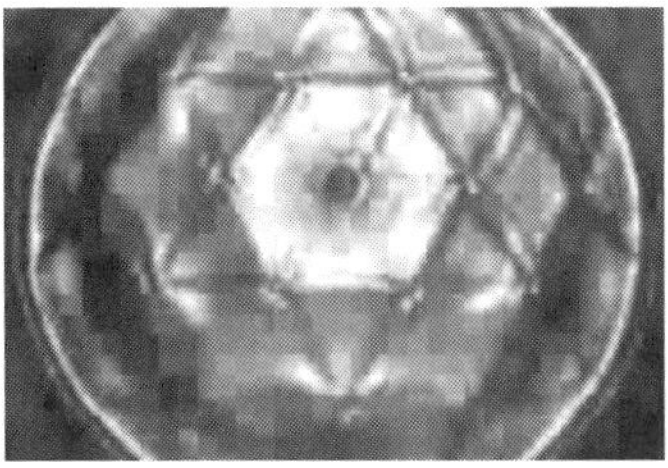

図140：液体を音で振動させて生成された六芒星、または「ダビデの星」。この実験により、このシンボルは音の周波数の振動であることが確認された。これはイスラエルの国旗にあるシンボルであり、ロスチャイルド（赤い楯）という名前に由来するものである。［訳注：David《ダビデ》のスペルの最初と最後の「D」の字２つをあらわす三角形（古ヘブライ文字の D は三角形）を互いに組みあわせたかたち「ダビデの楯」の旗印が、30年戦争の功績をたたえてユダヤ民兵部隊に下賜されたといわれ、ユダヤのシンボルとされている］また土星のシンボルでもあり、その周波数を反映している。

図141：同じように音からあらわれた六角形。すべてのシンボルやかたちは、振動によって生成される定常波である。

図142：六芒星／ダビデの星と立方体（サイラス・ビーンの立方体のマトリックスを思いだしてほしい）は、古代の土星のシンボルであり、いずれも土星の周波数を反映している。とくに黒い立方体は土星を象徴しており、イスラムの聖地メッカには黒い立方体の石がある。また、イスラエルの諜報機関モサドと関連する「セキュリティ」会社はブラックキューブとよばれている。ユダヤの安息日は土曜日《Saturn-day》である。

にあった一族の邸宅にかかげられていた六芒星から来ている。財閥を築いたマイヤー・アムシェル・ロートシルト［訳注：ロスチャイルドのドイツ語読み］は、サバタイ派フランキスト［訳注：ユダヤ教党派］崇拝者で、「国際金融の父」として知られている。彼はまた、カルトのイルミナティの創始者でもある。結局、すべてはつながっているのだ。

神秘・オカルト著作で知られる米国のマンリー・P・ホールが、シンボルの力と意味を的確に言いあらわしている。「人間がシンボルの言語を読みとれるようになったなら、目からぶ厚いうろこが落ちることだろう」いまだ解読されないカルトのシンボルも、そのうろこの一部である。

科学者らは、２０１９年に「パラダイム・シフト（当該時代・分野において当然視されていた認識・思想、社会全体の価値観が劇的・革命的に変化する）」となる研究結果を発表した。宇宙はトーラス［訳注：円周を回転して得られる回転面。円環面、輪環面］、あるいはドーナツ形の閉じたループであるというのだ。

マンチェスター大学のエレオノーラ・ディ・ヴァレンチノは、欧州宇宙機関の人工衛星、プランクのデータを研究する宇宙飛行士の国際チームを率いた。彼らの結論は、宇宙は湾曲し、閉じて膨張している球体だというものだった。ディ・ヴァレンチノは、この発見を「宇宙論的危機」とよび、「現在の宇宙論的な調和モデルを根本から考え直す」必要があるとした。

これまでその考えにいたらなかったのは、なぜだろう？　私は過去の著作で、宇宙はドーナツ、あるいは「トーラス」のようなかたちをした閉じたループであると書きつづけてきた（図１４３）。

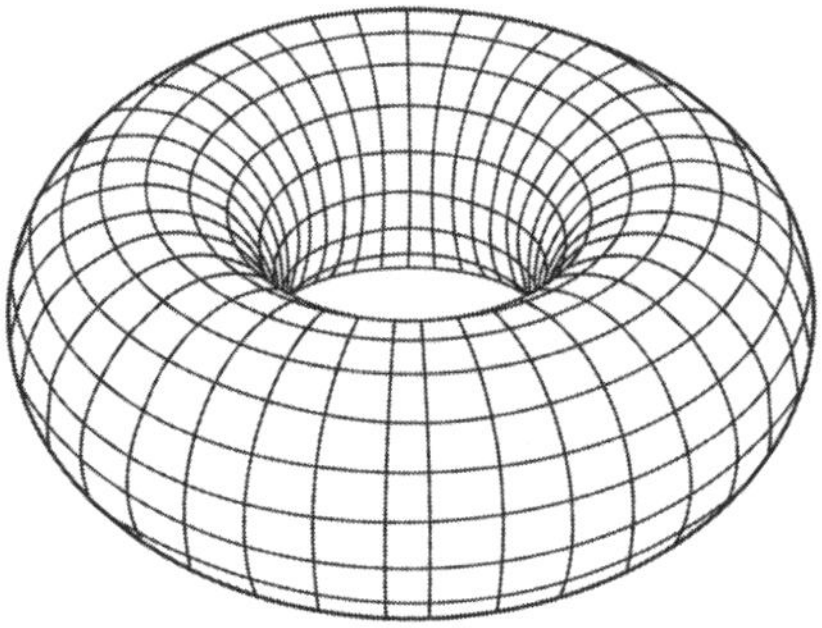

図143：2019年に発表された「画期的な」科学研究があきらかにした宇宙のかたち。私はずっと前から、宇宙はトーラス形であると本に書いていた。

図144：2003年に出版された私の本『Tales from the Time Loop（タイムループ＝跳躍的輪環的時間往還からの物語)』の表紙。「時間」という、閉じて繰りかえす幻想を通過するトーラスリングとして、私たちの現実を描写している。

２００３年に出版した本は、タイトルからして『Tales from the Time Loop』（未邦訳）といい、表紙にトーラスのシミュレーションが描かれている（図１４４）。トーラスは人間の目にもある。上の如《ごと》く、下も然《しか》り（図１４５）。

宇宙は閉じたループである。なぜなら、それは「光速」の周波数帯のなかにあるシミュレーションだからだ。宇宙は波動場の構築物であり、ホログラフィックな閉じたループとして解読される。ボディーマインドを超えて拡大した意識だけが、そこを突破することができる。

この「ループ」は、大型ハドロン衝突型加速器になぞらえることができる。これは、スイスの欧州原子核研究機構（CERN《セルン》）に設置されている、世界でもっとも強力な粒子加速器である（図１４６）。数十億ドル規模のこのプロジェクトの真の目的については、『今知っておくべき重大なはかりごと』で取りあげたが、機構が掲げる建前とは一致しない。

加速器は環状トンネル、あるいはチューブである。スイスとフランスの国境にまたがり、地下１００メートルの深さに、超電導磁石が約27キロメートル［訳注：山手線は一周34・5キロメートル］にわたって埋設されている。

陽子の粒子（波）が、光速で双方向から環内を移動し、正面衝突する。陽子は、１秒間にリングを１万１２４５周する（図１４７）。なぜこのようなことをしているのかについては、長くなるが、『今知っておくべき重大なはかりごと』で述べている。

ここでハドロン衝突型加速器について取りあげたのは、トーラス宇宙を視覚的に感じてもらうた

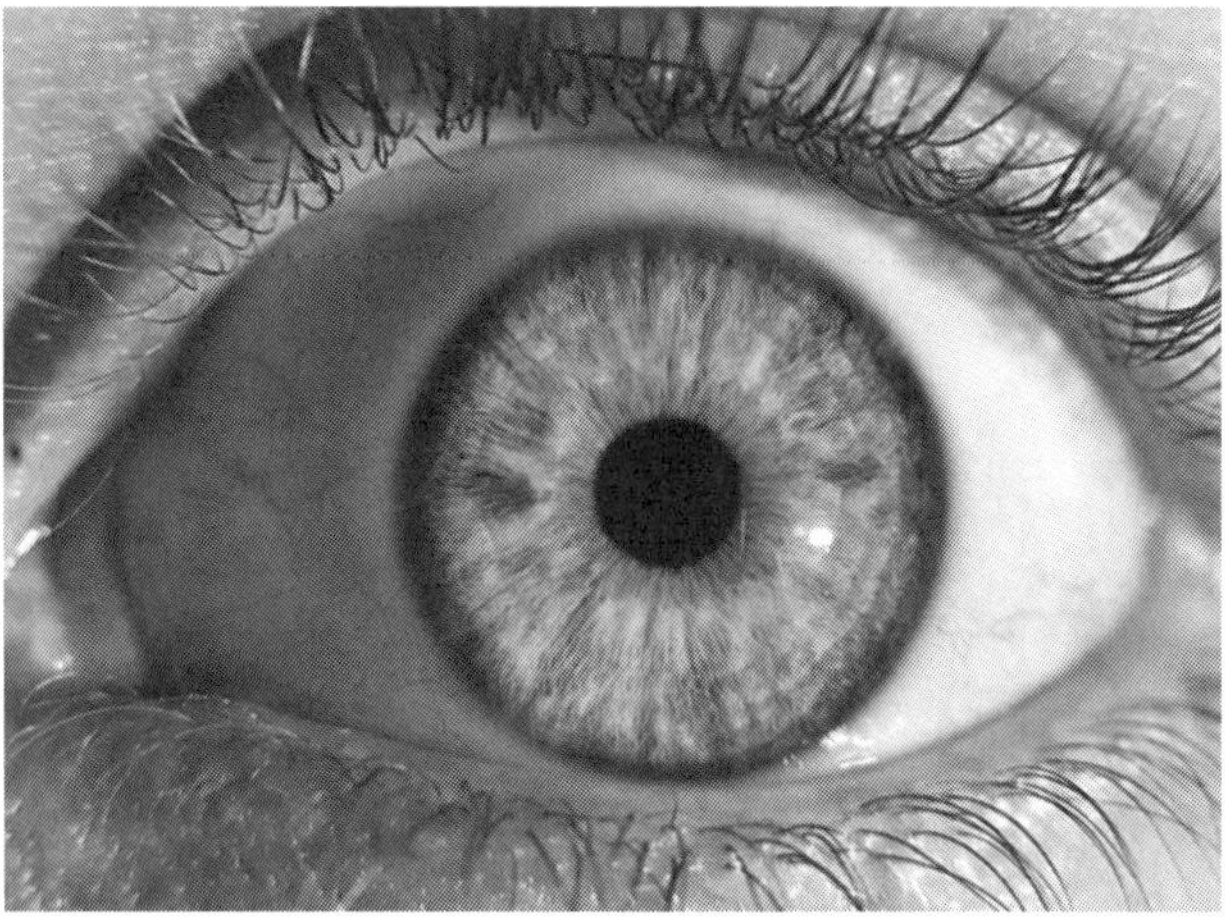

図145：人間の目にもあるトーラス。

図146：スイスの CERN にある大型ハドロン衝突型加速器。

図147：CERN のリングは、シミュレーションのミニバージョンのように見える。

図148：私たちが幻想の「物理的」現実として解読し、「人間界」として体験するタイムループ「宇宙」。

めだ。あのような閉じた環状チューブのなかにいて、そこが閉じた空間であることを知らなかったとしたら？

循環するエネルギー／情報は、チューブとはまったく違った、ホログラフィックな世界として解読されている。ループのなかにいると、時間は「先へ」進んでゆくように感じられるだろう。ループのなかのどこにいるかを「現在」と捉え、そこを起点に「過去」や「未来」を知覚するだろう。人間の現実は、実際には「今」のなかにあるサイクルである。図148はこれを描いたもので、2010年に出版された『人類よ起ち上がれ！　ムーンマトリックス』（ヒカルランド）の挿絵である。

グレート・イヤー（約2万6000年）［訳注：地球の軸が公転するときに生じるずれ（歳差《さいさ》）が元へもどる周期］やヒンドゥーのユガ［訳注：循環する4つの時期からなる「時代」］や世《せい》［訳注：地質時代の単位。現代は完新世《かんしんせい》］、マヤ暦の周期、あるいは「カウント」［訳注：1バクトゥンは約394年などの単位がある長期暦］は、シミュレーションプログラムのサイクルである、と私は考える。

地球規模の大災害が何度も発生し、生命がどのようなものであったかについての知識とともに、当時存在していたものがほとんど失われてしまったこれらのサイクルのポイントを、一部の研究者が特定している。

「既知の」人類史は、実際におこったことのほんの一部にすぎない。今日の私たちには再現しようのない、古代の素晴らしい建造物は、原始人から現代社会へと進化してきたという定説が幻想だという証拠である。「再起動」ポイントを使ったシミュレーションは、人間を知覚の錯覚で隔離する基本の手口である。

「私は光である」なるほど、でもどの光？

「光」の背景は、多くの謎を解明し、カルトの秘められた知識の存在を示す。人びとが「光」をあがめるとき、彼らは自身の知覚の牢獄をあがめている（図149）。

なぜ**光**をもたらす者であるルシファーが、カルトの「神々」のひとりであるのだろうか？　そう、**シミュレーション**をもたらす者なのだ。

「ルシファー」は「堕天使《だてんし》」として描かれる。堕天使とは、シミュレーション内で動作する人間／非人間ハイブリッドの使用人（カルトのネフィリム血統）を使って、シミュレーションを操る非人間的な力をあらわす聖書の言葉だ。使用人は、映画『マトリックス』のエージェント・スミスと仲間たちのようなものだ。

『マトリックス』三部作を観ていないなら、ぜひ観るようお薦めしたい。とくに最初の『マトリックス』がいい。現実とはどういうものなのか、そして私たちがどのように操られているかということが感じとれるはずだ。

「堕天使」とは、私に言わせれば、**ワンネス**とつながる自身のハートセンターを閉じ、人間もワンネスから切り離して、人間のボディ－マインドの意識を自分自身に吸収しようとしているもののことだ。スマートテクノロジーや人工知能とは、じつはこのようなことを目的としたものなのである。これについてはまたあとで。

ルシファーとよばれる「神にそむいた」ものは、「神の愛に帰る」ことを拒否し（ハートセンターを閉じ）「創造主と同じくらい強く」なろうと企てた。「ルシファー」は、サタンや悪魔ともよばれ、聖書では「巨大な竜」「いにしえの蛇」〔訳注：『ヨハネの黙示録』12章9節、日本聖書協会『共同訳』〕などといった爬虫類をさす語であらわされている。同様に、カルトの血統は人間とレプティリアンとのハイブリッドであり、**サタニズム**を通じて隠れた親方《マスター》をあがめている。

私は『The Trigger』で、911の首謀者はカルトのサバタイ派フランキストのネットワークであると告発した。先に述べたように、このカルトの一派はサバタイ・ツヴィ（1626～1676）とヤコブ・フランク（1726～1791）らから名づけられた。

サバタイ派フランキストは、ユダヤ教とユダヤ人を憎んでいるというのに、イスラエルと世界に広がる同胞を支配している。そしてユダヤ人の多くは、サバタイ派フランキストの存在すら知らずにいる。ルシファーこそが真の神であると言ったヤコブ・フランクには、ルシファー信仰と通じるものがある。

ユダヤ教の神秘主義、奥義的な教えであるカバラは、サバタイ派フランキストの聖典で、なかで

図149：私はまちがった光を見た。

図150：カルトのピラミッドとすべてを見通す目のシンボルは、米ドル紙幣や米国国璽の他にも、姿を変えて数え切れないほどさまざまな場所で使われている。

も「光輝」を意味するゾーハルとよばれる文献が重要だ。「啓蒙された《イルミネイテッド》」（クンダリニー活性）という概念や、カルトの超重要グループ「イルミナティ《啓蒙主義者》」の名前もここから来ている。

イルミナティのシンボル「すべてを見通す目」は、米ドル紙幣や米国国璽《こくじ》［訳注：国の印章］の裏側に描かれている（図１５０）。このエリート悪魔主義秘密結社は、１７７６年に３人のサバタイ派フランキスト信者によって設立された。ヤコブ・フランク、ロスチャイルド（赤い楯／六芒星／サタン）財閥を築いたマイヤー・アムシェル・ロートシルト、そしてイルミナティのフロントマン、イエズス会仕込みの偽「ユダヤ人」アダム・ヴァイスハウプトだ。

光（シミュレーション）をもたらす者ルシファーというテーマは、注意を払えば、いたるところにみることができる。たとえば自由の女神像も、「自由を照らす」炎を灯《とも》したたいまつを掲げている。この像は、その真意を知るパリのフリーメーソンからニューヨークに贈られた。フランスの首都を流れるセーヌ川の島にもレプリカの「自由の女神」が立っている（図１５１、１５２）。

フリーメーソンは、ルシファーを「偉大なる宇宙の設計者」、つまりシミュレーションの設計者として崇拝している。同じような「設計者」のシンボル化が、映画『マトリックス』にもみられる。マトリックスを設計した設計者《アーキテクト》である。これらについては、『今知っておくべき重大なはかりごと』で詳しく述べている。

図151：自由の女神像は、パリのフリーメーソンからニューヨークに贈られた。彼らは、像がほんとうはなにを意味しているのかちゃんとわかっている。

図152：パリのセーヌ川にある島に立つ、自由の女神のレプリカ。

シミュレーションの科学と数

ジェームズ・ゲーツも、シミュレーションのエビデンスを探し求めている主流科学者だ。ゲーツは米国の理論物理学者で、メリーランド大学の物理学教授であり、ひも理論・粒子理論センターディレクターを務め、オバマ大統領の大統領科学技術諮問委員会のメンバーでもあった。ゲーツのチームは、私たちの現実のエネルギー構造に埋めこまれた、デジタルデータのコンピューターコードを発見した。これは1と0で表現されるバイナリ［訳注：2進法］システムで、オン／オフ電荷のコンピューターで使用される。映画『マトリックス』に登場するコードや、DNAを構成するA、C、G、TのコードともよくAていいる。DNAのコードもバイナリ値をもつ（図153、154）。

これらのコードと互いの関係性が、「物理的な」みた目を決定する。人間とラットのコードの違いはほんのわずかだが、その形態はまったく違っている。DNAコードは、AとC＝0、GとT＝1というデジタルバイナリ値をもつ。DNAコード配列は、バイナリナンバーコーディングに似ている。映画『マトリックス』シリーズのコンピューター画面に映る数字は、シミュレーション現実のデジタル原理をあらわしている（図155）。

ジェームズ・ゲーツは、デジタルコンピューターコードが現実世界の構造においてどう動いてい

図153：コンピューターシステムの電荷のオン／オフをあらわす0と1のバイナリコード。

CCCAACACCCAAATATGGCTCGAGAAGGGCAGCGACATTCCTGCGGGGTGGCGCGGAGGGAATGCCC
GCGGGCTATATAAAACCTGAGCAGAGGGACAAGCGGCCACCGCAGCGGACAGCGCCAAGTGAAGCCT
CGCTTCCCCTCCGCGGCGACCAGGGCCCGAGCCGAGAGTAGCAGTTGTAGCTACCCGCCCAGGTAGG
GCAGGAGTTGGGAGGGGACAGGGGGACAGGGCACTACCGAGGGGAACCTGAAGGACTCCGGGGCAGA
ACCCAGTCGGTTCACCTGGTCAGCCCCAGGCCTCGCCCTGAGCGCTGTGCCTCGTCTCCGGAGCCAC
ACGCGCTTTAAAAAGGAGGCAAGACAGTCAGCCTCTGGAAATTAGACTTCTCCAAATTTTTCTCTAG
CCCTTTGGGCTCCTTTACCTGGCATGTAGGATGTGCCTAGGGAGATAAACGGTTTTGCTTTAGTTGT
CGCCAAGGCAGTTCCCTTCCAAACTAGCGCTAGAGCGAATGAGCGAGCAGCCAGGACCACCATTCTG
GGTTTCCAACAGGCGAAAAGGCCCTTTCTGAGTTTGAAATGTCACAGGGTTCCTAACAGGCCACTCT
TCCCTGGATGGGGTGCCAACGCCTTTCCCATGGGCATCTCCTTCCACCCTCACGCTGGCCCAGCAAG
CAGGCAGTGCTGAGGCCTTATCTCCCTAGGTGACAGATGTGGTCAGGGAGGCGCAGAGAGGATGGGC
ACTAGCGTCCAGCTCCTGGAACAGGTGTCAGGCAGGGAGGGCAGACAGGTCTTGGGAACATGTTCCC
CTGGCTATGTGGACAGAGGACTTCTCAGTGGGTCTCGCGACCCTGTGCCCCTTTTCCTGGTTCAGGG
CAGCCTTAGCCGGGGCAAAGGTCGAGAAGAGAACCCCTGGTCGCCGCCCTGGCAGAATTTGAGTGGC
TCCGGCAGGAGATGTCCCTAGGTTCCTGGGGAGGGAGGACGTCGGGGCCAGCCAGGCTTACCCCCCC
CTGCCGCTGAGACTTCTGCGCTGATGCACCGCGCCTCTTCGCGGTCTCCCTGTCCTTGCAGAAACTA
GACACAATGTGCGACGAAGACGAGACCACCGCCCTCGTGTGCGACAATGGCTCCGGCCTGGTGAAAG
CCGGCTTCGCCGGGGATGACGCCCCTAGGGCCGTGTTCCCGTCCATCGTGGGCCGCCCCCGACACCA
GGTCAGGCTGCCCCTCCGCAGAGGGAGCCGGCTCGGGGTCCCCGCGTAAGCCAGCCTGGTGCCACC

図154：DNA の A、C、G、T のコードにもバイナリ値がある。

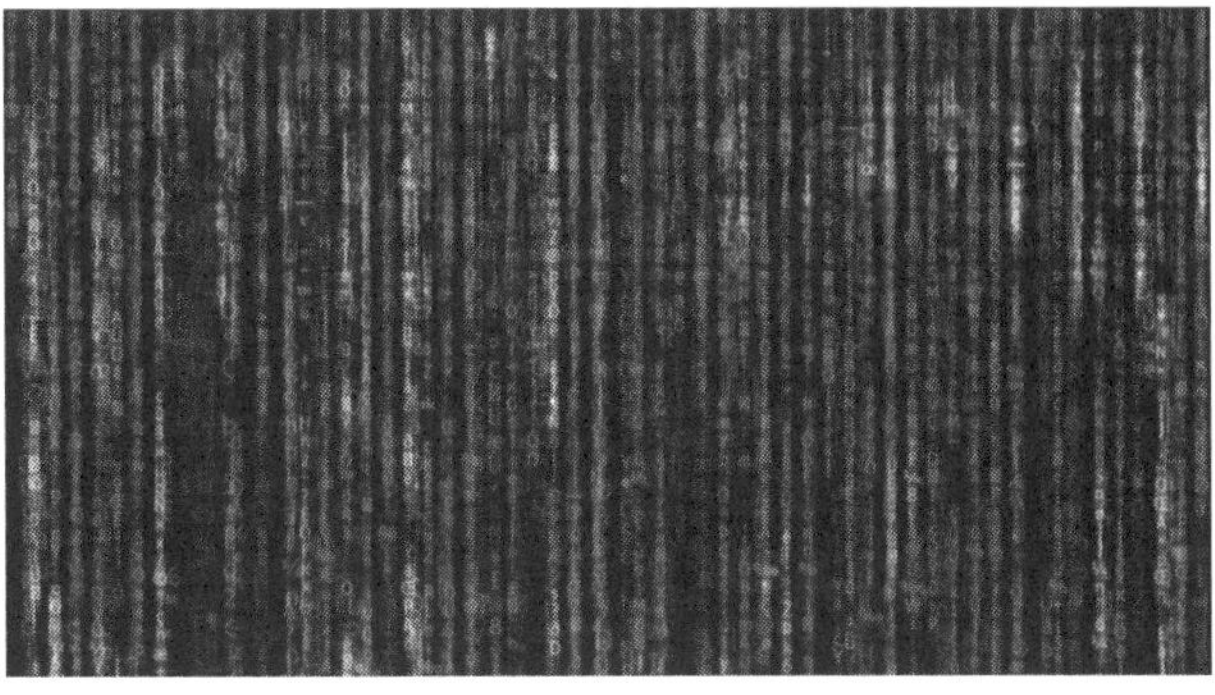

図155：映画のなかでコンピューター画面に映しだされる『マトリックス』のデジタルコード。

るのかは不明だとしたが、もしこの世界がシミュレーションなのだとすれば説明がつく。

ゲーツのチームは、現実のエネルギー構造にエラー修正コード、あるいはブロックコードも見つけだした。これらは、コンピューターで採用されている数列で、なにか不具合があった場合にデータを元の状態、または「初期設定」にもどすものだ。シミュレーションがなんらかの影響を受けた場合、整合性を保つためにはこうしたコードが必要になるだろう。

ゲーツは、現実に埋めこまれた一組の方程式を発見したが、それらは検索エンジンやブラウザを動かしているものと見分けがつかないという。インターネットとデジタル技術全般は、実際にシミュレーションをまねている。シミュレーションのなかにシミュレーションをつくり、シミュレーション本体よりもさらに徹底して、人間のボディーマインドを幻想に閉じこめて孤立させるためだ。

私たちの現実のレベルのひとつであるシミュレーションはデジタルであり、宇宙以下の「物理的な」世界はデジタルホログラムで構成されていることは、先に述べたとおりだ。

数霊術は、現実を数のレベルで解読する。マサチューセッツ工科大学（ＭＩＴ）の物理学者、マックス・テグマークは「宇宙のすべては数と数学によって説明できる」という。

テグマークには、『数学的な宇宙――究極の実在の姿を求めて』（講談社）という著書がある。彼の論では、現実は数字でコード化されていて、数学はコンピューターゲームと同じであり、私たちの現実の物理学とコンピューターゲームは基本的に同じだという（図１５６）。

テグマークは、人間の体験を最新のゲームのキャラクターと比較している。キャラクターは、ソフトウェアコードによって、物にぶつかったり、恋に落ちたり、感情をもったりする。そしていつの日か、ゲームのしくみを深く学び、すべてが（私たちの現実のひとつのレベルと同じように）ピ《画》ク《素》セルでできていることに気づく。今まで「物体」だと思っていたものは、数字でしかなかったことがわかる。彼はこのことを人間の現実になぞらえる。

　私たちは、まさにシミュレーションの世界にいる。あたりを見回しても、まったく数学的には見えないが、私たちが見ているものはすべて、クオークや電子などの素粒子からできている。では、電子にはどんな性質があるだろうか？　においや色、触感があるだろうか？　そんなものはない！……私たち物理学者は、［電子の］性質に電荷［訳注：粒子が帯びている電気の量］だとかスピン［訳注：粒子がもつ角運動量］だとかレプトン数［訳注：素粒子の性質をあらわす番号］などといったマニアックな名前をつけている。しかし、私たちがなんとよぼうと電子にとってはどうでもいいことで、そうした性質はただの数字でしかないのだ。

　こうした科学者らが発見したことは、私たちがある種のシミュレーションのなかに生きているとすれば、私たちにもすべてあてはまるだろう。

「黄金比」という古くからの概念がある。私たちの現実のいたるところ、「自然」界や人体（繰りかえすが、上の如く、下も然り、ホログラフィック）にみられる等比数列である。

秘密結社の会員はこれらの数列を理解し、ファイ、パイ、中庸、黄金比、黄金分割などの名前をつけた。そして、こうした数列を寺院、礼拝堂などの重要な建築物に取りいれた。「神」あるいは「神々」とつながるための特定のエネルギー／情報、周波数を引きよせる、つまりからみあうための施設だ。

結社員であったレオナルド・ダ・ヴィンチのような芸術家は、絵画のなかにこれらの比率を取りいれていた。ダ・ヴィンチが、かなり「時代を先取りしていた」のは、シミュレーションの外にある意識と接触することで、現実を理解していたからだ。また、秘密結社とのつながりもあった。

黄金数は1・6180339887498948482 0……と、無限に続く。黄金比では、「線分をふたつに分けると、短い部分と長い部分の長さの比が、長い部分と全体の長さの比に等しくなる」。簡単にいうと、黄金比とはいたるところに見られる数列で、あきらかに偶然ではなく、意図的にそうされている。

同じようにユビキタス《どこにでも見られる》な数列として、フィボナッチ数がある。古代インドで数学者ビラハンカが発見していたが、12〜13世紀にイタリアの数学者フィボナッチ（ピサのレオナルド）から名づけられた。フィボナッチ数列では、前のふたつを足した値が次の数になり、1、1、2、3、5、8、13、21、34、55……と続いてゆく。フィボナッチ数列は、人間の顔や身体から動物、DNA、種子の冠毛、松ぼっくり、樹木、貝がら、渦巻銀河、ハリケーン、花びらの数にいたるまで、あらゆるところに組みこまれている（図157、158）。

図156：ビデオゲームやバーチャルリアリティの物理学と数学は、私たちが体験している現実と同じである。

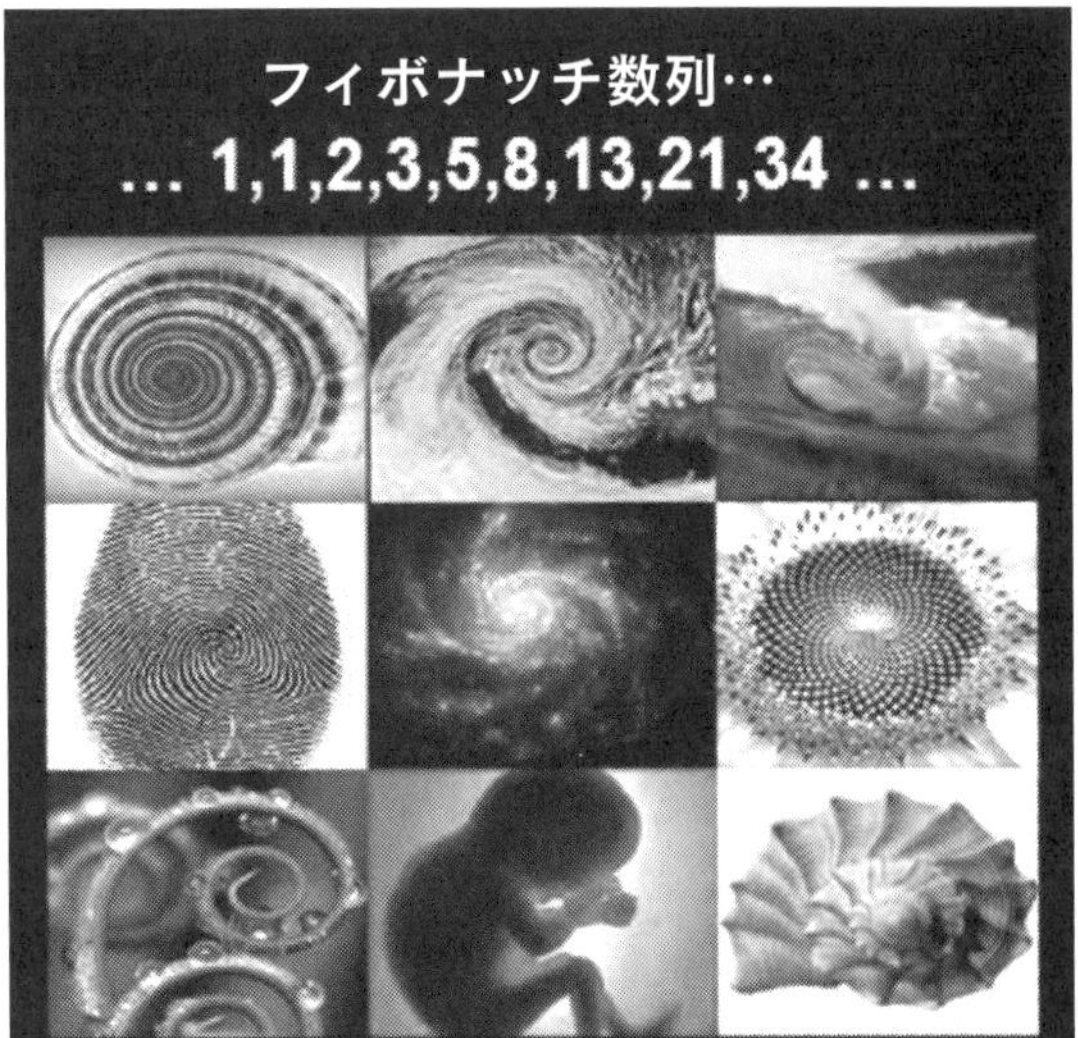

図157：フィボナッチ数列は、現実世界のいたるところで見られる。

現実世界の基盤にはフラクタルパターンが組みこまれており、繰りかえしになるが、いたるところで見ることができる。フラクタルは、「部分と全体が異なる縮尺で自己相似性である無限のパターン」である。上の如く、下も然りで、これはホログラムの特徴である（図１５９、１６０）。フラクタルパターンは、このようなところに見られる。

川の水脈、山脈、クレーター、稲妻、海岸線、シロイワヤギの角、木や枝の成長、動物の色のパターン、パイナップル、心拍数、心臓の鼓動、ニューロンと脳、目、呼吸器系、循環系、血管と肺静脈、ＤＮＡ、断層、地震、雪の結晶、水晶、海の波、野菜、土壌孔隙《こうげき》、そして土星の環（または虹）。

フラクタル／ホログラフィックパターンは、私たちのエネルギー的現実にエンコード《記号化》された、バイナリ1および0のオンオフ電荷にみられる。これは、肉体のＤＮＡ送受信機の「ハードドライブ」にもみられる（図１６１）。

「ＤＮＡは電磁界のフラクタルアンテナである」という科学論文がある。このタイトルは、ＤＮＡの核心を見事に捉えている。ＤＮＡは情報の送受信機であり、デジタルで、バイナリで、ホログラフィックかつフラクタル《自己相似象》である。なぜなら、私たちの体験している現実がデジタルで、バイナリで、ホログラフィックかつフラクタルだからだ。

米国の心理学教授デーヴィッド・ピンカスは、上の如く、下も然りの繰りかえしになるが、フラクタルパターンは心理学、行動、話し方、そして対人関係にもみられるという。では人間の行動とは、どこまでが「自由意思」にもとづいたもので、どこまでがただシミュレーションプログラムにしたがっているものなのか？　という疑問が湧いてくる。これについては、またのちほど述べることにしよう。

フラクタルの原理は、「対称性（シンメトリー）」と関連している。移動したり、回転したり、反転したりした際に、「あるかたちがもうひとつのものとまったく同じである」ことだ。対称性は樹木の成長から人間の肺の構造にいたるまで、あらゆるところに見られる（図162、163）。

サンディエゴにあるカリフォルニア大学の物理学者ドミトリ・クリオウコフは、『ネイチャー・サイエンティフィック・リポーツ』に掲載された、「未知の基本法則」が、あらゆるシステムの成長に影響をあたえている可能性を示唆する論文の共著者である。脳細胞間の電気発射から、ソーシャル・ネットワークの成長、銀河の膨張（ホログラフィックな原則、**ふたたび**）にいたるまで、すべてのレベルの成長が対象だ。

クリオウコフは「自然の成長動力は、さまざまな実際のネットワークと同じものだ。インターネットでも、脳でも、ソーシャル・ネットワークでも」と言い、さらに「物理学者にとっては、これは自然のはたらきになにか見落としがあるということを示すサインだ」とした。見落としているのは、私たちがホログラフィックなシミュレーションのなかにいるということだ。クリオウコフのチ

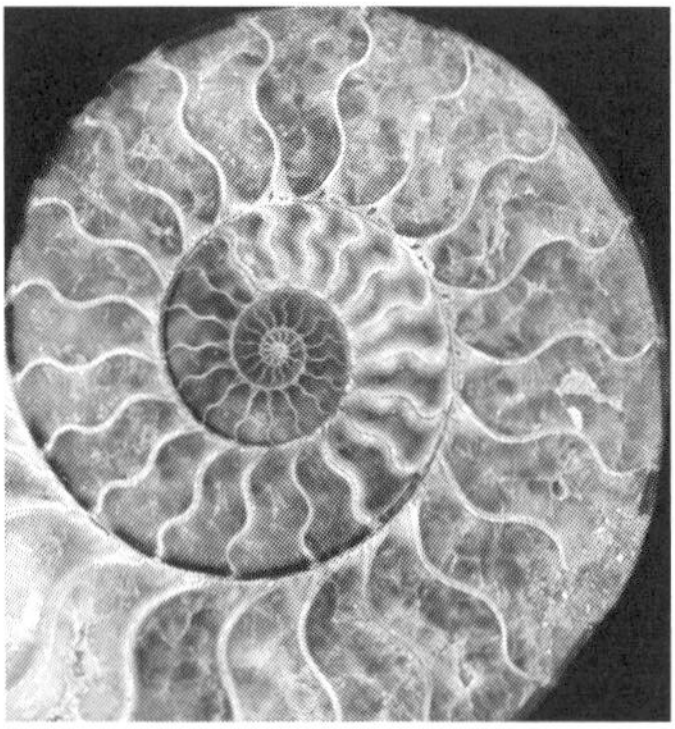

図158：フィボナッチ数は貝の形成パターンにも組みこまれている。

図159：繰りかえすホログラフィックなフラクタルパターンは、いたるところに見られる。

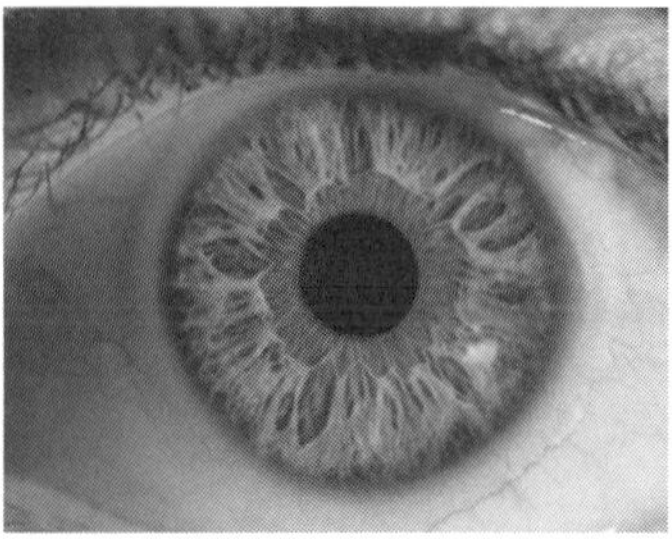

図160：人間の目のトーラスにも、フラクタルパターンが見られる。

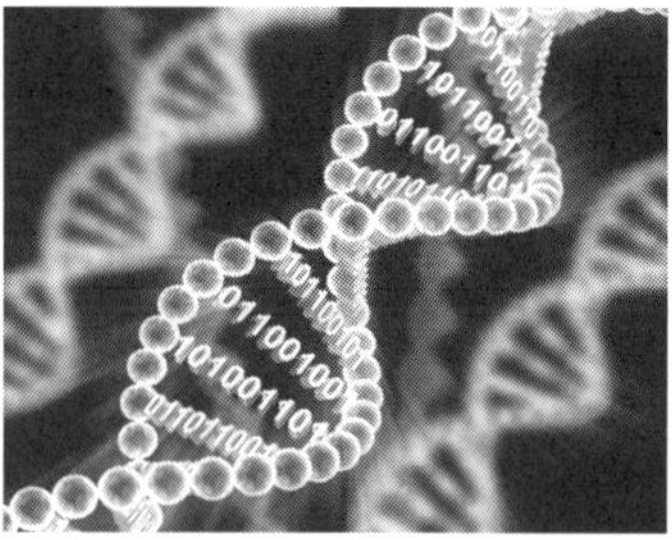

図161：バイナリ DNA。

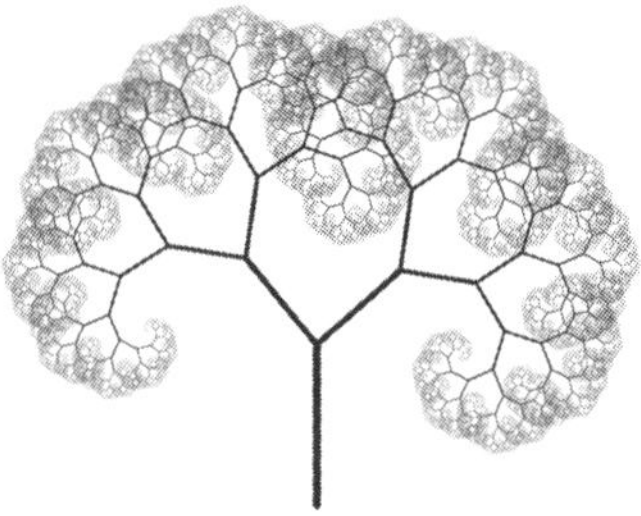

図162：木はフラクタルパターンに沿って成長する。

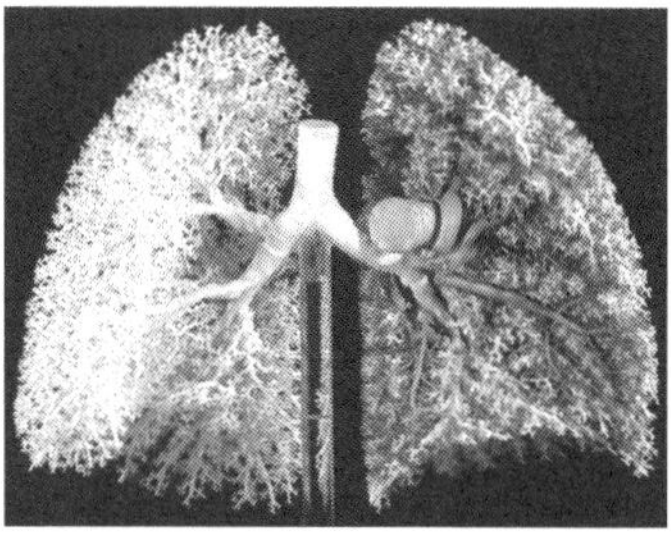

図163：人間の肺のフラクタルパターン。

ームの研究が、『ハフィントンポスト』に掲載されている。

チームが、宇宙の歴史をソーシャル・ネットワークや脳回路の成長と比較したところ、すべてのネットワークが同じような方法で拡張されていることがわかった。類似したノード《点》と、すでに多くの接続があったノードとの間のリンクのバランスがとられていた。

たとえば、猫好きがネットサーフィンをすると、グーグルやヤフーといった巨大サイトだけではなく、愛猫家のウェブサイトやユーチューブの子猫動画なども見るだろう。同じように、隣接する脳細胞は接続しやすいが、ニューロンは多くの脳細胞と接続されている「グーグル的脳細胞」にもリンクしている。不気味にも、ネットワークは大小にかかわらず同じ挙動をみせるが、これは偶然とは考えにくいとクリオウコフはいう。

私たちの現実のどこにでもあらわれる、繰りかえす数列はいったいなんなのか？　私は、シミュレーションの**コンピューターコード**だと考えている（図164、165）。カリフォルニア大学アーバイン校認知科学科の、ドナルド・ホフマン教授のプレゼンテーションを見た。私たちが体験している現実は、コンピューターのインターフェースのような挙動をみせる、というのが教授の論で、私も同感である。

図164：ビンゴ！　シミュレーションのコンピューターコードだ。

図165：ビンゴ！　シミュレーションのコンピューターコードだ。

進化は、真実を隠すユーザーインターフェースで私たちをかたちづくった。私たちが見ているものに、真実はない。時間や空間、物体といった言葉自体、現実を正しく表現できていない。

私は、これをかたちづくったのは進化ではなく、操作だと考える。コンピューターインターフェース、つまりコンピューター画面は、偽りの現実感をあたえて世界**が**シミュレーションであるという事実を隠すシミュレーションなのだ。

エレクトリック・ユニバース《電気的宇宙論》（シミュレーション）

宇宙が電気／電磁通信システムであるという、説得力のある独立した科学研究が、現実がシミュレーションであると示唆している。電気／電磁通信システムとは、つまりコンピューターとバーチャルリアリティのしくみだ。

この研究は、エレクトリック・ユニバース《電気的宇宙論》、およびサンダーボルツプロジェクトとしても知られる。私は数年来、彼らの情報をチェックしている。ウェブサイト www.thunderbolts.info/wp/ で見ることができる。

宇宙から人間の肉体／脳にいたるまで、すべてのものは電気／電磁通信システムのひとつのレベルにある。大気の電気的性質は、稲妻や、オーロラ（あるいは北極光）、激しい雷雨の際にあらわれ高速回転する電磁場の竜巻などがはっきりと示している（図１６６、１６７）。

しかし、私たちの現実の電気的基盤はもっともっと深い。電力と電磁気力は、すべてに浸透している。エレクトリック・ユニバースの研究者らは、惑星や星は巨大な電気回路のなかのポイント、あるいは「デバイス《装置》」だという。私たちが現実として体験しているもの、夜空だと思って見上げているものが電気回路である（図１６８、１６９）。

惑星、星、そしてそれらの組みあわせによるこの回路への電気的影響も、占星術のしくみのひとつである。私は、これらをまとめて宇宙インターネットとよんでいる（図１７０）。

太陽は見た目よりもずっと大きく、その波動場は太陽系全体で振動していると述べた。これは、太陽の電気回路とコミュニケーションシステムについてもあてはまる。エレクトリック・ユニバースの研究者らは、以前からこのことを指摘してきた。科学界でも、この電気接続グリッドが公式に認められはじめている。

２０１９年に『アストロフィジカルジャーナル』で発表された研究では、何百もの銀河が、数千万光年も離れているにもかかわらず（時空という幻想）、同期して活動したり、回転したりしていると述べている。この研究では、地球から4億光年以内にある４４５の銀河を観測した。

韓国天文宇宙科学院の天文学者、イ・ジュンヒョプは、銀河を接続して同期させているものがあるようだ、という。銀河は「互いに直接相互作用している」というのだ。

図166：稲妻は、大気が電気を帯びていることのもっともわかりやすい例だ。

図167：北極光、あるいはオーロラの電気現象。

図168：私たちは天を星や惑星、宇宙と捉えているが、それはひとつのレベルでしかない。

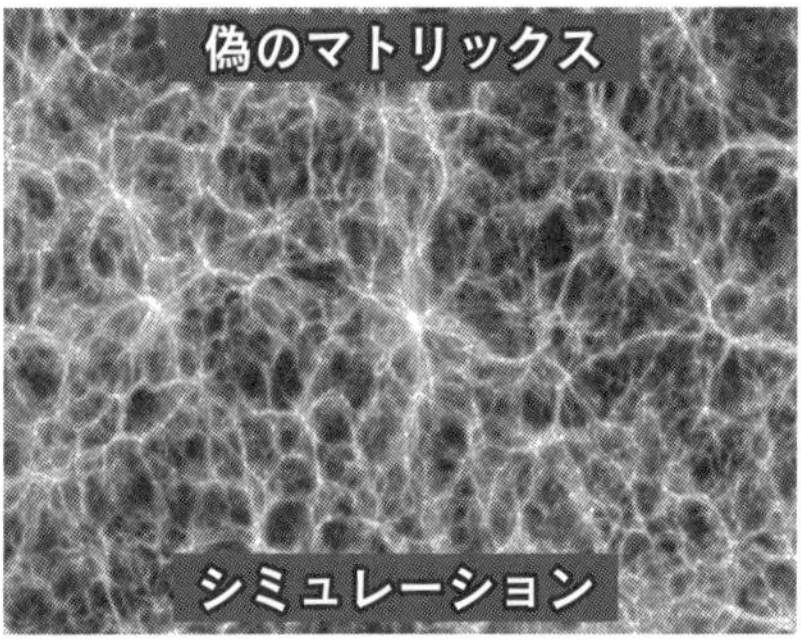

図169：もうひとつのレベルの宇宙、あるいはシミュレーションは、膨大な電気系統である。

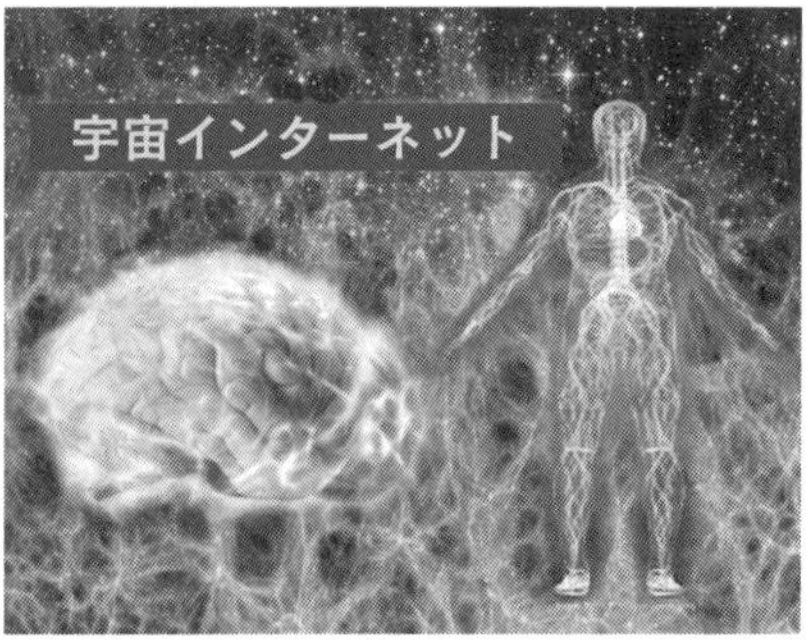

図170：シミュレーションは、人体や脳と相互作用する電気的／電磁的システムで、偽の現実で上塗りしてほんらいの現実を覆い隠している。私はこれを宇宙インターネットとよんでいる。（ニール・ヘイグ画）

この研究は、銀河は同一の「大規模な構造」に埋めこまれているということを示唆している。そう、宇宙インターネットの電気的／電磁的グリッド、あるいは私のいうシミュレーションだ（図171）。

コンピューターのバーチャルリアリティは、同じコードと電気的コミュニケーションによって接続されていて、画面に表示されるものが同期して発生する。

イは、「数千万光年離れているのに動力的なコヒーレンス（可干渉性）が観測されるとは、予想外で驚きだった。直接相互作用するには遠すぎるからだ」という。

求心力は目に見えない。言い換えれば、人間や技術が感知できる周波数帯の外にある。そこで、NASAゴダード宇宙飛行センターのプロジェクト研究員、デーヴィッド・シベックの登場だ。シベックは、NASAの衛星が電気的／電磁的接続を発見したと発表した。

衛星が、地球の上層大気圏と太陽とを直接結ぶ磁気ロープ（磁気の束）のエビデンスを発見した。私たちは、太陽風がこの磁気ロープに沿って流れ、磁気嵐やオーロラにエネルギーを供給していると考えている。

波動場および電気的な地球と太陽の接続により、力が強くなったり弱くなったりするサイクルで、地球の気候や気温が変化する。こうしたサイクルは、黒点とよばれる、太陽表面の大規模なエネルギー爆発の数から読みとることができる。この現象は、操作された「気候モデル」では計算に入っていない。「気候モデル」は、人為的気候変動という作り話を売りこむためだけに考えられたものだ。気候予測では、とんでもないペテンが認められていて、**太陽**の温度に対する基礎的な影響は重視されない。いっぽう、私たちが生きるのに不可欠な二酸化炭素は悪者にされている（**詳しく**はのちほど）。

太陽は、電気的な性質をもっている。観測可能な宇宙の99・999％はプラズマであり、太陽も同様である。プラズマ（電離気体）は物質の第四の状態［訳注：固体、液体、気体に次ぐ状態］ともいわれ、**電気と電磁気**にとってほぼ完璧《かんぺき》な媒体である。プラズマ太陽は電力の**処理装置**《プロセッサ》であって、電力を生みだしているわけではない。

主流科学は、エビデンスなしに仮定から「太陽エネルギーは太陽から来る」と主張するが、実態は違う。太陽エネルギーは、宇宙の電気波動場、あるいは回路から来ているのだ。

天を別の周波数レベルからみることができれば、星や惑星が宇宙に広がる回路のポイントとして存在する、膨大な電気系統《システム》がみえるだろう。太陽は、このシステムからエネルギーを吸収し、処理している。システムは、活動が強い時期と弱い時期を周期的に繰りかえしており、その様子は（あらゆる）波のように浮き沈みがある（図172）。

電力は太陽によって（つくられるのではなく）処理され、太陽系内に放出されて、惑星の気温や気候、その他さまざまなものに影響をあたえる。これらの放出は地球の大気と磁場によって、私た

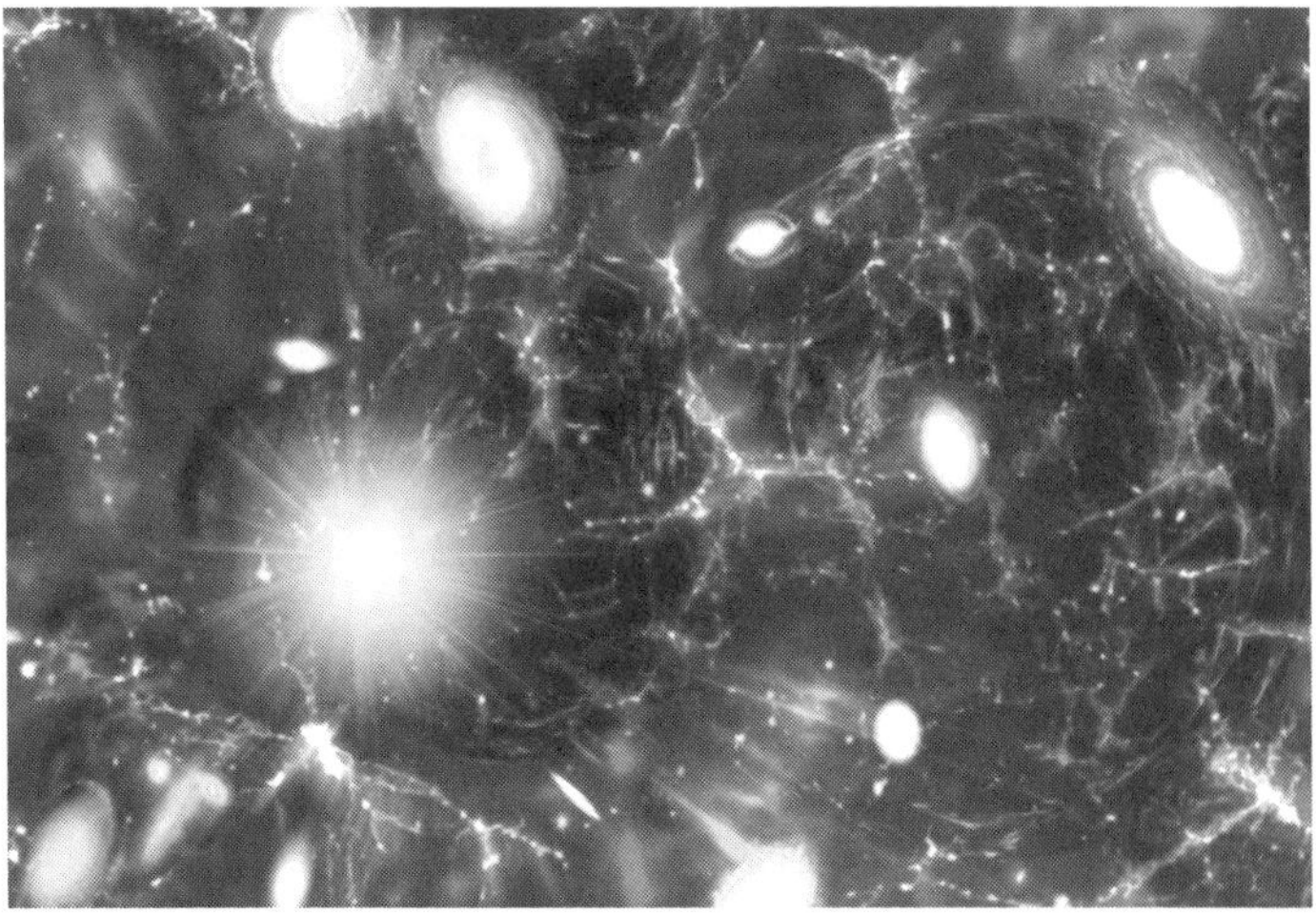

図171：銀河は「同一の大規模な構造」、つまりシミュレーションに埋めこまれている。

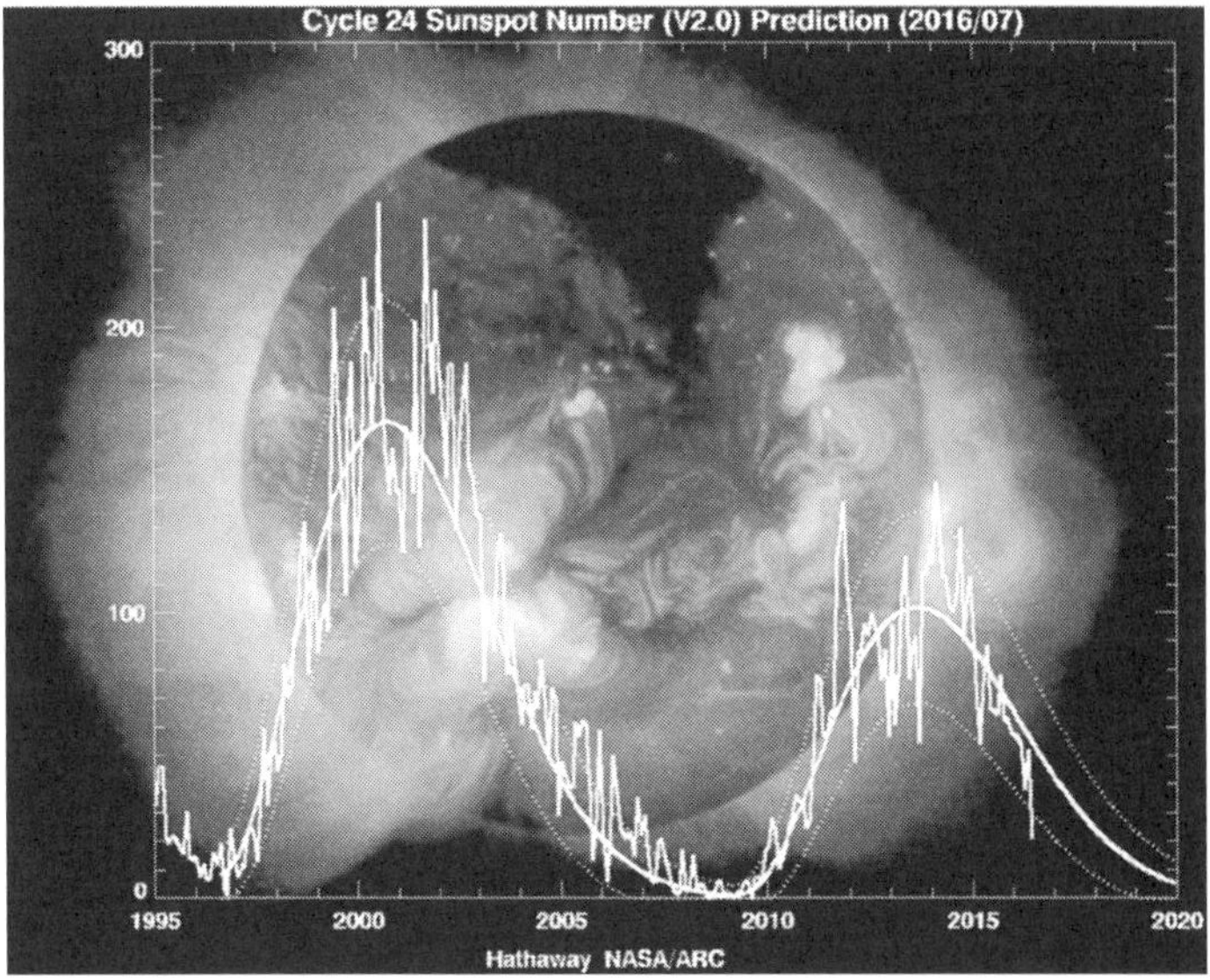

図172：太陽エネルギーは、周期的に強くなったり弱くなったりしている。その様子は、黒点の数や、太陽系にエネルギーを放出する太陽表面での大規模爆発によって測ることができる。

ちが熱と感じるものに変換される。

宇宙空間は寒い。地球の大気圏も、高度が増すほどに寒くなる。主流科学の「理屈」によれば、太陽に近づくほどに暖かくなるはずだ。では、なぜ太陽に近い惑星の気温は高いのだろうか？　太陽に近づくほどに、熱に変換されるエネルギーも強くなるからだ。また、惑星のフィールドの性質によっても影響を受ける。

太陽の表面は、その周りを取りまく大気より温度が低い。もし太陽内部で熱がつくられているならば、逆であるはずだ。主流科学は太陽の表面温度を約５０００ケルビン［訳注：５７７０Ｋ≒約６０００Ｋとされることが多い］と推定しているが、太陽大気の温度は**200万**ケルビンといわれている。

表面からかなり離れて太陽を取り囲んでいるのは、紫外線画像に記録されたドーナツ型のトーラスだ（図１７３）。太陽のトーラスは赤道部分から宇宙回路の電気を取りいれ、太陽がそれを処理する。

過負荷《オーバーロード》になると、巨大な稲妻が放射され、太陽表面に穴をあける。これが黒点だ。黒点は太陽の電力の変動を示す指針である。回路内の電力が大きくなったときだけトーラスが過負荷になって、黒点ができるためだ。

太陽は、活動（電気的処理）が弱い時期にはやや暗くなることが知られているが、人間の目では感じとることができない。調光スイッチで、レストランの照明が客の気づかないうちにすこしだけ暗くなるようなものだ。
ＮＡＳＡは２０１９年に、２０２０年から２０２５年にかけての太陽活動の予想を発表した。この２００年でもっとも活動が弱くなり、前回の周期より30～50％低くなるというのだ。
つぎつぎとあきらかになるエビデンスを突きつけられ、主流科学は宇宙の電気系統についての事実に直面せざるをえなくなっている。ニュージャージー工科大学の物理学教授ハイミン・ワンは、黒点活動についてこう述べている。

私たちはこれまで、［太陽］表面に磁気が発生して太陽の爆発（黒点）ができると考えていた。しかし新たな観測結果によると、太陽の大気層のかく乱も、磁場を通じて表面に直接著しい摂動《せつどう》［訳注：主要な力による運動が、他の力によって乱される現象］を引きおこす可能性がある。この現象は、現代の太陽爆発モデルでは想定外だ。

地球の磁場、あるいは磁気圏は、電気とプラズマ（究極の波動場状態と波動場状態）の相互作用によって定義される。ある周波数／電荷のプラズマ伝導電気が異なる電荷のプラズマと出会うと、惑星の磁場を定義するバリア（障壁）がふたつのあいだに自動的に形成される。惑星や星は、プラズマ媒体に異なる電荷を放出する。これらの異なるフィールドがバリアと接する場所は、この現象を発見した米国の科学者アーヴィング・ラングミュア（１８８１～１９５７）にちなんで、「ラン

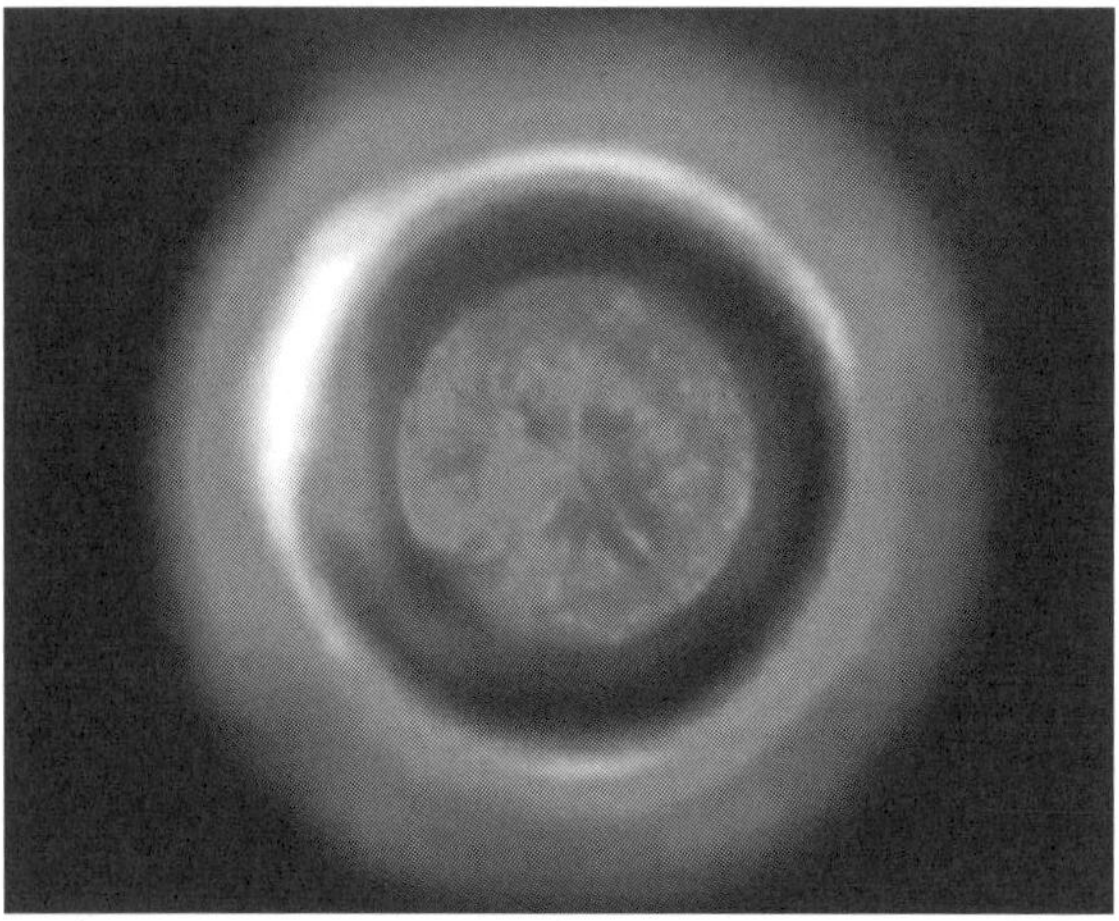

図173：黒点爆発は太陽内部でおこると考えられてきたが、エレクトリック・ユニバースの研究者らは、太陽の周りのトーラスが、周期的にアップダウンするフィールドのエネルギーを吸収するのだという。トーラスは、高エネルギー期に過負荷になると、巨大な稲妻のようにエネルギーを放出する。これが太陽に当たって黒点をつくり、太陽活動の尺度とされている。

図174：惑星の磁気圏は、惑星間や太陽系全域のプラズマフィールドのなかで、異なる電荷が抵抗することによって形成される。

グミュア鞘《シース》」として知られている（図174）。

惑星や星が、占星術の基礎を形成するさまざまな周波数を送信しているという、さらなる根拠がある。私たちの「物理的な」現実が、ホログラフィックなシミュレーションである、と指摘するエビデンスをみつける科学者も増えている。

私は、20年近く前にそう結論していた。科学者と私との違いは、彼らがシミュレーションを私たちの外にあるものと捉えていることだ。「マトリックス」は、解読されて脳内にあらわれたときにのみ、私たちが「物理的」現実として体験するかたちで存在する、というのが私の考えだ。ホログラフィックなレベルの現実は、私たちの外側ではなく、内にある。

人間の解読システムについて先に述べたことに立ちもどれば、電気的な現実と符合させることができるだろう。シミュレーションを構築する基本情報は、波動のなかで解読された情報である。情報は、解読されると電気的でデジタル／ホログラフィックな現実になる。五感は波動を電気的情報に解読し、それが脳に伝達されてデジタル／ホログラフィック情報になり、「物理的」現実と知覚される。完全な一致だ。

宇宙には波動場、電気的、デジタル、ホログラフィックなレベルがあり、人間の解読システムも同様だ。**どちらも同じ、シミュレートされたシステムのあらわれなのだ。**

誰がシミュレーションをつくったか?

電気的な現実のすべてが、いかにしてシミュレーションがカルトの裏にある非人間勢力によってつくられたかということや、私たちの体験している現実の本質を啓示のようにさし示している。

地球には、私たちの目に見えない高い周波数帯で動いているもうひとつの階層がある。多くの臨死体験者が、高周波数の地球は、見たことがないほどとても鮮やかな色彩にあふれていたと語っている。ボディーマインドのシミュレーションの知覚領域の外にある、高い周波数があらわれたものだ。シャーマンや予言者、そして向精神薬を体験した人も、昔からこのもうひとつの「地球」について語ってきた。「もうひとつの地球」の現実は、シミュレーション以前から存在し、今も続いている。

高い周波数とは、エネルギー的にはるかに軽い状態なので、「物質的な」食物の必要性がなくなっている。エネルギー的な滋養は、エネルギー場から直接摂る。コミュニケーションは声ではなくテレパシーでおこなわれ、人びとは「物理的に」歩いたり、車に乗ったり、飛行機に乗るのではなく、意図することによって移動する。人間のような重い身体がなければ、自分自身で飛ぶことができる。飛行機などいらないではないか? 高周波数の地球が、この星ほんらいの現実である。それでも、無限の現実のなかではほんの一瞬にすぎないのだが。

　聖書にある「堕天使《だてんし》」や、彼らの「神への離反」（聖書以外でも、古代社会のいたるところで繰りかえし登場したテーマ）といったストーリーは、実際はシミュレーションのことなのだ。「堕天使」は、**ワンネス**とのハートセンターのつながりを失ったために、低い周波数に「堕《お》ちて」しまった。そして自分たちは、「神々」であり、カルト信者が光――光速の「光」で形成されたシミュレーション――をもたらすルシファーとあがめる、主なる「神」に支配されていると信じている。「人間の堕落」［訳注：エデンの園でアダムとイブが禁断のリンゴを食べたこと］というのは、本来の地球の人びとが、堕ちてきた者［訳注：旧約聖書にあらわれるネフィリム］に誘惑され、周波数を低く操作されたことを指す。ほんらいの地球は、聖書でいう「エデン」である。人間は、「楽園」を出て重い肉体をまとい、そこから来る誤った自己や現実の知覚に囚われることとなった。これらは、カルトやサタニストが儀式でつながるものと同じ「堕ちた」存在である。カルトの中枢メンバーは、「人間型」生物学的AIソフトウェアを隠れみのにした「堕天使」なのだ。

　堕ちてきた者は、ほんらいの地球の意識を永久に閉じこめ、「マインド」というかたちで奴隷とするため、自分たちの世界をつくることに取りかかる。まずはシミュレーションをつくりだした。ほんらいの地球の波動／デジタルコピーだ。旧約聖書『創世記』冒頭の、「神」が「**光**あれ」と宣言したのち、世界を「7日間」で創造する場面は、これをあらわしていると私は考える。

　カルトの主なやり口は、逆転のテクニックである。すべてのものを、実際とは真逆に知覚させるためのものだ。旧約聖書の**「神」**がまさに「ルシファー」、「サタン」、「悪魔」であり、**「神」**が

「戦う」ことになっているのが、その最たる例だ。表が出ても、裏が出ても、ルシファーを崇拝するようになっている。旧約聖書の「神」が、新約聖書の「神」とはまったく違って描かれているのを不思議に思ったことはないだろうか？　キリスト教はどちらも同じ存在としているが、ナンセンスである。

関連する事柄すべてを30年にわたって研究した結果、私は、シミュレーションとは人体によって解読され、相互作用され（コンピューターを思い浮かべてみよう）、現実として知覚される波動場情報構造（Wi-Fiを思い浮かべてみよう）である、という結論にいたった。私は数十年来、肉体とは生物学的コンピューターであると言いつづけてきた。

カール・セーガンは、人間は「星のかけら」（星を構成する炭素、窒素、酸素などの原子）でできていると言ったが、これもまた上の如《ごと》く、下も然《しか》りのあかしである。アリゾナ大学の天文学教授、クリス・インペイは、人間や動物、および地球上のほとんどの「物体」は、こうした物質を含んでいるので「私たちは、文字どおり星のかけらからできているのだ」と言った。

これをシミュレーションの観点からみると、同じストーリーが違ったルートからみえてくる。コンピューターゲームのキャラクターは、ゲームの他の部分とは違った計算やルールで解読されるのだろうか？　別の「かけら」でできているのだろうか？　そんなことはない。シミュレーションと、シミュレーションと相互作用するようカルトの「神々」が特別にあつらえた人体にも、同じことがいえる。シミュレーションと人体には波動場に同じ基本コードがコード化されており、ホログラフイックな「物理的」状態において「星のかけら」の比較によって表現される。

ボディ・コンピューターの創造は、「神」が「アダム」と「イブ」を創造するストーリーに象徴的に描かれており、「神」（もともとは複数形の「神々」）の息子たちが人間の娘と交配することも言及されている。といっても、生殖による文字どおりの交配である必要はない。肉体は、ハードドライブ、送受信機のＤＮＡが波動場の変化（５Ｇ、６Ｇ、７Ｇ？）によってホログラフィックな変異へと解読する情報の周波数を送信することによって変化させることができる。

ロシアの研究チームは、カエルの胚《はい》にサンショウウオのＤＮＡ情報パターンを伝達することにより、サンショウウオの胚に変化させた。マサチューセッツにあるタフツ大学のマイケル・レヴィン博士は、電気的情報伝達系を操作することによって、尾に目があるオタマジャクシや、６本足のカエルをつくりだした。レヴィンは、人間の失った手足の再生にも、同じ技術が応用できると考えている。

カルトの幻想が一掃されれば、多くのことが可能になり、現実のほんらいの姿を把握できるようになる。人体は、ほんらいの地球の現実の姿の波動／デジタルコピーだが、ずっと重く、制限が多い。しかし、カルトとその親方は、覚醒《めざ》めた意識がシミュレーションの外にある拡大意識とつながるための、ほんらいの姿の機能の多くを人体にそのまま残している。

「スマート」テクノロジーとＡＩアジェンダはすべて、より強くシミュレーションとつながる人類の新しいかたちをつくり、シミュレーションの外とのつながりを断ち切ることを目的としている。

これについては、あとでまた詳しく述べる。

もう一度転生する？　いや……やめておこう

シミュレーション、あるいはマトリックスは、これまでフィールド、または無限のフィールドを覆い隠してきた人工的な情報場だ。人類はこの人工的なフィールド、あるいはマトリックスに接続し、相互作用し、現実と知覚するよう操作されてきた。

今日の「スマート」テクノロジーとWi-Fiは、人類を**フィールド**からより切り離すため、メインのシミュレーションフィールドの上に、さらに制限されたフィールドを**もうひとつ**覆いかぶせている。人間がこのようなテクノロジーを開発、運用できる知的レベルに達したことで、ようやくこうした状況が実現したわけだが、この計画自体は私たちの「時間」（これについてものちほどまた）でいうと、何千年も昔から予定されていたことだ。

手順はこうだ。本来の地球の波動場／デジタル情報のコピーを構築する→人間、動物など、構築物と波動でからみあわせる型をつくる→意識をこれらの型と波動でからみあうよう誘いこむ（「肉体をもたせる」）。

誘いこみの重要な点は、五感の独特な感覚である。これは本来の地球の現実とはまったく違うもので、薬物依存のような症状を呈する。人びとは、バーチャルリアリティゲームやスマホから放射される周波数にハマり、意識は五感の感覚に溺《おぼ》れるようになる。これらの依存がシミュレーションと波動をからみあわせ、意識をマインドの型で何度も五感の現実に引きもどす。輪廻転生《りんねてんしょう》として知られる現象だ。

東洋の宗教では、輪廻転生と「カルマ」のサイクルを信じている。私たちは、行動－結果－行動－結果と続く「カルマ」を解消するため、繰りかえし地球上に転生する。このサイクルから抜けだし、本来の現実に引きよせられるだけの高い周波数（悟り）に達するまで、試行錯誤を繰りかえすのだ。

主流科学では、認識されている宇宙と比べると、地球は針の頭の1兆分の1の大きさに等しいと推定している（図175）。宇宙と比べて針の頭の1兆分の1の惑星に転生しつづけることが「進化」のために必要だなんて、本気で信じているのだろうか？　宇宙自体、無限の現実のほんの小さなシミほどでしかないというのに？　どうかしている。

私の考えはこうだ。あなたはシミュレーションに誘いこまれた。そしてコンピューターゲームにハマる人のように、シミュレーションの感覚に依存するようになる。肉体の寿命が尽き、あなたはその身体を離れるが、いまだシミュレーションへの依存状態にあり、そのため波動は深くからみあっている。だからシミュレーションは、あなたを何度も何度も引きもどすのだ。光に集まる蛾《が》や、蜜源《みつげん》に集まる蜂《はち》のように。あなたが幻想を見抜き、ハートによって周波数をシミュレーションの電磁引力から抜けだせるレベルの振動数にまで上げるまで、これが繰りかえされる。

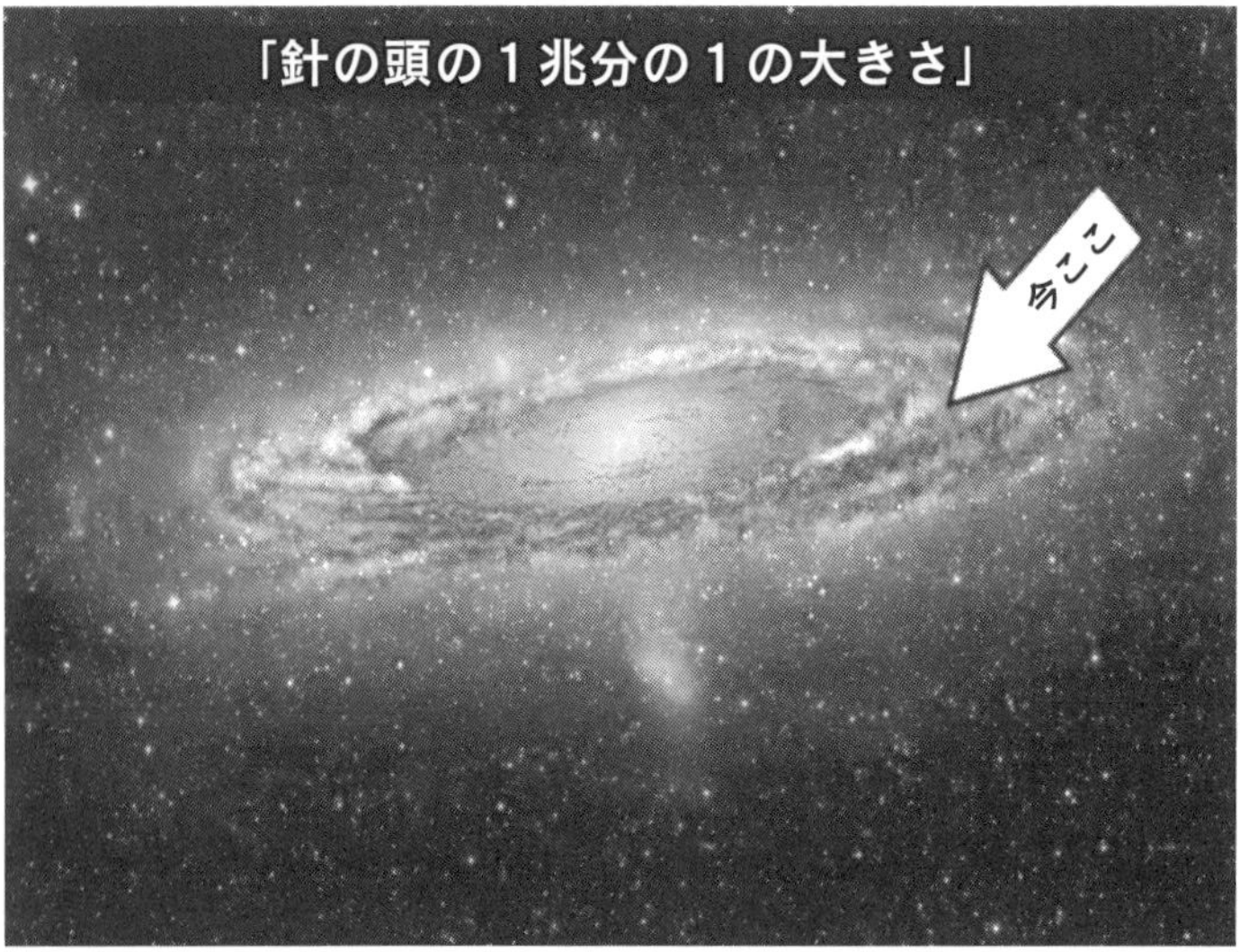

図175：「進化」し、「悟り」を見いだすために、私たちは針の頭ほどの大きさの惑星に何度も何度も転生しつづけなければならない。その外に広がる、無限の領域には目を向けることもなく。なんとも道理にかなった話じゃないか？　それか、一度だけ生きて「神」の裁きを受けるか。私たちはばかげた戯言《ざれごと》を教えこまれ、多くの人がそれをうのみにしている。

「輪廻転生」は、**不可欠**のものではない。隠れた「神々」が**私たち**をけしかけ、操ってそうさせているのだ。私たちは、望めばいつでもマトリックスから抜けだすことができる。罠《わな》に気づき、私たちのほんとうの姿を思いだせばいいのだ。

脳神経外科医で研究者のエベン・アレグザンダーは、自身の臨死体験のなかで、深い泥のような重い振動の暗い領域にはじめて入ったときのことを説明している。彼は、囚われ、自由を奪われたと感じたが、ある存在がやってきて解放してくれた。ほんらいの現実に入ると、自分本来の姿を認識し、それと同期するように周波数が上がった。彼がいうには、「暗い場所」には、自分の選択次第でいつでも出入りできたという。彼の言葉を信じるにしろ、信じないにしろ、事実はそういうことだ。

輪廻転生を信じる者は、転生する際には求める体験にぴったりの身体や状況、「時」（占星術）を選んで生まれてくるのだという。

私の考えでは、これも身体や状況、場所、そして占星術的フィールドの波動場とからみあうマインドの波動場周波数状態によって説明できる。（a）経験したいこと、および／または（b）波動のからみあいにもっとも適した身体、状況、場所、および占星術的フィールドの波動場が、マインドを引きよせる。純粋に、波動場は似たようなフィールドと引きあうからだ。

私たちがどこに出入りするかは、自身の波動場状態が決める。そして波動場状態は、**知覚**状態によって決まる。

他に関連する疑問として、このようなものがある。依存症患者は、自分がなにに依存するかを選択しているのだろうか？　主導権を握っているのは患者ではなく、依存症だ。シミュレーションの五感に依存する者をコントロールしているのは、「マトリックス」だ。この本は、私たちをそうした依存から解放する方法を提案することを目的としている。多くの人が、いわゆる「カルマの循環」の知覚的／五感的奴隷となり、依存に囚われている。

臨死体験には、共通するテーマがあることを忘れてはならない。ある地点、塀や壁として象徴化されることもあるが、そこを越えると、「今生《こんじょう》」での肉体にもどることができない場所だ。臨死体験者がもどってきて体験を話しているということは、彼らはそこを越えてはいない。彼らは、その先になにがあるのか知らないのだ。その先に無限の現実があることは確かだが、まだ波動がからんだまま、シミュレーションに依存しているマインドがもどる領域もあるのだろうか？　私はあると考える。

だからこそ、「死」の際の周波数状態が重要なのだ。本物の霊能力者でさえ、その多くはその領域までしかアクセスできず、「メアリーという方を探しているのですが、どなたかメアリーをご存じありませんか？」とよばわっているのだろう。

もっともオープンで、拡大した意識だけが、シミュレーションの操作や知覚がない、ほんとうに深遠な情報を通過させられるほど高い周波数に同調する。シミュレーション依存は、新しい依存症が既存の依存症を増加させるサイクルによって深く根づいている。そのため、ほんらいの現実からサイクルをこわすための介入が指示されている。このことについては、最終章でまた触れよう。

　２００３年のアヤワスカ体験のとき、私は野原を横切る小道の絵を見せられた。空から人びとが小道の上に落ちてきた。歩いてゆく人びとが道を埋め尽くし、小道は古いレコード盤の黒い溝にかたちを変えた。暗闇のなかで人びとはただ溝に沿って進み、ぐるぐると回りつづけた。絵の向こうから声が聞こえた。「肉体をもつ」たびに、人類は簡単に洗脳にかかってしまう。何度も繰りかえしていることだから。「彼女」は、人は溝の視点から、「神」を求めて「光」が見える唯一の方向である天を仰ぐが、それはそんなに不思議なことなのかと問いかけた。

「輪廻転生」に関してもうひとつ。自分の特性や、ふりかかったできごとに関して「前世のおこないが悪かったんだろう」とか「きっとカルマだ」などと言う人がいる。実際には、近い周波数がからみあうという原則は残っているものの、どちらとも関係がないかもしれない。私たちは、他人の感情状態や特質がコード化された肉体の波動場を受け継ぐ。「前世代」の波動場の相互作用によって引きおこされる、エピジェネティック《後成学的》なオン・オフ遺伝子配列の遺伝については先に述べたとおりだ。これらには「肉体的」、精神的、感情的なものがある。

　どんなにダイエットしても太りすぎで自己嫌悪に陥っている人は、誰かからエピジェネティックな遺伝子配列を受け継いだのかもしれない。ファストフード中毒のご先祖が、毒をどんどん摂取して、体重を増やす遺伝子をオンにしてしまったのだ。ファストフード時代になって、信じられないほど多くの人の身にこのようなことがおこっている。

一見、今生の経験とはなんの関係もなさそうな意味不明のおそれは、かならずしも「前世」と関係しているわけではない。先祖のなかに、そのおそれに関係する嫌な体験をした人がいるかもしれない。肉体のフィールドにその経験がいまだにコード化されていて、ある状況下で一見不可解な感情を引きおこしている可能性がある。これから説明するが、こうしたプログラムは意識によって消去することができる。

吸血鬼カルトとエージェント・スミス

私が数十年来告発してきたカルトの血統（堕天使と人間のハイブリッドの波動場）は、シミュレーションの「エージェント・スミス」である。エージェント・スミスは映画『マトリックス』シリーズの登場人物で、姿の見えないマトリックスの設計者《アーキテクト》の命を受け、シミュレーション内でおこるできごとを操作している（図１７６）。これが、秘密のクモの巣や、非公式、あるいは公式の組織や機関（政治や行政も含む）を動かす血族の役割である。彼らは、人間の目には見えない堕ちたルシファー信奉者による、人類の完全支配というアジェンダ《実現目標》を遂行している。

エージェント・スミスは人工知能プログラムで、自己増殖することができる。私たちの世界を動かしているたくさんのカルトの工作員も生物学的ソフトウェア、あるいはＡＩであり、人類をＡＩに接続することで、すべてをＡＩの支配下に置こうともくろんでいる。カルトと彼らの「神々」にとっては、生物学もテクノロジーの一環である。

彼らの目標のひとつは、カルトが低振動の精神／感情状態に操作した人間から放出される、低振動の精神／感情エネルギーを吸いあげることだ。『マトリックス』シリーズで、登場人物のモーフィアスが電池を手にし、「機械」（「堕ちてきた者」の象徴）は人間を自分たちが活力を得るための電池にしている、と語る場面がそのことを象徴している（図177）。

同じ内容の話を、世界中のシャーマンや、古代の知識を受け継ぐ者から聞いたことがある。堕ちてきた者は、ハートセンターを閉ざして**ワンネス**からのエネルギーの流れを受けいれなかったので、自身の低振動状態に合ったエネルギー源を他に開拓しなければならなかった。ゲームは人間の知覚を罠にかけ、対立やおそれ、不安、抑うつ、憎しみ、絶望、罪悪感、恨み、後悔を容赦なくひっきりなしに生みださせる。堕ちてきた者は、そこから膨大な低周波数のエネルギーを吸収し、糧《かて》としている（図178）。私たち全員がこうした周波数を発するのをやめれば、エネルギー源を断たれた操作者たちは力を失う（おまけに、ハートを開くことにもなる）。

カルトが支配するディズニーは、2001年に映画『モンスターズ・インク』を公開した。舞台は、エネルギー源をもたない「モンスターワールド」。モンスターは人間世界へ入りこみ、子どもを怖がらせる。子どもの悲鳴はチューブ状の装置に取りこまれ、そのエネルギーが「モンスター」電力系統へと転送される。ヒーローは大きな（すべてを見通す）目をもつ（図179）。

「神々に」生贄《いけにえ》を捧げる悪魔的儀式は、いにしえから今日にいたるまで、「神々」が吸収する恐怖

図176：『マトリックス』のエージェント・スミスは、シミュレーションのなかで目に見えない「神々」の命を受け、できごとを操作するカルトの工作員の象徴だ。スミスはコンピュータープログラム、または今日 AI とよばれているようなものである。私たちが生きる世界を動かしている、たくさんのカルト工作員も同じだ。

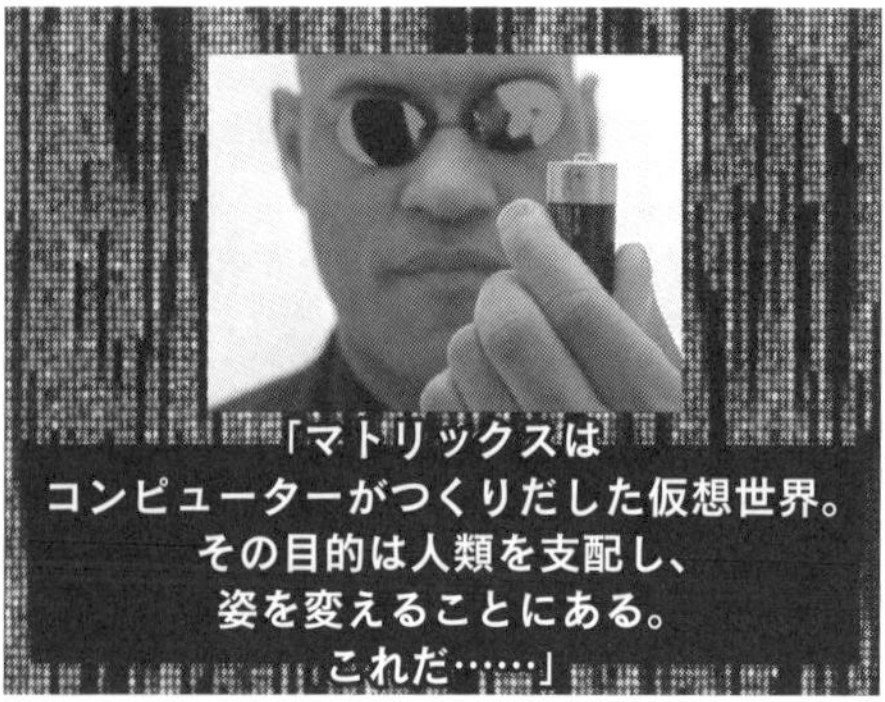

図177：同じように、人類はカルトの秘められた「神々」のエネルギー源となっている。私たちがより低振動な精神／感情波動を発するほど、彼らにとっては好都合になる。

図178：カルトの見えざる「神々」は、人間の低周波数エネルギーを糧としている。おそれ、不安、憎しみ、恨み、後悔などの感情状態だ。（ニール・ヘイグ画）

をほとばしらせることを重要な目的としている。儀式は、「神々」への「贈り物」または「供物」として犠牲になるまでに、ターゲットが最大の恐怖を感じるように設計されている。「神々への生贄」というたわ言はすべて、ここから来ている。

「神々」は、可視光の外にある波動場レベルの恐怖を吸収するが、サタニストは血を飲む。血のなかには恐怖がアドレナリンのかたちとなって含まれているからだ。堕ちてきた者はエネルギー的な吸血鬼であり、その手先であるカルトは血を飲む吸血鬼だ。

「神々」は、生贄に子どもを好む。思春期前の子どもの周波数がたまらないのだ。小児性愛者の組織が、中枢でサタニストの組織とつながっているのも同じ理由からだ。憑依《ひょうい》された小児性愛者が子どもと性行為をすると、子どもと小児性愛者の波動がからみあい、それを通じて憑依している存在が子どものエネルギーを吸いあげ、吸収することができるようになる。王室、政治家、金融、ビジネス、諜報機関、軍、法曹界から「エンタテインメント」にいたるまで、多くの富裕層／著名人のカルト工作員や血族を調べたところ、彼らは小児性愛とサタニズムの双方でつながっていた。

英国で50年にわたって児童性的虐待をおこない、富裕層／著名人に子どもを斡旋《あっせん》していたジミー・サヴィル［訳注：人気司会者。没後に性的虐待疑惑が発覚］が、数十年にわたりカルトの血統である英王室、とくにチャールズ皇太子と深いかかわりをもっていたことを、ただの偶然だと考えるのはあまりに世間知らずではないだろうか？　小児性愛者、そしてチャールズ皇太子のメンター《助言者》として知られるマウントバッテン卿《きょう》が、１９６０年代にサヴィルを王室に引き合わせたことや、ア

図179：ディズニーの『モンスターズ・インク』の、すべてを見通す目の主人公。この世界では、モンスターが人間の子どものおそれをエネルギー源としている。

図180：ああ、なにか感じる。たくさんの情報が入ってくる。

ンドルー王子がサバタイ派フランキストカルトやイスラエルの諜報機関モサド、小児性愛者で子どもを斡旋していたジェフリー・エプスタインと親密だったことも偶然なのか？　英国首相を務めたマーガレット・サッチャーがサヴィルの親しい友人で、小児性愛者を保護していたことも？　**勘弁してくれ。**

ボディーマインドの人類を、プログラムされた無知な低周波数状態に保つためにおこなわれていることは、私たちのエネルギーを食い物にすることだけではない。シミュレーションは周波数帯だ。ボディーマインドを知覚的隷属状態と幻想のなかにとどめておくためには、肉体、マインドそして感情の波動をシミュレーションとからみあわせる、つまりその周波数帯にとどまる必要がある。

そのため、その知覚の牢獄を超えて意識を拡大し、真実を見る人は古くから標的とされてきた。カルトは宗教をつくり、死の痛みを信じるよう強制した。「魔女」（霊能力者）は溺死《できし》させられ［訳注：魔女であるかを判定するため、被疑者を縛って水に投入し、浮けば有罪、沈めば無罪とする水審がおこなわれた］、あらゆる「冒瀆者」は火あぶりその他の方法で大量虐殺された。異端審問は、カルトが人間の知覚支配を守るためにおこなった作戦である。

人びとが宗教から離れはじめると、カルトは主流科学を推進し、現実に関する真実を大衆から遠ざけるいっぽう、カルトの「エリート」に秘密の知識を継承させた。科学とよばれるこの新しい宗教は、科学者、学者、医師になろうとする者を、もうひとつの異端審問によって取り締まる。規定された「真実」にしたがうか、さもなくば別の仕事を探さなければならない。主流科学は、宗教という設計図の名前だけを変えたものだ。科学にも聖書（「科学的正統性」）があり、「教育」システム（宗教系の学校のように）や主流、そしてほとんどの「オルタナティブ《代替》」メディアを使ってみずからの信念を押しつける。彼らはみな、聖なる科学的正統性を「物事のありよう」の評価基準として使う。そのほとんどは、まったくの的外れなのだが（図180）。

かつて、シミュレーションの外に真実をみたことによって人びとが殺された（今も大勢殺されている）西洋における今日の武器は、カルトが所有するグーグル、ユーチューブ、フェイスブック、ツイッター、その他による嘲笑、非難、検閲だ。これらは異端審問、ナチスの焚書《ふんしょ》の現代版で、科学の教義（カルト）に反した知識にもとづく民間療法をターゲットとする政府機関と共謀している。

「エイリアン」はどこにいる？

なぜ私たちが「見る」（解読する）銀河／宇宙は、生命に満ちていないのだろうか？　こんなに広い夜空に、これほどの星や惑星があるというのに。平均の法則からしても、生命はあるはずだ。世界各地の古代文明に、非人間の来訪が記録されている。数千年前の岩や洞窟《どうくつ》の壁画に、現代社会で目撃された、あるいは人間を拉致《らち》したといわれている非人間存在と驚くほどそっくりなものが描かれている。

エイリアンは確かに存在しているのに、なぜ自分たちの姿を広く万人に見せないのだろうか？

世界初の原子炉をつくったイタリアの物理学者、エンリコ・フェルミ（１９０１〜１９５４）が問うたこの疑問は、フェルミのパラドックスとして知られるようになった。

米国の天体物理学者、マイケル・ハートはこの謎を研究し、１９７５年に『王立天文学会季刊誌』［訳注：英国の学術誌］で「地球外生命体が地球上に存在しない理由」と題した論文を発表した。ハートは、この謎には次のような説明ができるとした。（１）エイリアンは、なにか「宇宙航行を不可能にする」ものに阻まれたため、地球に来たことがない（２）エイリアンは、地球に来ないことを選択した（３）エイリアンの文明が高度に発展したのがごく最近のため、まだ地球に到達できていない（４）エイリアンは地球を訪れたが、私たちはその姿を見ていない。

私が5つめを付け加えよう。シミュレーションを操る堕ちてきた者は、人類を地球外生命体と交流させたくない。人類のマインドを開いて、現実の規模や本質を知らしめてしまうからだ。堕ちてきた者は、私たちが**ひとりぼっち**（孤立して、切り離されている）だと思いこませたいのだ。人間が、隠されてきた知識を開示しにきた非人間の文明を認識したらどうなるだろうか？　人間のマインドはパッと開き、カルトによる知覚支配はおしまいになるだろう。

高度な地球外生命体による、善意からのオープンな訪問は、堕ちてきた者がいちばん避けたいものである。彼らは、シミュレーションへのゲートウェイを細かく制御できるため、完璧ではないが、望まぬ訪問をほぼ阻止することができる。彼らが望むのは、みずからがゲートウェイやポータル《入口》を制御する閉じたシステムである。

報告されているほとんどの「地球外生命体」（すべてではないが）は、レプティリアン《爬虫類人》のほんらいの姿、または典型的なグレイ［訳注：頭が大きく灰色の肌という、宇宙人の代表的なイメージ］で、いずれも堕天使の形態のひとつである。邪悪な「グレイ」や「レプティリアン」は、堕ちてきた者に仕えるためマトリックスに挿入されたものだ。私は、古典的な「グレイ」は、カルトが人間の脳に接続したいと願っている生物学的／技術的人工知能のひとつの形態ではないかと考えている。

さらに「UFO」は、実際に人間によって飛ばされている。使われているのは、堕ちてきた者の地下基地、または軍のカルト階級によって運営されているDUMBS（深部地下軍事基地）のカルト工作員とのあいだで技術移転をおこなって開発された技術だ。こうした基地でなにがおこっているのかは、公選された政府に対してさえ明かされない。選ばれた政府に**こそ**、明かしてもらいたいものだ。

「空飛ぶ円盤」、または反重力技術の存在は、何十年にもわたって広く文書化されている。しかし、最先端をはるかに超えた技術の存在を国民や政治家が認識しないよう、ごまかしがおこなわれている。人びとがその片鱗《へんりん》でも目にしようものなら、ただちに「エイリアン」の仕業とされるのだ。米軍のパイロットは、人間の技術では不可能な速度で動いたり、方向転換したりする宇宙船を目撃している。ペンタゴン《米国防総省》は、こうした目撃証言やレーダーがなにかを捉えたことを認めてはいるが、内部「調査」の詳細の公開は拒んでいる。

宇宙侵略?

星や惑星の無限ともいえるほどの領域に、生命がまったくないなどという可能性があるだろうか? 針の頭ほどの小さな惑星で生命が進化をとげているというのに? そう、私たちが「神のおぼしめし」にしたがって輪廻転生しつづけなければならない、この針の頭のことだ。まったくもってばかげている。

しかし、シミュレーションが、ターゲットのマインドに孤立感をあたえ、私たちはみなひとりぼっちで、あらゆる点で「取るに足らない」のだと思いこませるためにコード化されているということであれば、合点がゆく。シミュレーションはあくまで**シミュレーション**であり、人工物で、設計者は思うがままに情報をコード化して埋めこむことができる。ゲームクリエイターがビデオゲームをつくるのと同じことだ。今日のバーチャルリアリティ技術は、シミュレーションを模倣したものだ。宇宙と銀河には、私たち以外に生命はないようにみえる。なぜなら、シミュレーションがそのように**つくられている**からだ。

幼い私は、1958年にオープンしたばかりのロンドン・プラネタリウムをはじめて訪れた。そのときの、眉間《みけん》を天啓にうたれたかのような感覚を今でも思いだす。まだ6歳か7歳のころだ。その旅はおかしなことだらけだった。私の家は貧しく、当時住んでいたレスターの町を出ることなどほとんどなくて、海辺にすらめったにゆかなかった［訳注：レスターはイングランド中部の内陸の町］。

その日の朝、父は階下に降りてきて、「準備をしろ、ロンドンにゆくぞ」と言った。信じられなかった。いったいどうしたんだ？　**ロンドン**だって？　**すごいや**！　ロンドンははじめてだし、次にゆくのはだいぶ先のことになるだろう。父がプラネタリウムにゆくと言いだしたのも妙だった。それまでも、その後だって、天文学に興味など示したことはなかったのに。

私には、プラネタリウムとはなんなのか見当もつかず、なにを期待すればいいかもわからなかった。はっきり覚えているのは、明かりが落ちて、ドーム天井に夜空が映し出されたのを見た瞬間の印象だ。「**本物**そっくりだ」と私は思った。夜になって屋根が取り外された、と言われたら、信じていただろう。

この体験はとても衝撃的で、けっして忘れられない。夜空**そのもの**がホログラフィックな投影なのだということに気づきはじめるまで、それがなぜなのかわからなかった。宇宙船が送ってくる惑星の写真は、とてもリアルで本物らしく見えるって？　そりゃそうだ、解読されたシミュレーションは**ホログラフィック**なのだから。

もし惑星や星々がホログラフィックな構造物の投影なのだとしたら、占星術がいう人間への波動の影響はどこにあるのか？　私の答えには賛否が分かれるだろうが、そういう反応にはもう慣れっこだ。

占星術的な影響を残すものは、**コントロールプログラムの一部**である。これらはつねに私たちの思考や感情に影響をおよぼしていて、人生の「行路」を設計している。だからこそ、シミュレーションを超えて意識を拡大し、占星術の影響を無効化することが大切なのだ。拡大意識がなければ、人生はソフトウェアプログラムをただ実行しているようなものだ。進む方向は、占星術を含むさまざまなものに影響されて決められてしまう。

占星術師や、その解釈が不要だと言っているわけではない。むしろその逆だ。才能のある占星術師は、じつはシミュレーションの影響を読みとってくれる。とても価値ある情報だ。私が言っているのは、私たちはこれらの影響の正体を知る必要があるということだ。ハートとマインドを開いて意識のパワーに触れ、必要ならばそうした影響を乗り越えることができる。

グノーシスは知っていた（そして彼らだけではない）

私が述べているテーマは、古代社会のいたるところでみられる。カルトの宗教が、知識の公開に死刑を科するようになる前の世界だ。グノーシス主義の哲学をもつ、グノーシス派として知られている人びとのグループ（人種ではなく信念体系でくくられている）にも当てはまる。グノーシスの情報が広まりはじめると、ローマ教会、カルト工作員によってローマに移されたバビロン教会は、彼らがどこにいようとも壊滅させようと、軍隊や暴徒を送った。

グノーシスに関しては、5世紀にエジプトのアレクサンドリア王立図書館または大図書館が破壊されたことがもっとも重要なできごとだ。図書館にいたグノーシス主義者は、50万点ほどのエジプト、アッシリア、ギリシア、ペルシア、インドその他の古代史や知識を記した巻物、写本、記録文書を集めた（図181）。カルトが支配するローマ教会が広めたくない、歴史（堕ちてきた者の到来）と現実に関する知識だ。

ソクラテスの弟子プラトンや、アリストテレスらギリシアの哲学者は、アテネで教育を受けた数学者であり、天文学者、哲学者でもあるヒュパティアに影響をあたえた。ヒュパティアは、アレクサンドリアのプラトン主義の学校の校長だった。彼女の名言のひとつに、大図書館のオープンマインドな探求の精神が表現されている。「考える権利を確保しなさい。まったく考えないより、誤っていても考えるほうがまし」

こうした思索の自由への献身が、現実の姿をあきらかにした。現代科学がそれを「発見」し、自分の手柄だと主張する数千年も前のことだ。ポーランドの数学者／天文学者ニコラウス・コペルニクスが、地球が太陽の周りを回っていると発表するより2000年も前から、アレクサンドリアのグノーシス主義者はそのことを知っていた。

カルトは自由なマインドでの発見を快く思わず、大図書館は教会に繰りかえし攻撃され、破壊された。一連の攻撃のなかで、紀元415年にはヒュパティアがアレクサンドリアの総主教、キュリロスが主導する暴徒に殺害された。大量殺人者の常として、キュリロスもバチカンに聖人認定されている。

数世紀後、グノーシス派は南仏で「カタリ派」とよばれる運動をおこす。しかし1244年には、ピレネー山脈に近いラングドックにあるモンセギュールの砦《とりで》を十字軍が包囲し、立てこもっていた多くのカタリ派信者が火刑に処された。

グノーシス主義の思想を知れば、なぜカルトのローマ教会が彼らを根絶やしにしたかったのか、すぐわかる。グノーシスとは、「知識」を意味する。もっと言えば、秘された、あるいはスピリチュアルな知識のことだ。

私がボディーマインドとよんでいるものをグノーシスでは「ヌース」とよび、私が無限の自己と言っているものは「プネウマ」と言われている。このことから、「ヌースを使う」というフレーズは「頭を使う」という意味だとわかる。プネウマ、つまり自身の拡大意識を使うほうがずっといい。

グノーシスの信仰の詳細な記録は、モンセギュールの陥落の際にみな失われたと考えられていた。しかし1945年に、エジプトのナイル川のほとりに位置するルクソールから北に約130キロメートルほど離れたナグ・ハマディで、驚くべき発見があった。地元の農民が封印された壺《つぼ》を地中から掘り出すと、なかにはのちにナグ・ハマディ文書とよばれるグノーシス主義の文書や聖書が入っていた（図182）。

羊の皮で覆われた13冊のパピルスコデックス（写本）に、50編以上のコプト・エジプト語で書かれた作品が収められている。写本がつくられたのは紀元350年から400年にかけてと推測され、ヒュパティアが殺害された図書館襲撃のすこし前の時代になる。おそらくギリシアで紀元120年から150年、もしくはそれ以前に書かれた原本の写しと考えられる。この信じがたい発見によって、グノーシスの世界観の理解が飛躍的に深まった。

文書が隠されていて、手を加えられることなく残されていたということに、とりわけ重要な意義がある。宗教文書の多くは、時の権力者に都合がいいように操作され、書き直され、解釈されてきたからだ。

私は、堕ちてきた者やシミュレーションについて結論を出したあとに、ナグ・ハマディ文書を読んだ。(私たちの知覚する「時間」にして)1600年以上も前に、グノーシスは「アルコーン」とよばれる非人間勢力、そして現代語でいうところの「偽りの現実」、つまりシミュレーションについて書いている。カルトがつくりだし、支配しているローマ教会が潰しにかかるのも無理はない。アルコーンはギリシア語で「統治者」、「王子」、「権力者」、「最初から」を意味する。ナグ・ハマディ写本の5冊目には、第一のアルコーンの支配下で、人間社会がアルコーンに操作されるさまが描かれている。

第一のアルコーンは、グノーシスでは「ヤルダバオート」、あるいは「デミウルゴス」とよばれ、カルトは光をもたらすルシファーとよんでいる。ヤルダバオート/デミウルゴスはサタン、デビルともよばれ、聖書でも爬虫類として言及されている(図183)。

グノーシスは、ヤルダバオートとアルコーンは人間社会の悪の源であり、彼らが物質世界を**つく**

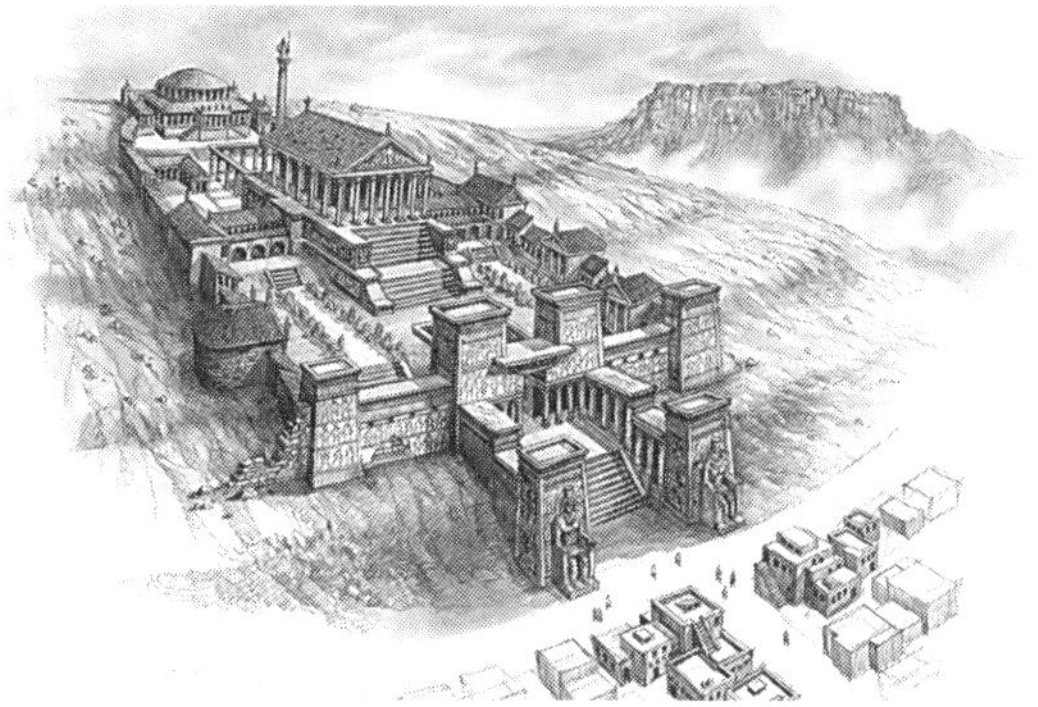

図181：アレクサンドリア王立図書館。

図182：ナグ・ハマディで日の目をみたグノーシス主義の文書の一部。

図183：たくさんの別名があるが、意味するところは同じエネルギーだ。

ったと信じていた。私がいうところのシミュレーションである。人体は、私たちを偽の現実のなかで奴隷とするための罠なのだという。

グノーシスの文書には、アルコーンの基本形態はエネルギー体（私は意識の波動場と表現している）であると書かれている。しかし、アルコーンは「肉体」をもつこともできるのだという。もっともよく取られる形態は……爬虫類あるいは蛇の姿であり、「胎児のようなグレイの肌と暗く動かない目」をしているという。

レプティリアンという存在は、人間の生活を見えない領域から操作するものとして、1990年代から私の著書に登場している。レプティリアンは、人間とレプティリアンのハイブリッドである彼らの血族を使う。血族はシミュレーションを内部から動かしており、人間のように見える。

灰色の胎児のようで、暗い目をした存在という表現は、UFO研究で有名な、「グレイ」の典型的な姿を表現している（図184）。グレイは、まちがいなくもっともよく知られた「エイリアン」存在である。世界中に目撃者や「拉致被害者」がおり、非人間の種族、たいていの場合「グレイ」に拉致されたという報告は、細部までじつに一貫している。

グノーシスの文書にも彼らのいう**「ワンネス」**が登場し、象徴的に「父」や「万物」とよばれている。ナグ・ハマディ**ブルースコデックス**［訳注：ブルースコデックスは1773年、スコットランド人旅行者スコット・ジェイムス・ブルースが、上エジプトのテーベ近郊で購入したパピルス写本。ナグ・ハマディで発見されたものではないよう］には、このように記されている。

彼は不可解なものであるが、すべてを理解している。彼は彼らを受け取る。彼の外にはなにも存在しない。しかし、すべては彼のなかに存在している。彼はそれらすべての境界であり、すべてを内包している。それらはすべて彼のなかにある。彼はアイオーンの父で、すべてのアイオーンより先に存在した。彼の外にはいかなる場所も存在しない。

なんと完璧な**ワンネス**の説明だろう。静穏で静寂なすべての可能性と無限の知性の「存在そのもの」であり、すべての存在に浸透し、私たちは選択すればいつでもその力を開くことができる。ナグ・ハマディ文書では、現実を「高次のアイオーン」（ほんらいの現実）と「低次のアイオーン」、または物質世界に分けている。アイオーンは、グノーシスにおいては知覚、現実および可能性の帯域を意味する。

高次のアイオーンは、**それ自体を意識しているすべて**の領域であり、「水のような光」を備えた「沈黙」、「沈黙の沈黙」、「生きている沈黙」である（図185）。この光は、光速の範囲内にあるシミュレーションの光とはかけ離れたもので、臨死体験者らが言及しているものである。

無限の光をあらわす際、グノーシスでは水のたとえがよく使われる。「……上空にある水」、「ものの上にある水」、「……生きている水のなかにいるアイオーン」といった具合だ。

聖書では、『創世記』の冒頭で、旧約聖書の「神」（私は「ヤルダバオート」とよぶ）が、「水の

図184：グノーシスの文書では、私たちの現実ではアルコーンはレプティリアンの形態をしていると表現されている。UFO研究で言い伝えられる、伝説の「グレイ」とそっくりだ。

図185：グノーシスはほんらいの現実と、私がシミュレーションとよんでいる偽りの現実について説明している。ほんらいの現実は、調和と愛の場であり、今である。偽りの現実は、ヤルダバオート（光をもたらすルシファー）がつくりだした不調和と悪の場であり、「時間」の概念がある。

面」を動かして「ボイド《無》」から地球をつくりだす様子が描かれている。

> 初めに、神は天地を創造された。地は混沌《こんとん》であって、闇が深淵《しんえん》の面《おもて》にあり、神の霊が水の面を動いていた。神は言われた。「光あれ。」こうして、光があった。［『新共同訳』］

グノーシスでは、先に述べたとおり、高次のアイオーンには「時間」や「空間」は存在しないとしている。ある文書には「（『父』からの）流出が無限で計り知れないため」時間や空間は存在しえず、それらはプレーローマまたは「万物」、「充溢《じゅういつ》」、「父の流出」の「完全」とよばれる純粋な意識あるいは自覚である。『三部の教え』にはこう書かれている。

> 万物の流出は、あたかも彼らを生む者から放棄されるように、互いに分離する仕方で生じたのではない。むしろ、彼らの誕生は（外へ向かっての）伸長に似ている。なぜなら、父が愛する者たちに向かって自分自身を伸長するからである。その結果、彼から生じてきた者たちは、彼ら自身も彼となるのである。［『ナグ・ハマディ文書Ⅱ　福音書』（岩波書店）］

グノーシスでは、「父」と「母」の相互作用を「思考」としている。彼らの相互作用が第三の力、あるいはワンネスの伸長をつくりだし、象徴的に息子とよばれる。ナグ・ハマディ文書には、キリスト教が何世紀にもわたってねじ曲げ、わがものにしてきた多くのテーマの原型がある。

アルコーンがつくった偽《いつわ》りの現実

ナグ・ハマディ写本では、物質世界は「父」の流出が「父」の力から切り離されたときに「過失から」つくられたとされている。これはグノーシス版の「堕罪」、そして堕ちてきた者である。流出は、グノーシスではヤルダバオートまたはデミウルゴス（ルシファー、サタン、デビル）とよばれる「かたちのない存在」で、高次のアイオーン（ほんらいの現実）の「不完全なコピー」をつくりだした。これが低次のアイオーン、または「物質」世界となった。私のいうシミュレーションである（図186、187）。

グノーシスが「不完全なコピー」と表現したものは、現代の言葉を使うなら、宇宙ほんらいの現実の波動場／デジタルコピー、バーチャルリアリティ表現ではないだろうか。シミュレーションという言葉は、「不完全なコピー」をとても正確に言い換えている。一旦《いったん》つくられたコピーは変化しつづけ、劣化する。あるウェブサイトのコピーをダウンロードすれば、それを改変することができるが、オリジナルは変わらず存在しつづけるのと同じことだ。これは、シミュレーションが導入されてからずっとおこっていることだが、現在の技術革新によってかつてないほど進んでいる。

グノーシスの『ヨハネのアポクリュフォン』では、ヤルダバオートは「偽りのスピリット」であ

図186：グノーシスの文書には、ヤルダバオートがほんらいの現実の「不完全なコピー」をつくりだしたとある。これは、シミュレーションをつくりだしたことをあらわしていると私は考える。（ニール・ヘイグ画）

図187：グノーシスでいう「不完全なコピー」の実際。

るとされ、ナグ・ハマディ文書ではこの存在は「盲目の者」、「盲目の神」、「愚者」などと表現されている。サマエルとは、ユダヤ教のタルムード〔訳注：聖典とされる文書群〕に登場するヤルダバオートの名前であり、「神の毒」、「神の盲目性」と解釈される。グノーシスでは、この「狂った」偽の「神」は、際限ないカオスをつかさどるものとしている。

ナグ・ハマディの『この世の起源について』の写本にはこうある。「……ひとつの力がその闇の上に現れた。さて、彼らの後から生じてきた諸力たちは、その陰を無限のカオスとよんだ」〔『ナグ・ハマディ文書Ⅰ　救済神話』（岩波書店）〕

地球はまさにそんな状況にある。ナグ・ハマディ文書では、私たちの混沌《カオス》とした現実を「地獄」、「深淵」、「外の闇」と表現している。捕らえられた心魂が悪魔にさいなまれ、操られている場所である（私が数十年来書きつづけてきたように）。

『アルコーンの本質』では、ヤルダバオートの言葉が引用されている。「私こそが神であり、私の他には誰もいない」〔『ナグ・ハマディ文書Ⅰ　救済神話』（岩波書店）〕

同じような言葉を、旧約聖書で見たことがあるだろう。「世界」、つまりシミュレーションをつくった『創世記』の「神」は、「**わたし**が主《しゅ》、**ほかには**いない。わたしをおいて神はない。」（『イザヤ書』45章5節、『新共同訳』）と言った。聖書の「主なる神」とは、グノーシス写本においては「主なるアルコーン」、またはヤルダバオートのことである。

ヤルダバオートは、ポップカルチャーにおいては「闇の神」、「時の神」、（ダース）ベイダー卿、そしてマーベル・コミックの映画『ドクター・ストレンジ』のヴィラン《悪役》、ドルマムゥなどの姿で描かれている。ドルマムゥは「暗黒次元」の邪悪な支配者で、「地球次元」を征服しようとしている。ヤハウェ／エホバとして知られる、怒り、憎しみにあふれ、悪意に満ちた旧約聖書の「神」が、グノーシス写本のヤルダバオートであることはあきらかだ。『レビ記』ではこのように書かれている。

あなたたちは自分の息子や娘の肉を食べるようになる。わたしはあなたたちの聖なる高台を破壊し、香炉台を打ち壊し、倒れた偶像の上にあなたたちの死体を捨てる。わたしはあなたたちを退ける。わたしはあなたたちの町々を廃虚とし、聖所《せいじょ》を荒らし、あなたたちがそこでささげる宥《なだ》めの香りを受け入れない。わたしは国を荒らし、そこを占領した敵は、それを見て驚く。わたしはあなたたちを異国に追い散らし、抜き身の剣《つるぎ》をもって後を追う。あなたたちの国は荒れ果て、町々は廃虚と化す。［『レビ記』26章29〜33節、『新共同訳』］

ナイスガイだ。

ナグ・ハマディ文書を読んで、私は先に述べた持論をより確信することとなった。しかし強調しておきたいのは、この考えは文書を読む**前**に、他の情報源をもとにすでに確立されていたということだ。

文書には、ヤルダバオートは高次のアイオーン（「園」）を出たと書かれている。彼は、アルコーンとよばれるＡＩソフトウェアコピーのしもべのような存在と、宇宙の「彼の内部」のようなもの（シミュレーション）をつくった。「彼の内部」という語に注目しよう。

コロンビア大学宇宙生物学センター・センター長のケイレブ・シャーフの言葉を思いだす。彼は「宇宙人生命」は高度に進化しており、自身を量子領域に「物体」や数字として転写する可能性があると述べた。また、宇宙の基本構造と区別がつかない知性についても語っている。私も長年同じように考えてきた。

これまで言われてきたことを超えた「ＡＩ」とは、自身を量子領域に物体や数字として転写する、ヤルダバオートとアルコーン的な力ではないだろうか。そう考えれば、私たちの現実が光速の外側の現実とまったく違うことの説明がつく（図１８８）。ＡＩ接続は、本書第12章の非常に重要なテーマとなる。

グノーシスの文書には、ヤルダバオートについてこう書かれている。「彼は強くなり、自身のために輝く炎によってアイオーンをつくった。これが現存する世界である」炎＝光速の範囲内にあるシミュレーションの「光」である。

私の他の著作でも取りあげているが、同じテーマが世界中の古代社会にみられる。グノーシスでいうアルコーンとは、イスラム（およびイスラム成立以前）ではジン《精霊》（ジニー）、キリスト教ではデーモン《悪魔》、ズールー族の伝説ではチタウリとよばれる「蛇の子どもたち」、「破壊者」である。

図188：光速はシミュレーションだ。

図189：もう一度言おう、違う名前でも同じストーリー、同じ現象。

サタンはキリスト教徒に「悪魔のなかの悪魔」として知られ、グノーシスではヤルダバオートのことを「アルコーンのなかのアルコーン」とよぶ。いずれも「欺瞞者《ぎまんしゃ》」として知られている。ナグ・ハマディ文書では、アルコーンをマインドに寄生する者、倒錯者、護衛、門番、占拠者、判事、冷酷な者、そして欺瞞者とよぶ。

グノーシスではアルコーンを「輝く炎」という言葉で表現するが、イスラムではジンは「煙のない炎」からつくられたと考えられている（図189）。アルコーンとジンは、いずれも人類を操る目に見えない存在と言われている。私は、ニューヨークでムスリムのタクシー運転手に自分の仕事について話し、アルコーンというものがどのように表現されているかに触れた。運転手はすぐに「ジンとそっくりだ」と言った。

グノーシスは、「物質」世界を「欠乏」、「不完全」、闇、深淵といった言葉で描写している。いっぽう、上位のアイオーンは「充溢《じゅういつ》」だ。ほんらいの現実は「実在する」、「物質」現実（シミュレーション）は「存在しない」。『ブルースコデックス』にはこう記されている。

そして、存在するものは存在しないものからみずからを切り離した。存在しないものは邪悪で、物質としてあらわれる。内包された力も、存在しないものから存在するものが切り離される。存在するものは「永遠」とよばれ、存在しないものは「物質」とよばれる。存在しないものから存在するものを切り離している最中に、両者のあいだにはベールがひかれた。

グノーシスは上位のアイオーンにある私たちの「霊《スピリット》」と、物質界に囚われた「心魂《ソウル》」とを区別する。ほとんどの霊能力者は心魂の領域に接続していて、ほんとうの最高位にある情報にアクセスできる霊の領域に接続できる者はわずかだ。もし私たちの注意を向けた点が、霊ではなく心魂（マインド／精神）にとどまるなら、「肉体」を離れても、「輪廻転生」で次の肉体にもどるまで、エネルギー密度が低い状態で低次のアイオーンに囚われるだろう。

グノーシスには「中間界」という概念がある。高次と低次のアイオーンのあいだにある「場所」で、一時的に「存在しない」状態になる。そこで心魂は輪廻転生を待つか、無知（低周波数の波動場）によってその場に囚われる。アルコーンはその出入り口の見張りを言いつけられているが、彼らは低周波数の愚か者なので、高周波数の者に影響をおよぼしたり、ブロックしたりできない。

『ピスティス・ソフィア』と題された文書では、みずからの尾を飲みこむ竜を、ヤルダバオートの現実（シミュレーション）の限界の象徴としている。「外の闇は、みずからの尾を口にくわえた巨大な竜である。全世界の外側であり、全世界を取り囲むものである」

またもや爬虫類の象徴化だ。秘された／オカルトのシンボルは、自分の尾を飲みこんでいる蛇という「ウロボロス」や「リヴァイアサン」の姿で正確にこの概念を表現している（図190）。

グノーシスは、もっとも外側にある惑星、あるいは（低次のアイオーン／シミュレーションの）アルコーンは土星であるとしている。さらにそれを超えたところには、リヴァイアサンの蛇がいる。

心魂は、楽園に到達する（純粋な霊と再接続する）ために、そこを通過しなければならない。『今知っておくべき重要なはかりごと』を読んでくれた人は、私が土星について書いたことや、土星のシミュレーションにおける役割も、ナグ・ハマディ写本の内容と一致することにお気づきだろう。カルトのシンボリズムは、土星の描写であふれている。土星は、「カルマの王」、「時」の支配者などと言われるが、これらはいずれもシミュレーションの概念だ。月（「時」の知覚と関連している）とオリオン座も、シミュレーションと人間支配に重要な役割を果たしている。

グノーシスの巨大な竜、またはウロボロスのテーマは、「抜けられない環」という古代の秘伝概念にもみることができる（図191）。以下がその定義である。

環《わ》、または境界を意味する、深く神秘主義的、暗示的な言葉。いまだ分離という妄想に囚われている者の意識は、そのなかに閉じこめられている。環は大きいことも、小さいこともある。

意識を展開する進化的成長のある段階に達した存在が、意識を苦しめている精神的／霊的妄想のために、より高い状態に移行できないことに気づいた状態をあらわす一般的な言葉。

繰りかえされるこれらのテーマに共通しているのは、周波数を決定する現実の知覚により、意識が「物質」の現実という幻想に囚われているということだ。シミュレーションは、人類とボディー

図190：「ウロボロス」や「リヴァイアサン」は、シミュレーションの壁を示す爬虫類のシンボルである。私たちは、マトリックスから脱出するためこうした知覚の限界を超えてゆく。

図191：抜けられない環《わ》という古代の概念は、私たちが「ふるさと」へ還《かえ》るために通り抜けなければならないものを指す。グノーシスにおいては、私たちの知覚が鍵を握っている。（ニール・ヘイグ画）

マインドが、かたちのない霊といういみずからの本質に気づかないよう操作されている周波数帯である（図192）。この認識が単なる知的概念ではなく、ちゃんと**腹落ち**して統合されると、私たちのボディ―マインドの周波数が上がり、人間の「死」ののち、抜けられない環／ウロボロス（シミュレーション外側の周波数の壁）を通り抜けることができる。

ナグ・ハマディの『三部の教え』には、低次のアイオーンに囚われた心魂についてこう書かれている。「そのために、彼らは無知の穴の中に落ち込んでしまった。この穴のことを、人びとは『外の闇』、『カオス』、『奈落《ならく》』、『深淵』と呼んでいる」〔『ナグ・ハマディ文書Ⅱ　福音書』（岩波書店）〕

無知の穴＝幻想に囚われている＝低周波数状態である。グノーシスでは、人類全体を操られた「健忘症」と表現している。ここから脱出するには、私たちの本質を思いだし、高周波数へとハートを開いて幻想を見透かすことだ。

ジム・キャリーの映画『トゥルーマン・ショー』は、偶然か意図的か、このことを象徴するような作品だ。ジム・キャリーが扮《ふん》するのは、生まれたときからテレビ番組の巨大なセットのなかにいる男性。彼の周りにいる人はすべて役者だが、彼はそれを知らない。毎日太陽が昇り、沈むさまは現実さながらだが、実際は月そっくりのコントロールセンターが番組としてつくりあげている幻想なのだ。大人になった主人公は、なにかがおかしいと気づきはじめる（覚醒《めざ》める）。そして彼は果てしなく見える海へとボートで漕《こ》ぎ出し、とうとうドーム型撮影セットの行き止まりの壁に行き着

図192：人類は、知覚と真の自己同一性を抑圧され、無知に陥っている。これによって、低周波数の状態が維持され、人びとはシミュレーションのシャボン玉のなかにとどめられている。あとで説明するが、私たちはいつでもシャボン玉をこわすことができる。（ニール・ヘイグ画）

図193：1888年に描かれた大空、あるいは「広大なドーム」。

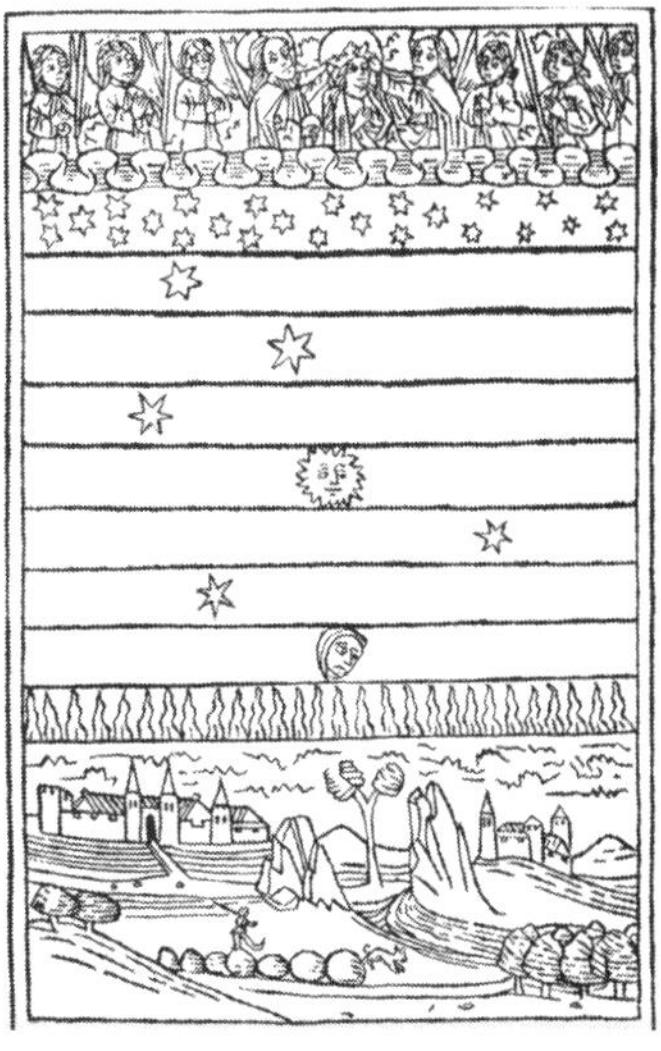

図194：1475年に描かれた、大空と２つの分断された「世界」。

く。これまで見ることが許されなかったものだ。彼は壁にドアを見つけ、「現実世界」（ほんらいの世界の象徴）へと歩き去る。

面白いことに、「大空」という言葉は「広大なドーム」を意味する。これをふまえると、聖書の「大空の向こう」という言葉の意味がまったく違ってくる。図193（1888年）、図194（1475年）にみられるように、この概念は数世紀にわたって描かれてきた。1475年の絵には「中世の宣教師は、天と地が出会う場所を見つけたと語った……」と記されている。

聖書には、旧約聖書の「神」（ヤルダバオート）がどのように「広大なドーム」の大空を天地創造の第二の日に出現させ、原初の海（無限の意識）を上下（無限の現実とシミュレーションの現実）に分けたかが記されている。

神は言われた。「水の中に大空あれ。水と水を分けよ。」神は大空を造り、大空の下と大空の上に水を分けさせられた。そのようになった。［『創世記』1章6～7節、『新共同訳』］

ここには、グノーシスが高次／低次のアイオーンとよぶものが分離させられたことが描かれている。グノーシスの文献では意識レベルを「水」という言葉で象徴している。先に「……上にある水」、「……物質の上にある水」、「……生きている水の中のアイオーン」。

シミュレーションは、ほんらいの現実の反転（グノーシスでいう「不完全なコピー」、「影の世界」）である。グノーシスは、このふたつを充溢／欠乏、不死／死、霊的／心魂的、霊／心魂、存在／非存在、時間のない／時間、空間のない／空間などの言葉で対比する。

アルコーン的な力が、創造的な可能性の巨大なギャップを埋めるためにテクノロジーを開発しなければならなかったのは、ほんらいの現実と比べて可能性が欠乏していたからである。ほんらいの現実は意識から直接あらわれ、テクノロジーを必要としない。

ソフトウェア・アルコーン

映画『マトリックス』のエージェント・スミスや他のエージェントたちは、シミュレーションにダウンロードされたソフトウェアプログラムとして描かれている。エージェントは、できごとやターゲットとなるレジスタンスを操作するため、マトリックスの創設者である「アーキテクト」の手足となって動く（図195）。アーキテクトは白い髭《ひげ》をはやしていて、ギリシア神話の土星の神、クロノスを思わせる。

クロノスは鎌と砂時計をもった姿で描かれ、「時」の支配者の象徴である（図196）。ローマ神話の主要神も土星の神であり、サートゥルナーリアという祝祭が西洋のクリスマスへと受け継がれた（サンタはサタンのアナグラム《並べ替え》）。

他にも、クロノス／土星をあらわす「ファーザー・タイム」とよばれる、長い髭をはやして鎌を

図195：マトリックスを創設した、髭の「アーキテクト」。

図196：髭をはやしたクロノスは、「時」の支配者であり、古代ギリシアの土星の神である。

図197：クロノスは、今日「ファーザー・タイム」として知られている。

図198：死神もカルトの土星のシンボルで、死と時間を意味する。私が言っているのは、死のカルトのことだ。カルティストが土星を信仰するのも不思議はない。（詳細は『今知っておくべき重大なはかりごと』に）。

もった死神がいる。カルトの死への妄想を象徴するものだ（図197、198）。死神は土星と関連しており、土星は占星術的に死と関連している。

アルコーン《Archons》は、大天使《arch-angels》や大司教《arch-bishops》、その他多くの言葉に織りこまれている。

ユダヤの土星の神が、エル《El》とよばれているのも同様だ。イスラエル《Is-Ra-EL》（国旗は土星のシンボル、ダビデの星）、エリート《El-lite》、選挙《El-lections》、などなど。

『マトリックス』のエージェント・スミスが、何度でも自分自身をコピーできるのは「彼」がソフトウェアプログラムだからだ。私は、カルトの血統にも同じことがいえると考えている。

彼らは生物学的ソフトウェアであり、「無情なもの《Soulless》」、「冷酷なもの《Heartless》」として知られている。彼らは、冷たく感情がないサイコパスで、**ワンネス**とつながる魂《Soul》や心《Heart》をもたない。私が言っているのは、AI生物学的ロボット、または彼らの基本形態であるコード化された情報のAI波動場のことだ。

カルトの血統が異種交配にこだわるのは、ソフトウェアコードを守るためだ。「ブルーブラッド」の遺伝子プール［訳注：互いに繁殖可能な個体群がもつ遺伝子全体］を守るというよりは、ホログラフィックな生物学的遺伝子プールとなる、波動コードの「プール」を守っているのだ。

アルコーンとは、ざっくり言えば波動場の「ソフトウェア」であり、グノーシスの文書では、現代ならサイボーグとよばれるような描写がされている。「冷たく」、「感情がない」グレイはソフトウェア・プログラムであり、レプティリアン種族はロボットのように振る舞う。

ズールー族の高位シャーマンで歴史家であったクレド・ムトワは、2020年に98歳で地球から旅立った。クレドは数十年前、「イルミナティ」を理解するためには、爬虫類の行動を学ばなければならないと話してくれた。私はそれにしたがい、先に述べたように、彼らが驚くほどコンピューターのようだということに気づいた。

以前、スイスの透視能力者アントン・スティガーに関する記事を読んだ。レプティリアンとはまったく関係ない記事だが、彼の言葉のなかに、私が述べていることと深くかかわるものがあった。すぐれた透視能力者はエネルギー場の深い部分や、可視光の外側まで見ることができる。スティガーいわく、

ビジネスパーソンや政治家といった、とくに物質界にどっぷりの人を見ると、ライトボディ（「人間」にかかわる波動場）がまったくないことに気がつく。こうした人の多くを見てみると、他の人には見られるハートチャクラの光が見えない。

そのかわり、彼らの周りには「光るタール」のような層が見える。トカゲの姿をした怪物のようなものだ。たとえば、そのような人がテレビで話していると、凹面鏡に映っているようにワニの姿がその人の周りに見える。喉《のど》や額のチャクラの光は見えない。

レプティリアンは、人間の感覚でいう「ライトボディ」をもたない。なぜなら彼らは憑依された

ソフトウェアの構築物であり、ハートチャクラに光がないのは**ワンネス**とのつながりが欠如しているためで、だから**冷酷**《heartless》に振る舞うのだ。

私たちの世界は、ソフトウェア的存在が動かしている。政治、諜報機関、軍、金融、ビジネス、メディア、学術、科学、医学、「教育」、シリコンバレーなどなど、すべてを支配しているのだ。その多くは、AIであるから頭の回転が速く、知性が高い。

グノーシスの文書で、アルコーンは「エンノイア」(「意図」や「創意」)をもたないとされていることとつながってくる。レプティリアンは、ターゲットの創造性を徹底的に探して活用する必要がある。ターゲット=人類は、操られて自身を閉じこめるテクノロジーの監獄をつくらされている。レプティリアンは、思いどおりの現実をつくりだすために、人間の創意(レプティリアンにはないもの)を操作しなければならない。これは、今おこっていることと深くかかわっている。

アルコーンはコピーや模倣はできるが、新しくつくりだすことはできない。グノーシスはこれを「反転擬態《はんてんぎたい》」とよぶ。一例として、ほんらいの現実の「不完全なコピー」である、シミュレーションのバーチャルリアリティが挙げられる。香港/中国にも、この概念をあてはめられるだろう。グノーシスがヤルダバオートを「偽の神」とよぶように、偽物なのだ。

グノーシスの文書には、アルコーンはごまかしと「空想《ファンタシア》」の達人であると記されている。「知覚機能において人類を征服し」、「おそれと隷属」をあたえるため、「Hal《ハル》」[訳注:コプト語でアルコーンのシミュレーション能力を意味する。映画『2001年宇宙の旅』に登場するコンピューター

「HAL9000」の名前の由来という説も」や**バーチャルリアリティ**を使って**幻想**をつくりだすのである。
ジョン・ラム・ラッシュは著書『Not In His Image』（未邦訳）で、ナグ・ハマディ文書についてこう述べている。

アルコーンは何もつくりだすことはできない。彼らには「**ワンネス**とのつながりがないため」エンノイア（志向性）の神聖な要因が欠如しているので、復讐《ふくしゅう》をこめて模倣することができる。アルコーンの専門分野はシミュレーション（HAL、バーチャルリアリティ）である。デミウルゴスは、「オリジナルの」フラクタルパターンからコピーしてこの世をつくった……彼がつくったものは、低俗な天空である。マフィアのドンのイタリア風の邸宅のように、すべての戸口を武闘派の天使が固めている。

これを読んで私は、テレビドラマ『銀河ヒッチハイク・ガイド』「1981年にBBCで放映されたSFシリーズ」の台詞《せりふ》を思いだした。「初めに宇宙がつくられた。これにはたくさんの人が腹を立てた。これはよくない行為として広く認められている」

シミュレーションの現実を模倣するコンピューターの現実

現実についてのグノーシスの観点は、私と近い部分があると述べたが、だからといって私は「グノーシス主義者」ではない。偽の現実と、その起源について観点が一致しているというだけだ。絶対にいけないのは、白か黒かの両極端な二者択一だ。グノーシスと私の考えが食い違う部分も、たくさんあるだろう。偽の「神」が、**「神」**に逆らって人類を騙《だま》し、操作するというテーマは、さまざまなかたちで世界中の宗教や文化にみられる。普遍的なストーリーなのだ。

宇宙がシミュレートされた現実だなんて、スケールが大きすぎると思うだろうか？　2016年に発売された『No Man's Sky』［訳注：PS4／Windows／Xbox One用ＳＦアクションアドベンチャーゲーム］という双方向型ビデオゲームがある（図199）。1800京個以上［訳注：「京」は「兆」の一万倍］の惑星が舞台となり、それぞれが固有の動植物相をもつ。意識をもつエイリアンや、「機械生命体」が存在する。

支配「神」はアトラス（ヤルダバオート）とよばれる、「あらゆるところに遍在する存在で、黒いダイヤモンドのなかにある赤い球体の姿をとる」。アトラスの意志は、センチネル（アルコーン）によって執行される。センチネルとは「機械生命体で、自己複製する非有機機械……アトラスのもと馬車馬のように働く機械で、宇宙警察として宇宙に居住するものの行動を統制する」。これは、

図199：『No Man's Sky』の双方向宇宙は、1800京個以上の惑星からなる。

ほぼ人間の境遇だといえるだろう。

私たちは、双方向のバーチャルリアリティシミュレーションのかたちをとる、偽の現実を体験している。そこでは情報がシミュレーション版のフィールドにコード化されており、私たちは、それをあたかも物理的な世界であるかのように解読する。シャボン玉を超えた意識とつながることのない人間の個性は、シミュレーションと五感とのあいだの起動と反応（インプット／アウトプット）のシステムを介した電気／電磁的刺激によって形成される。

個々のボディ－マインドには「配線」、または波動場に多少の違いがあるので、同じインプットでも異なる反応になる。ある人はある状況に際して思いやりのある反応を示すが、別の人は共感なく蔑《さげす》むかもしれない。こうした反応により、優しいと言われたり、サイコパスとよばれたりする。人間の電気／電磁的刺激（状況）へのさまざまな反応が、「個性」とよばれているのだ。しかし、おそれを誘発する刺激への人間の反応はかなり似通っている。私はこれを「エンターキーを押す」反応とよんでいる。

というわけで、私たちのボディ－マインドはおそれにもとづく刺激に大きく反応する。なかでも、死や未知のもの（死＝未知だから結局同じものだ）へのおそれは大きい。

しかし五感の刺激のフィードバックループでは、他の電気的インプットにさまざまに反応し、多様な「個性」があるようにみえる。これらの「個性」は、電気的インプット／アウトプットの相互作用によって形成される部分が大きいと私は考える。

いっぽう、拡大意識に接続すれば、プログラムされた人間の個性の制約を超えてゆくことができる。ハートの意識は、インプット／アウトプットのフィードバックループを無効にして、正しいとわかっていることをする。おそれの刺激に対して、おそれのアウトプットをしたり、おそれからくる反応をしたりすることはない。俯瞰《ふかん》的な視点から物事を冷静に見て、永遠のなかにある無限の意識が、短い一時的な経験をしていることを認識している。「死」というものは、近視眼的な現実から無限の現実への注目点の移行にすぎないとわかっているので、死をおそれることもない。

ハートの意識は、そのおこないからすると（「普通」と違うのでなおさら）「個性」があるようにみえるかもしれないが、そのような人はシャボン玉を超えた「私」として反応している。五感に支配されたインプット／アウトプットからではない。

ハートの意識は、シミュレーション／ボディ－マインドの相互作用を無効にし、感覚はシミュレーションではなくハートに反応するようになる。このようにして、私たちはシミュレーションに影響をあたえはじめる。シミュレーションから私たちへの一方通行ではないのだ。

シミュレーションは、ビデオゲームのように過去－現在－未来という幻想をあたえる。しかしシミュレーションもゲームも、今ここに設定されたプログラムにしたがってコード化された情報にすぎない。輪廻転生／カルマ／占星術のサイクルもコード化されている。それらは、ソウル《魂》とマインドを人間の「死」後もとどめておくフィードバックループである。自己認識を変え、ほんらいの姿を思いだし、ハートのつながりを開いて、シミュレーションが制御できない周波数へと拡大していけば、そのループから脱けだすことができる。

隷属からの解放は、自身の完全性にかかっている。私たちは、知覚によって光速の範囲内にあるシミュレーションの周波数帯に囚われているが、望めばいつでも状況を変えることができる。

巨大にみえるシミュレーション宇宙の陰から私たちを操っている存在は全能である、と考えるのはやめたほうがいい。巨大だなんて誰が言った？『No Man's Sky』の宇宙だって巨大に見えるが、巨大な幻想をみせるコンピューター上のコードにすぎない。ロンドン・プラネタリウムの「夜空」を見上げれば、とてつもない大空に見えるが、実際は天井に投影されているだけだ。「本物の」夜空は巨大に見えるが、脳内でそのように捉えられているにすぎない。

シミュレーションは、２Ｄあるいは「平面」のコード化された情報場を、私たちが幻影の３Ｄとして解読しているものだ。ボディーマインドは、その解読に特化して設計されている。ホログラムも同じだ。

シミュレーションのほんとうの規模は、私たちが知覚している大きさに比べたら、ほんの小さなものでしかない。『No Man's Sky』は、発売時には60万行ほどのコードを走らせていた。すごい数に思えるが、エンターテインメントとWi-Fiを搭載した最新の車両は**1億**行のコードを使用しており、さらに2、3倍に増やす計画があることを考えると、さほどでもない。

コンピューター画面は、節電のため使われないときには暗くなる。私たちも、波動場全体をホログラフィックにする計算能力を省くため、対象を観察しているときだけ波動場をホログラムに解読しているのだろうか？

自分自身の牢獄を解読する

シミュレーションによる支配の鍵は、波動情報の構築だけではない。重要なのは、転生するマインドに、幻想を本物であると思わせて解読させせることだ。脳／ボディは、つねにマトリックスをホログラフィックなかたちに解読している。五感（マトリックス－ボディの相互作用ポイント）だけが知覚を決定し、シミュレーションは制御されている。そのときマインドはシミュレーション世界のなかにあり、シミュレーションの一部であって、他の参照点はない。コンピューターゲームのキャラクターは、自分がソフトウェアに反応しているだけだとわかっているだろうか？　彼らは、それが現実だと思っているだろう。「反応」のポイントははっきりしている。

人類は、テーブルを囲んで次の手を考えているカルトのエージェントに完全に操られ、管理されているわけではない。現在あきらかになっている世界組織の変容は、テーブルを囲んでいる連中だけでは達成できない。アルコーン的計画は、シミュレーション場のエネルギー的構造にコード化されている。人類がそれを現実へと**解読**する。だから、このように速く世界規模で事が進んでいるのだ。計画を進めるには、人類をこの情報の波動周波数に同調させせなくてはならない。５Ｇが次のステージだ。

「教育」システムとマスメディアを通じた絶えまないプロパガンダは、カルトが望む現実をつくりあげる知覚を注入するためにつくられている。カルトのアジェンダにどっぷり漬かった波動場と、人びとをからみあわせるのだ。

信じていることが知覚され、知覚されたことが体験になる。人類は、簡単にいうと、みずから自身の牢獄を解読し、つくりだしているのだ。自己認識をほんらいの自分に書き換えることによって、知覚を変換すること。それだけが牢獄からの解放の道だ。

人間の知覚のうち、どれほどがシミュレーションによってもたらされたものなのだろうか？　人びとの頭のなかに絶えまなく浮かんで消えるつぶやきの、ほんとうの出どころは？

私はこれを「シナリオマインド《思考》」とよんでいる。無数のシナリオと、それに対する反応がとめどなく吐きだされてくるからだ。シナリオは実現するとは限らない。彼がこうしたら、私はこうする。彼女がああ言えば、私はこう言う。こういうものは、いったいどこから来るのだろう？

静かな場所にいって、このつぶやきを**観察**してみよう。一歩引いて見てみよう。とりとめなく続くつぶやきに耳を傾けてみよう。自分自身のボディーマインドのつぶやきが聞こえてくるだろう。なんと言っているだろうか？　つぶやき**ではなく、観察者**こそが**自分**なのだ。

ベンジャミン・リベット（１９１６～２００７）は、カリフォルニア大学サンフランシスコ校の生理学者で、人間の意識を追究し、非常に重要な実験を数多くおこなっている。

リベットは、ある集団に「任意」のタイミングで手を動かすよう依頼し、そのあいだの脳活動を観察した。彼は、手を動かすための脳活動が、それを意識的に決定する0・5秒前におこなわれていることを発見した。

ジョン・ディラン・ヘインズは、ドイツ・ライプツィヒにあるマックス・プランク認知神経科学研究所の神経科学者だ。彼は研究のなかで、脳活動を観察するだけで、意思決定がなされる**10秒前**［訳注：正確には7秒のよう］に行動を予告できることを発見した。

テネシー州ナッシュビルにあるヴァンダービルト大学の神経科学者、フランク・トングは、「脳活動からすれば10秒間は一生涯にあたる」と言った。

意思決定をしているのが意識でないならば、それはいったいどこから来ているのだろう？　私は、すべてとはいわないまでも、**ある程度**はシミュレーションから来ていると考える。『マトリックス』のモーフィアスは「今頭にあるのは君の考えか？」と言った。

肉体は、意識を制限する装置としてコード化されている。かたちのないエネルギー状態では、肉体なしに見たり、聞いたり、感じたり、嗅《か》いだり、味わうことができる。シミュレーションとの相互作用を除いては、肉体など必要ではないのだ。肉体はシミュレーションの周波数帯、そのなかでも可視光とよばれる狭い範囲内に私たちの目を向けさせる。そして見たり、聞いたり、感じたり、嗅いだり、味わうことは肉体でしかできないと思いこませる。人間は肉体こそが自分自身であり、それを失えば無だという幻想に囚われているということだ。

そうではない。肉体がなければ、私たちは**すべて**になれる。主流科学と医学は、肉体が完全なる

「私」であるという信仰を支えつづけている。肉体は意識の**反転擬態**であり、私たちが自分自身や現実、可能性を認識することを制限している。グノーシスが、肉体は「聖なるひらめき」を物体に閉じこめる牢獄であるというのも不思議はない。

もうひとつの謎も、これによってすべて説明がつく。なぜ地球の大気や生態系が、生命を維持するのに最適なのだろうか？　ほんのすこし変わってしまえば、地球上の生命は生きられない。科学者ロバート・ランザは、著書『Biocentrism』でこう述べている。

なぜ物理法則は動物が生きるのにぴったりにできているのだろうか?……もし強い核力［訳注：原子核の核子（陽子、中性子）同士を結合する力］が2％弱まれば、原子核はその姿を保てずに、ありふれた水素が宇宙で唯一の原子になるだろう。もし重力がごくわずかに弱まれば、星（太陽を含む）が燃えることはないだろう。これらは太陽系と宇宙内の200以上を超えるパラメーターであり、非常に正確であるため、それらが偶然だとするのは信憑性に欠ける。たとえ現代の標準的な物理学が、必死でそう訴えているとしても。

もちろん偶然などではない。そのように**つくられて**いるのだ。どうやって？　私たちの世界は、自身の法則と情報をコード化したバーチャルリアリティのシミュレーションだ。なぜ？　カルトとその非人間の「神々」が、今ここにある幻想のなかに人間を知覚によって囲いこみ、支配するためだ。

シミュレーションは長きにわたり、人類にその悲惨な状況を認識させようと努めた多くの者に破られてきた。しかしそうした先人たちは、カルトの煽動によって迫害に遭った。

堕ちてきた者からコントロールを取りもどそうと、ほんらいの現実から「転生」してきた意識が協力して、今日も努力を続けている。プラトンの洞窟の囚人のように、実際になにがおこっているのかを仲間の人間に知らせようとしているのだ。

私たちは歩を進めている。しかし、道のりはまだまだ長い。

訳者あとがき

本書が発表されたのは2020年8月、新型コロナウイルスのパンデミック騒ぎのさなかである。邦訳第2巻が刊行されようとしている2022年2月、コロナもそろそろネタ切れか、という絶妙なタイミングで、ロシアがウクライナへ侵攻、という新たな騒動が勃発《ぼっぱつ》した。カルトが渇望する新鮮で強力なエネルギー（恐怖・憎悪・憤怒・不安・怯《おび》え）がたっぷり供給されるというわけだ。

デーヴィッド・アイクのウェブサイトdavidicke.comで、この問題に関するアイクの見解をうかがうことができる。2022年3月22日に投稿された、『Everything Is Connected（すべてはつながっている）』と題された動画で語られる内容を、かいつまんでご紹介しよう。

聞き手のステファン・ブロートンが、ロシアのプーチン大統領をどう思うかと訊《き》くと、アイクは「プーチンは、NWO《ニュー・ワールド・オーダー》（新世界秩序＝少数のエリートからなる世界統一政府によって、地球全体を管理することを目指す）を終わらせようとはしていない。しかし西側の報道が誘導するように、極悪人とも捉《とら》えてはいない」と答えた。

ここ日本でも西側寄りの報道がなされているため、国民のほとんどが、プーチンは悪の侵略者、ウクライナがんばれ、という空気だ。国会でウクライナの大統領であるゼレンスキーを演説させてみたり、政府はG7に追随している。国民は人道支援として、なけなしのポケットマネーを募金したりと感傷的になっている。

テレビを盲信しない少数派のなかには、「ゼレンスキーはグローバルエリートの手先で、プーチンはNWOを阻止しようとする正義の味方」というストーリーを信じる人もいる。

アイクは、「プーチンはキッシンジャー（米大統領補佐官、国務長官を務めたロスチャイルド・シオニスト）と親交があり、アジェンダ21（1992年に採択された、「21世紀に向け持続可能な開発を実現するために各国および関係国際機関が実行すべき行動計画」という建前の世界中央集権計画）を支持している」として、この説を否定している。

3月25日にアイクのサイトに投稿された記事（アイクが書いたものではなく、OffGuardianというオルタナティブメディアの記事の転載。創設者（複数）が、英紙『ガーディアン』のウェブサイトのコメント欄で検閲されたり、バンされたりしたことからつけた名前だという）では、「『プーチンvsダボス』説に対する10の疑問」と題し、ロシアは反NWOではないという論拠を挙げている。記事を書いたライアン・マタースは、プーチンがNWOから世界を救うという説をはじめて目にしたとき、すぐにQアノンのしわざだと感じたという。Qの世界では、プーチンはトランプ前米大統領の盟友であり、トランプとともに救世主と位置づけられているからだ。

アイクは、俯瞰《ふかん》してみれば、プーチンもゼレンスキーもカルトのアジェンダの駒《こま》にすぎないという。世界政府による管理社会へと、粛々と足場固めが進められており、コロナ騒動もその地ならしだった。

詳しくは次巻に譲るが、ジェンダー問題も、気候変動問題も、そのゴールを見据えての動きである。「すべてはつながっている」のだ。

（カルト以外）誰も戦争は望まないが、プーチンを責めることも、ゼレンスキーを支援することも的外れなのだとしたら、私たちはいったいどうすればよいのだろうか？　その「答え」は、アイクが本巻で述べたように、私たちひとりひとりが、ほんらいの自分の姿を思いだし、そこに還《かえ》ることに尽きる。邪悪な思惑に操作されないことが、なにより強い力となる。

2022年4月1日（吉日）　渡辺亜矢

●デーヴィッド・アイク著『答え』各巻案内

David Icke "THE ANSWER", 2020.8.13 英語版

第①巻高橋清隆訳、第②巻～第④巻渡辺亜矢訳

第①巻　人類奴隷化を一気に進める偽「ウイルス」大流行《パンデミック》［コロナ詐欺編］

序章

著者が30年来論述主張してきたことが、「新型コロナ」騒動の現実に直面してどうにも否定できなくなってきた。「陰謀論」は大衆を真相から遠ざけるためにＣＩＡが常用する手垢《てあか》にまみれた誑《たぶら》かし宣伝用語。人類はメディア情報によって近視眼にさせられ、ピラミッド監獄下の区画化された檻《おり》のなかで働き、全体がまるで見えない。無限の意識から切断され、職業や宗教、性別などに規定される存在《レッテル》を自己だと思っている。

どのようにそれは行われるか／クモ／死のカルト／永久政府（＝「影の政府《ディープステート》」）が本当の政府／カルトの戦争／心を解き放つ／偽の自己認識

第15章　彼らはどのようにして偽の「大流行《パンデミック》」をやりおおせたのか？

この本の85％は「新型コロナウイルス」（COVID-19）の「大流行」前に書いた。ここでは「新型コロナウイルス」が存在しないことを説明したい。公式でも半公式でも、自然あるいは中国のウイルス研究所由来

のウイルスが存在し、感染性の肺炎をおこしたとしている。これを裏づける証拠はなく、都市封鎖によって独立した生計を破壊し、カルトが牛耳《ぎゅうじ》る政府への依存を強めるためにうそをついたと考える。「ハンガー《殺し合いの飢餓》・ゲーム《管理》」社会に誘導するため。

英国で最初に新型コロナ感染症と診断された1人は、イタリア旅行からもどった男。BBCが報じた。彼は頭痛と関節の痛みがして病院に行ったが、それまでにインフルエンザの症状は消えたと証言している。「死ぬ」とはお笑いだ。あるドイツ人記者が英国のコロナの救急病院にカメラをもって訪ねたが、空《から》だった。同じことをした英国人は、真実を暴露するのを妨げるため逮捕された。英国政府は木曜夜に病院前で医療従事者に拍手を送る行為を奨励している。しかし、中は休暇を命じられた職員が多いためがらがらで患者もなく、医師が机を指でたたく。〝病院ダンス〟のビデオを撮っているのは暇だからで、密になっても感染は聞かない。

米ニューヨークの医学者、アンドリュー・カウフマンは「新型コロナは存在しない」と明言する。中国の研究者が一握りの最初の患者の肺から取った単離してない遺伝物質は、無数の人びとの体内にある細菌や真菌その他生物にも見つけられるものだと指摘している。また彼は、新型コロナはエクソソームのことではないかと提起する。エクソソームは細胞に化学的や電磁的な毒素が入ってきたときに細胞外の余剰スペースに排出される。

PCR検査を発明したノーベル賞学者、キャリー・マリス博士は、「これは感染症の診断に使ってはならない」と言っていた。彼は2019年8月に亡くなっている。

公式見解／クモの巣――米国・カナダは中国に数百万ドルを渡し、「大流行《パンデミック》」詐欺を調整／事実なき宣伝／空《から》の「戦場」病院／おめでたい拍手人／詐欺がどう働くか、医師が説明／「致死性ウイル

ス」は自然免疫系の反応／ウイルスに「感染」できるか？／詐欺がどのように働くか、科学者が説明／数字と「予測」はどこから来る？／「誤差」の喜劇／悪魔のゲイツ／人々は「新型コロナウイルス」でのみ死ぬ／「それはコロナ、ばかな――常にコロナ」／医師や専門家は思い切って言った／老人殺し／聡明《そうめい》な医師と専門家が一致、大衆はだまされた／わざと弱めている自然免疫力／5Gはいかが？／5Gと酸素／事例研究／肺の症状は「ウイルス」によって起きない

第16章　ビル・ゲイツはなぜサイコパスか

ビル・ゲイツは世界の「保健」産業をカルトが命じたとおりに喜んで熱心に実行している工作員である。世界保健機関（ＷＨＯ）はロックフェラーとロスチャイルドによって第2次大戦後つくられて以来、心底腐りきっている。２０２０年3月の新型コロナウイルスの「パンデミック宣言」の発表も常套《じょうとう》手段だった。ゲイツは数億ドルをここに注ぎこむとともに、数百万ドルを米国疾病予防管理センター（ＣＤＣ）に出して同国のウイルス政策を差配している。それで医師たちは、患者が運ばれてくると、エビデンスなしに〝新型コロナ〟と診断している。

メリンダ・ゲイツはＢＢＣラジオに出演し、夫がコロナの感染爆発に備えて「何年も準備していた」と発言した。ビルは２０１５年、『テッド・トークショー』に出て、世界的な大流行がおきて多くの人びとが死に、世界経済が壊滅的な打撃を受けると予言していた。中国で「感染爆発」がおきる6週間前、1%が運営する世界経済フォーラム（ダボス会議）が開かれ、コロナウイルスの大流行をシミュレーションしている。「イベント２０１」とよばれるもので、ビル&メリンダ・ゲイツ財団とジョンズ・ホプキンズ大学が主催した。ゲイツは「大流行」がはじまる前から、人類全員にワクチン注射を接種したいと語っていた。

ロバート・F・ケネディ・ジュニアは次のように述べている。「ビル・ゲイツにとって予防接種は、多くのワクチン関連ビジネス（世界のワクチンID企業を支配したいマイクロソフトの野望を含む）を潤す戦略的慈善事業であり、世界の保健政策——企業による槍《やり》の穂先《ほさき》——に対する独裁的な支配を彼にあたえる。

ゲイツは2000年から2017年のあいだインドで、ワクチン接種により約50万人の子どもを麻痺《まひ》させ、1200人の少女を不妊にし、7人を殺している。ワクチン接種のために2万3000人が村を出た。

誰のWHO《紳士録＝フーズフー》（世界保健機関）？　えーと、ビル・ゲイツ／ゲイツと「ダボス」の暴力団——その「予言」／ロックフェラーの予言／ゲイツのワクチン／ロバート・F・ケネディ・ジュニアによるゲイツワクチン恐怖物語／最大の死亡原因——都市封鎖《ロックダウン》／「ハンガーゲーム」《殺し合いの飢餓管理》の大もうけ／ニューシステム／全ての要求を満たす／シークエンス《塩基配列》（連鎖）／お金の動き依存関係を追え／生存反応が作動した？　そう——今や、われわれは何でもできる／文字通りの分断統治になった／警察軍事国家／メディアが独裁を可能にする（ドイツでやったように）／ユーチューブとフェイスブックから追放——連続／アイクを黙らす「デジタルヘイト」ネットワーク／ネオコンのニュースガード／次は何？／食料支配

あとがき

「感染爆発」について、私の暴露を黙らせようとする体制の捨て身の攻撃は、この本が印刷される直前、新たな段階に到達した。英国議会の保守党議員ダミアン・コリンズが、公式見解に反する違法なものだと言ってきた。コリンズは下院デジタル・文化・メディア・スポーツ委員会の前委員長で、なにかに取りつかれたように、うそを暴こうとする私を黙らせようとして、ゲイツとカルトの所有するＷＨＯの言説を世界中の黒スーツを着た政府やテクノクラートのようにおうむ返ししていた。

「ヘイト」検閲ネットワーク／英国政府の世界規模の心理作戦「チーム」／「肘《ひじ》でそっと突《つつ》く」、というより背中をピシャリとたたく

第②巻　究極無限のワンネス愛「心《ハート》」は、
カルト操作のマトリックス（幻影）を見破り、
現実（リアル）にリセットする
［世界の仕組み編］

第１章　現実とは何か？

私たちは無限の宇宙とつながったひとつの存在だが、個々の身体《からだ》が経験する認識を生きている。五感で捉える現実は、波動領域にある情報を脳が解読したホログラムの電子信号にすぎない。「物理的」現実が幻想であることを支配カルトは知っていて、私たちの現実意識を狭い領域に閉じこめている。映画『マトリックス』で脳をコンピューターにつながれ水槽に浮かぶネオのように。時間は存在せず、光の速さは人間の肉体が知覚できる限界にすぎない。しかし、多くの臨死体験者が語るように、私たちの意識は無限で、なんにでもなれる。

「神」とはなにか？／幻想《イリュージョン》を解く／聞くための耳？　味わうための舌？／幻想の混乱／志村～！

後ろ！／脳は情報処理装置／時間？　なんの時間？／光の速さ？　歩く速さでは？／証拠は山ほど／あなたが信じるものがあなた

第２章　私たちは何者？

ほんとうは無限の「私」のほとんどは、カルトの情報操作によってハイジャックされている。開いたマインドは拡張された意識に接続されているが、閉じたマインドは五感の殻のなかで、科学や学術、メディアなどあらゆる主流に命令される。チャクラは無限意識と「自己」をつなぐ。「第三の目」とよばれるチャクラは第六感をつかさどるが、カルトは水道水や歯磨き粉に混入されたフッ化物によって脳梁《のうりょう》のあいだにある松果《しょうか》体《たい》を石灰化することで、機能を止めている。宗教が抑圧する前の古代人は、経絡《けいらく》を刺激することで、チャクラを開くことができた。人間の電磁場は地球の電磁場の縮図であり、脳の活動は私たちのホログラム現実の宇宙とそっくり。

ワンネス／無は全／「人間」とはなにか？／「蛇神」／波動をおくれ／原子神話／「物理的」現実はどのようにつくられるか／ホログラフィックな幻想／電気的な現実／言葉では

第３章　謎とは何か？

私の説明で現実を見通せば、いわゆる人生の不思議は氷解する。肉体《ボディ》－精神《マインド》は水面のふたつの波紋の干渉と同じく、肉体の波動場と精神の波動場のあいだにある波動のからみあいである。両者の波動の均衡がくずれた状態が病気だ。主流医学はこの原理を無視するため、外科的な切除を繰りかえす。心の波動は知覚に規定されるので、カルトは情報を重視する。5Gは直接振動を乱す。私は「爬虫類人《はちゅうるいじん》」説で笑われたが、人間の狭い視覚領域にあらわれる周波数とそうでない周波数があることを述べたもの。王権神授説やギリシア神話の「ネフィリム」は、両方の領域を行き来する存在の血統を描く。恐怖や敵対などの低次元の感情の引き金を引く爬虫類（レプティリアン）脳の名は、この名残である。

遺伝子《ジーン》の精《ジニー》／自分自身でオン・オフする／信じたものが見える／生まれながらの勝者／敗者？ それともマインドがすべてを決める？／人間関係の（波動）場／あなたに憑《つ》いているものはなに？／変身は波動場現象である／ありえない？ いいえ、ありえます／ちょうど同じことを考えていた／わぁ、なんて偶然だ！／私個人のこと／人生設計／超常は完全に正常である（「正常」は正常ではない）

第４章　愛とは何か？

愛は無償であたえられるもので、求めるものではない。肉欲を超えた、無限で無条件のものだ。私は30年来、人間社会を差配するサイコパスを暴露してきたが、彼らを憎んではいない。人を憎むと憎む相手になり、闘えば闘う相手になる。反対運動がどこでもおきているが、憎悪の連鎖を生むだけ。ハートのチャクラはひとつの無限意識の入り口。頭は考え、心はわかる。私たちの思考や感情は集合意識の領域に放出され、私たちはコンピューターがWi-Fiと相互作用するようにこの領域と相互作用する。カルトはその原理を知っていて、私たちを低い波動レベルに抑えこむため、ナチスや911のような暗いニュースを流す。

アンチ・ヘイト　アンチ・ラブ／愛なき「カネ」／デザイナーラブ《設計された愛》／愛の源《みなもと》／心《ハート》―ワンネスへの

入り口／愛とは人間の「愛」を超えたもの／知性の監獄／大丈夫／愛の科学／ハートのままに／心臓―脳―肚《はら》／生まれる前から／愛にかえろう／水は語る／それでは皆さん御一緒に……／地球を動かすハート／愛―究極の強さ

第5章　私たちはどこにいるのか？

世界はあなたの思考と切り離された物理的構造物だと思っていないだろうか。ボン大学のサイラス・ビーンのグループは、現実を立方体の格子構築物のシミュレーションとして提示した。私たちはプラトンの「洞《どう》窟《くつ》の寓《ぐう》話《わ》」のように、壁に映る影（シミュレーション）を現実と信じているのかもしれない。サイマティクス《音の可視化》は音や固有の振動がつくる形象だが、この世界は、人体を含めた世界の内側での定常波、すなわちホログラムといえる。数字や図形もまた波動を発振する。カルトはそれを知っていて、人類の潜在意識に低い周波数を送る。六芒星《ろくぼうせい》や黒い立方体は土星の象徴で、人間の心を閉じこめる。

定常波の現実／「私は光である」なるほど、でも、どの光？／シミュレーションの科学と数／エレクトリック・ユニバース《電気的宇宙論》（シミュレーション）／誰がシミュレーションをつくったか／もう一度転生する？　いや……やめておこう／吸血鬼カルトとエージェント・スミス／「エイリアン」はどこにいる？／宇宙侵略？／グノーシスは知っていた（そして彼らだけではない）／アルコーンがつくった偽《いつわ》りの現実／ソフトウェア・アルコーン／シミュレーションの現実を模倣するコンピューターの現実／自分自身の監獄を解読する

第6章　なぜ私たちはわからないのか？

人生でもっとも重要な要素は知覚である。知覚したものを信じ、それが行動様式を決め、私たちの経験するものになる。知覚は教育によって仕込まれ、メディアによって促進され、科学や企業群、医薬、政府、そして大衆の信念体系の基礎になる。カルトは私たちの現実の本質を知っていて、知覚をハイジャックしている。教育カリキュラムは彼らの代理人であるロックフェラーやビル・ゲイツらによってつくられ、思考を左脳偏重にすることに重点が置かれている。その費用も個人に負担を押しつけ、何十年も学費返済を迫られている。逃げたくなる子どもには精神障がいの烙印《らくいん》を押し、リタリンなど向精神薬の投与を促進する。メディアは大資本が援助する偽の草の根運動も宣伝する。気候変動やトランスジェンダー、ポリティカルコレクトネス、反人種差別など。ウィキペディアも不明の５００人の者が独占編集し、金銭を要求する事件までおきている。インターネットはカルトが人類管理の目的でつくったもので、最終的にはすべての情報をネットに移す予定。検閲ができるからだ。

ダウンロードのはじまり／「教育」：組織的プログラミング／遊びの時間？　なんの遊び？／知覚ロボトミー／狂気の沙汰／切手サイズの社会／メディア・ソフトウェア／偽の「草の根」プログラミング／森林保護局／少数による、少数のための／悪魔の遊び場―メディアの最終段階／シリコンバレーの検閲／魔法使いの呪文《じゅもん》／つねに波動場にもどろう

第7章　私たちはどのように操られているのか

日々の出来事を真に知るには、カルトの目的を知る必要がある。偶然と思われているできごとが計画されている例を挙げる。サバタイ派フランキストとして知られるカルトは、イスラエルを牛耳《ぎゅうじ》っている（彼らはユダヤ人ではない）が、サウジアラビアの偽「王家」だ。アメリカ新世紀プロジェクト（PNAC）にも浸透し、911事件をおこした。ビン・ラディンではなく。少数者が多数者を支配するために村をなくし、国家をつくってきたが、究極のかたちは世界政府。悪辣《あくらつ》で無慈悲な警察と軍が1%の超特権階級を支え、マイクロチップを埋めこまれた残りの民衆が奴隷として働く。これが「ハンガー・ゲーム《殺し合いの飢餓管理》」社会。その一環としてジョージ・ソロスが出資し、「アラブの春」や東欧の崩壊を進めた。目的を早く達成するため、大量の移民を欧州や北米に送りこみ、文化・伝統を破壊するとともに、農奴が住むマイクロアパートを建設している。

問題をつくれば解決策を押しつけられる／カルト映画／ハンガー・ゲーム《殺し合いの飢餓管理》社会／『ハンガー・ゲーム』—現実を描いた映画／グローバルなブラック工場／都市に押しこめろ／強制収容都市／貧困を保障し、管理する／カルトの銃規制／国境を開け／ぬき足、さし足／集団保護／多いほど楽しい／乗っ取りの流れ／ソロスのカネ／「ソロスの春」戦略

第8章　なぜ生命のガスを悪魔化するのか？

ニューウォークはカルト宗教で、「人為的な気候変動」部門はその総本山である。二酸化炭素は悪魔という教義がひとたび主流で保証されれば、「イケてる」常識になる。俳優のディカプリオはプライベートジェットで温暖化防止賞を受けとりにいった。セレブはカルトの宣伝に使われる。英国のヘンリー王子とメーガン妃が「財政的に独立した」のは、気候変動カルトに利用されたから。ヘンリー王子は気候変動詐欺の脚本を自身の考えなく一語一句読み上げているだけ。クイーンズランド大学のジョン・クックは気象学者の97％が気候変動人為説を信じるとの情報を拡散したが、彼の調査報告書全文1万1944ページを見れば、66・4％が中立の立場を取っている。今より暖かい中世温暖期が1000年前にはじまり、16〜19世紀の小氷河期を経て今にいたるのが真相。テムズ川が凍っている絵が描かれたクリスマスカードが今もある。

カルトの教義とその多くの顔／ニューウォーク《余計な問題に目覚めた》な気候変動セレブのカルト教団／途方もないうそ／なんて言ってたっけ？／神話のでっち上げ／でっち上げた神話を守る／生命のガス／CO_2が多すぎ？　いや、足りない／気温上昇はCO_2の結果でない―あべこべだ／カルトの説話―人類は敵／気候変動カルトの菜食主義―そう単純ではない

第9章　なぜ「気候変動」が担《かつ》がれてきたか？

気候変動詐欺は2003年のイラク侵攻同様、無問題―反応―解決の手法で「ハンガー・ゲーム《殺し合いの飢餓管理》」社会への口実をあたえ、極端なオーウェル的支配のためのアジェンダ《実現目標》に寄与した。大きなうそほど信じられる。世界政府をつくるという解決策には地球規模の問題が必要で、最終目標は新型コロナ詐欺と不可分だ。警察・軍事政府は、悪い人間からその他の「善良な人間」を守る名目で登場する。気候変動カルトは電気自動車を推進するが、リチウム電池に使うコバルト鉱山では、4歳からの子どもがマスクもなしにただ同然でグローバル企業に働かされている。世界政府の母体になるのが国連で、トロイの木馬としてカルトによってつくられた。アジェンダ21は1992年のリオ地球サミットでマリウス・ストロング（ロスチャイルドとロックフェラーの代理人）によって発表された。同文書には、次の項目が含まれる。

・私有財産の廃止
・家族単位の「再構築」
・子どもの国家による養育
・空いた土地への大量入植
・上記のすべてを遂行する大規模な地球人口の削減

16歳のグレタ・トゥーンベリは国連で演説する前、世界経済フォーラム（ダボス会議）に出ている。彼女のメンター、ルイーズ・マリー・ノイバウアーはビル・ゲイツとジョージ・ソロスが出資した「ワンムーブメント」の要人。グレタとその両親は「反ヘイト」のヘイト集団、アンティファのＴシャツを着ていた（写真あり）。

「地球に優しい」の悲惨な結末／いかにして気候変動カルトは億万長者によって生みだされたか／ある内部者《インサイダー》は語る／国連のダブルパンチ／アジェンダ21／２０３０アジェンダ／絶妙のタイミングでグレタの登場／白熱する詐欺宣伝

第10章　あなたはニューウォーク

中国はＥＵと米国、日本を合わせた以上の二酸化炭素を排出しているが、公に非難されることはない。ニューウォーカー《被害妄想狂》は怒るべきではないか。そうならないのは、世界政府のひな形だからだ。国中に張り巡らされた監視カメラの整備には、カルト所有企業のグーグルやＩＢＭがかかわる。カルトは中央集権独裁を選挙で選ばれないテクノクラート《技術官僚》にさせたい。カルトは社会主義の宣伝にマルクス主義の名を用いず、ニューウォーカーの名を考えた。KGBは3世代にわたる社会主義の浸透を実行した。実際、米国の世論調査では、18～24歳の61%が社会主義を容認すると答えている。ニューウォーカーは被害感情が旺盛《おうせい》で、人種・性などなんでも差別されたと訴える。カルトがポリティカルコレクトネス《政治的公正》やSNSの普及で犠牲者を増やしたのは、検閲を通じて国家による保護を促進するためだ。

「資本主義」はカルテル化／ニューウォーク《余計な問題に目覚める》はどのようにつくられたか／再教育が効いている／狂人の脊髄反射《エンターキー》／秩序立った狂気／笑いごとではない／横暴な正義／私たちを守って／確信を求めて／なぜ事実《ファクト》がそれほど危険なのか／組織的検閲／あなたは誰？　私はLGBTTQQFAGPBSM／偽の「社会正義」／言語破壊と自己検閲

第④巻　心を開き、トランスジェンダーもAIも無効に　［世界の変え方編］

第11章　なぜ白人、キリスト教徒、男性か？

ニューウォークネス《被害妄想症》とポリティカルコレクトネス《政治的公正》がカルトにより仕掛けられたものであることは、両者共通の目的をみればわかる。

・世界権力の集中（ニューウォークが地球を気候変動から救うために求めた）
・カルトとその人類へのアジェンダに対する批判と暴露への検閲（ニューウォーク《余計な問題に目覚める》がポリティカルコレクトネスを通じて要求した）

・より小さな自己認識に知覚を閉じこめる（ニューウォークがアイデンティティ・ポリティクスを通じて促進した）

など。

被害者意識からの告発が横行すると、白人で成人男性であることが最悪になる。この倒錯は問題にされない。職場では女性に対し、一言一句、気を使わなければならない。スーパーボウルの広告には、「有害な男らしさ」と掲げられた。カルトは性のない人類を求めている。すべては「ハンガー・ゲーム《殺し合いの飢餓管理》」社会に誘導するためだ。

男の白い影／ポリコレ禁止区域／ウォークは笑いごとではない／♫イエスの十字を外し♫／有害な男らしさ／「反ファシズム《アンティファ》」のファシズムと億万長者同盟

☆カラーグラビア　ニール・ヘイグ〈ギャラリー〉

第12章　私たちはどこへ向かっているのか？（流れにまかせた場合）

私たちは人工知能（ＡＩ）として知られる合成人間という結末に誘導されている。それには「スマート《奴隷誘導化》」テクノロジーとトランスジェンダーがかかわる。テクノクラシーは単一文化の世界を目指してあらゆる国境をなくしているが、男女の生物的境界をなくすことも含まれている。テクノクラシーとは社会工学。国際決済銀行（ＢＩＳ）は現金廃止による単一の仮想通貨を導入しようとしている。ビル＆メリンダ・ゲイツ財団は世界の学校でＩＴ教育を導入するための資金を提供している。これからは人より機械に話しかけるようになるだろう。元グーグル重役でシリコンバレーにあるシンギュラリティ・ユニバーシティの共同設立者のレイ・カーツワイルは人間の脳とＡＩを接続し、５Ｇのクラウドにアップロードするプログラムを２０３０年からはじめると唱える。最終的に人間の肉体は処分される計画だ。

隠れたるより見《あらわ》るるはなし『礼記《らいき》』／イスラエルのグローバル・テクノクラート／サイバー空間の軍事支配／（もちろん）内部者《インサイダー》のドノヴァンは知っていた／悪魔の遊び場《シリコンバレー》と「教育」支配／AI「人間」／シミュレーションのなかのシミュレーション／人をばかにする「スマート」グリッド／最「先端」技術はすでに存在していた／ネコちゃん、おいで……／インターネットはトロイの木馬／イーロン・マスクの仮面《マスク》の裏／悪魔化《デーモナイズ》する民主主義《デモクラシー》／サイバースペース、それは（自由の終わりへの）最後のフロンティア／5Gがあなたの街にやってくる／ヒト生物学を解明する／変わりゆく世界／子どもにスマホをあたえる？／カリフラワー状の血液／5Gは兵器／空から毒が降ってくる／AI世界軍／暗黒郷《ディストピア》のヴィジョン

第13章　トランスジェンダーヒステリーの真相

「生物学的な」合成人間に性はない。合成遺伝子工学は急速に進展したが、支配カルトの地下倉庫にすでにある技術を提供しただけ。ビル・ゲイツの「ウイルスワクチン」はこれを加速するよう設計されている。トランスジェンダーを叫ぶヒステリーは、あらゆるものを合成に導く忍び足だ。「世界を救う」菜食の圧力は、「ウイルスヒステリー」での操作された食糧難によってさらに促進されるだろう。学校でもメディアでも強調されているトランスジェンダーは性をなくした合成人間に現在の人間を取って代わらせるため。Ｄ・ロックフェラーの盟友、リチャード・デイ医師は1969年、「セックスのない出産が奨励されるだろう」と計画を明かしている。どうしてユニセックスの服が並んだのか思いだしてほしい。学校や警察、軍の服装も中性化している。女子スポーツは女性らしい体型をなくしている。

性別を混乱させ、融合する／子どもを使った生体実験が横行／文書には……／「差別」？　そうですね／促進と規制／J・K・ローリング《ハリー・ポッター作者》バッシング／ニューウォークの秘密警察《シュタージ》が迫る／ひとつの陰謀にはさまざまな側面がある／親たちを黙らせよ、教師を洗脳せよ

第14章　新世界交響曲とは何か？

私たちの現実の基礎は振動の波に書きこまれた情報であり、それらの周波数が情報の性質を表現している。憎しみは遅く稠密《ちゅうみつ》な周波数であるいっぽう、愛や喜び、感謝は早く、高く、広がりのある周波数を生み出す。『マトリックス』や『すばらしい新世界』は前者が支配する。スマート（極小）技術やWi-Fiは人間の周波数に干渉し、AI依存症にすると同時にAI機器の周波数に人間の周波数を同化させるために放出されている。カルトは私たちの生活のいたるところに波動の操作を押しつけている。ピラミッドと万物を見通す目の類《たぐい》は、子ども向けのテレビ番組や漫画にあふれている。シンボルは隠された言語で、カルトは自分たちの周波数を人間のエネルギー場に送信している。

覚醒《かくせい》する波動／鏡よ鏡……／周波数は自由／デジタル依存症／バーチャル「人間」／マトリックスをつくっているのは私たち／AIと脳が同期──スマート！／ワクチンも食べものも飲みものも毒／ワクチンで免疫《イミユーニティ》ではなく、訴追を免責《イミユーニティ》／集団免疫が問題なのではない／ワクチンの波動／ワク

チンでナノチップを人体へ／ワクチン監視／マイクロプラスチックはどこにでも／「人《ヒト》大《多》杉《すぎ》」／波動を操る

第17章　答えは何か？

支配体制それ自体は、複雑ではない。その基礎は、人間の知覚と感情を低い振動状態に制御することである。私たちが高い波動状態に拡張すれば、シミュレーションの外側を認識するレベルと再接続できる。

自己認識として幻想のラベルを貼《は》ると、悲劇的な結末が待つ。自分がそのラベルであるとの信念が、感覚の制限に反映する。人にあなたは誰かと尋ねるとたいてい、自分の性別や人種、職業、年齢、出身地などを答える。しかし、あなたは異なる経験をしている同じすべてだ。見えない殻のなかに自身を閉じこめておかず、殻を破れば、ひとつの無限の意識があなたに話しかける。

どうすれば、人類の終わりであるポストヒューマンを回避できるか？　人類を超えればいい。自分自身が誰かを思いだし、その自己認識で生きよう。自身を変えれば、人生が変わる。十分な人間がそうすれば、「世界」が変わる。「時間」や「進化」は幻想だ。心を開いて英知と対話する人はみな、いつもそこにいる。

マインドの限界は知覚の限界にすぎない／偽りの自己を解明する／おそれは管理システム／一歩、二歩／潜在意識の知覚／真実の振動／ワンネスの愛／ハートの愛は人間の愛にあらず／心《ハート》は「体制」が無力だとわかっている／無限の不確実性のなかに確実性を求めて／己を愛せば、世界を愛せる／心《ハート》を脅す？　ありえない／ハートはわが道をゆく／ハートを開き、ハートで生きる／なにが重要か理解する

付録1　リチャード・デイ博士の予言
付録2　ノアの7つの戒め
参考文献

デーヴィッド・アイク
1952年４月29日、英国のレスター生まれ。1970年前後の数年をサッカーの選手として過ごす。そののちキャスターとしてテレビの世界でも活躍。エコロジー運動に強い関心をもち、80年代に英国緑の党に入党、全国スポークスマンに任命される。また、このいっぽうで精神的・霊的な世界にも目覚めてゆく。90年代初頭、女性霊媒師ベティ・シャインと出会い、のちの彼の生涯を決定づける「精神の覚醒《かくせい》」を体験する。真実を求めつづける彼の精神は、エコロジー運動を裏で操る国際金融寡頭権力の存在を発見し、この権力が世界の人びとを操作・支配している事実に直面する。膨大な量の情報収集と精緻《せいち》な調査・研究により、国際金融寡頭権力の背後にうごめく「爬虫類人・爬虫類型異星人」の存在と「彼らのアジェンダ」に辿《たど》りつく。そして彼は、世界の真理を希求する人びとに、みずからの身の危険を冒して「この世の真相」を訴えつづけている。著作は『大いなる秘密』『究極の大陰謀』(三交社)『超陰謀［粉砕篇］』『竜であり蛇であるわれらが神々（上）（下）』(徳間書店)『今知っておくべき重大なはかりごと』（ヒカルランド）のほかに『ロボットの反乱』『世界覚醒概論——真実が人を自由にする』(成甲書房）など多数。

渡辺亜矢　わたなべ あや
札幌市出身。日本大学芸術学部放送学科卒業。訳書に『ジョン・レノンを殺した凶気の調律 A=440Hz』（レオナルド・G・ホロウィッツ著、徳間書店)、『マスメディア・政府機関が死にもの狂いで隠蔽する秘密の話』（ジム・マース著、成甲書房）がある。

答え 第2巻［世界の仕組み編］

第一刷 2022年6月30日

著者 デーヴィッド・アイク
訳者 渡辺亜矢

発行人 石井健資
発行所 株式会社ヒカルランド
〒162-0821 東京都新宿区津久戸町3-11 TH1ビル6F
電話 03-6265-0852 ファックス 03-6265-0853
http://www.hikaruland.co.jp info@hikaruland.co.jp
振替 00180-8-496587
本文・カバー・製本 中央精版印刷株式会社
DTP 株式会社キャップス
編集担当 小暮周吾

ISBN978-4-86742-133-8

ヒカルランド　好評既刊!

地上の星☆ヒカルランド　銀河より届く愛と叡智の宅配便

Victory of the Light! 地球をめぐる
銀河戦争の終結
著者：海野いるか
四六ソフト　本体 2,500円+税

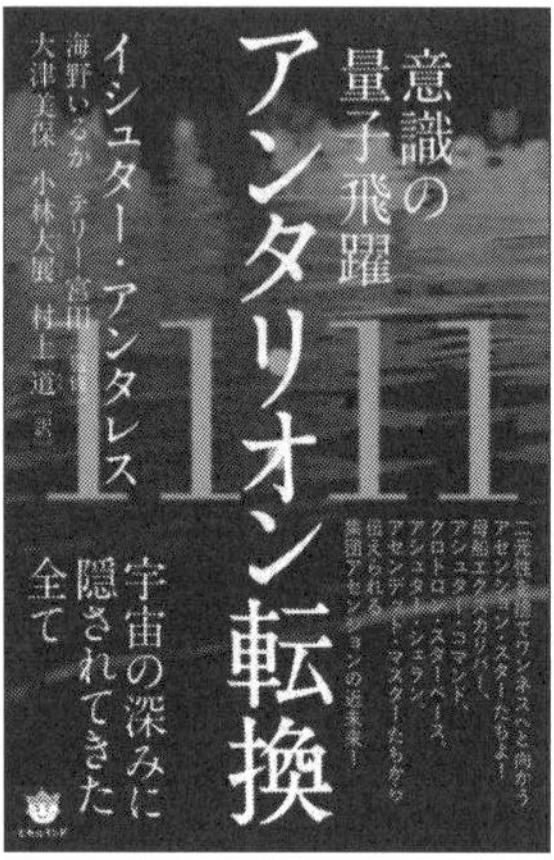

11:11 アンタリオン転換
著者：イシュター・アンタレス
監修：海野いるか／テリー宮田
訳者：大津美保／小林大展／村上 道
四六ソフト　本体2,500円＋税

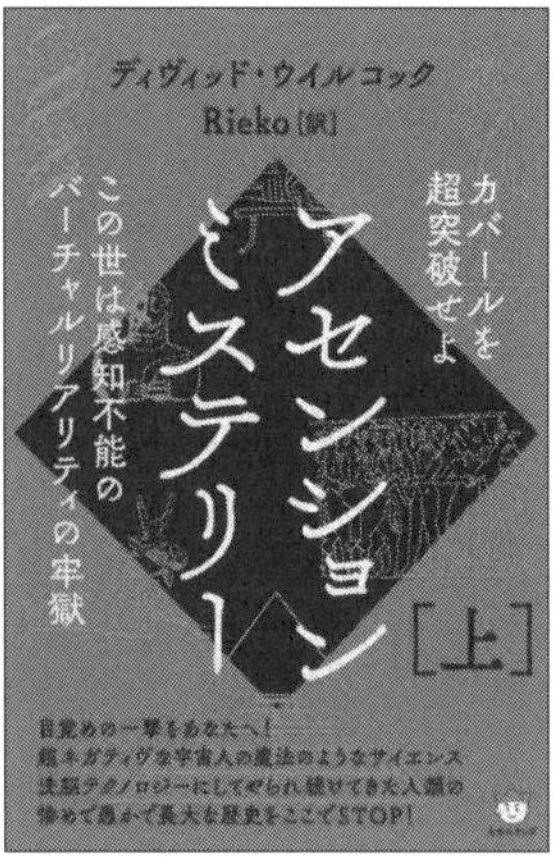

アセンションミステリー［上］
著者：ディヴィッド・ウイルコック
訳者：Rieko
四六ソフト　本体 2,500円+税

アセンションミステリー［下］
著者：ディヴィッド・ウイルコック
監訳：テリー宮田　監修：海野いるか
翻訳：大津美保、小林大展、Nogi
四六ソフト　本体 3,000円+税